STEPHEN LOVELY

ONVERVANGBAAR

Voor het gezin dat, door hun beslissing
de organen van hun zoon te doneren,
de inspiratie vormde voor dit boek

APRIL 2005

Proloog

Isabel zat diep gebogen op haar fiets, met haar handen laag op het stuur terwijl haar benen krachtig ronddraaiden. Haar fietstrui, die boven op haar rug vochtig was van het zweet, plakte tegen haar huid. Zweet liep over haar voorhoofd en slapen en drupte in haar ogen. Ze veegde over haar wenkbrauwen met de achterkant van haar handschoen. Ze hield drie vingers tegen haar halsslagader en voelde het kloppen.

Toen ze een uur eerder uit de stad was vertrokken, was het een beetje betrokken geweest, maar nu was de wind opgestoken en de wolken waren in beweging gekomen. De hemel was inktzwart. De lucht geurde naar vocht en mest. Koperwieken met rode vleugels zaten ongedurig op de telefoondraden. Ze schatte dat ze vijf of tien minuten had om terug in de stad te komen voor de bui losbarstte.

De wind rukte en duwde. Ze ontspande haar greep op het stuur om de fiets de klappen te laten opvangen. De hardere aanvallen weerstond ze door ertegenin te leunen, waardoor ze een wankel evenwicht bereikte tot de verraderlijke wind terugdeinsde en ze haar gewicht snel moest verplaatsen om niet de berm in te rijden.

Ze voelde zich kwetsbaar en overgeleverd aan de elementen. Dit was Iowa, en hoewel ze geen tornadosirenes hoorde, bleef ze uitkijken naar een trechtervormige wolk aan de horizon. Ze moest nodig naar huis. Ze wilde Alex zien, haar man. Ze wilde haar hond aaien, een glas jus d'orange drinken, naar de kelder gaan – als er een tornadoalarm was afgegeven. Zo niet, dan een warme douche nemen.

Tegelijkertijd was ze opgewonden. Uitgelaten zelfs. Om zo tegen de wind, de dreigende storm op te boksen. Om de schermutseling met het gevaar.

Ze daalde pijlsnel een steile heuvel af, een glijbaan van stromende lucht, lichaam en fiets versmolten tot een suizend projectiel, een gewaarwording tot stand brengend van ongelofelijke snelheid, vrije val, bevrijding van alle omringende materie.

Ze raasde over een lang, vlak, recht stuk weg, langs akkers bedekt met de graanstoppels van het vorige jaar, een boerderij, weilanden in de verte, groepjes koeien, een eikenbosje.

Ze maakte vaart in de aanloop naar de volgende heuvel, schakelde lichter en begon aan de klim. Dubbel gebogen greep ze het stuur met haar handpalmen naar beneden en haar neus praktisch op haar onderarmen. Ze verschoof haar gewicht naar achteren en liet haar benen hun werk doen, vasthoudend aan de cadans en zich een weg naar boven vechtend. De eerste vijftien meter voelde ze zich een machine – een gestroomlijnd, krachtig, perfect afgestemd apparaat dat op de fiets was vastgeklemd om de pedalen rond te laten draaien. Toen was haar energie op.

Het was een lange, steile heuvel en ze was nog niet in vorm. Het was pas haar derde rit dit seizoen. Haar longen voelden als verzengd aan, haar dijen zwaar als ijzer. De fiets wiebelde onder haar.

Ze keek op en op nog geen tien meter afstand zag ze de top die naderbij kwam. Een akker met sojabonen die naar een boerderij omlaag liep. Geiten die in de deuropening van een schuur bij elkaar stonden.

Ze worstelde zich naar boven, waar de wind overdonderend uitviel met een geluid dat op de piek van de vlagen verscherpte tot gefluit.

Het geronk van een motor steeg op uit de grond achter haar en er ging een scheut van paniek door haar heen: in de fractie van de seconde voor de botsing besefte ze dat ze te ver naar het midden fietste.

DEEL I

APRIL 2006

Een

Alex Voormann zit in elkaar gezakt op een klapstoel in het souterrain van het bedrijfsgebouw van US Exam en wilde dat hij zijn vrouw kon bellen. Hij zou zich graag afreageren, een komische act opvoeren die 'Mijn rotdag' heet. *'t Is niet te geloven hoe onnozel het er hier aan toe gaat, Iz.* Hij hield ervan om Isabel op het laboratorium te bellen, haar ernst te doorbreken en haar aan het lachen te maken. Meestal protesteerde ze giechelend. *Alex, ik heb het zo druk.* Toch genoot ze ervan en was ze blij met zijn telefoontje.

Alex zou Isabel graag bellen, maar Isabel is dood. Al bijna een jaar nu.

Diane Topor, directeur van het project Steloefening Middelbaar Niveau van US Exam, duikt naast Alex op in een van haar citroenkleurige carrièremantelpakken. Ze schuift een stukje papier zijn gezichtsveld in. 'Herinner je je dit opstel? Je hebt het een nul gegeven. De Commissie Kwaliteitscontrole heeft er unaniem een drie aan toegekend. Kun je dat verschil verklaren?'

Alex is eraan gewend dat Diane met zijn werk bij hem terugkomt om hem over zijn beoordeling te ondervragen en onbekwa-

13

me, jonge opstelschrijvers te verdedigen. Hij leunt achterover op zijn stoel om een beter zicht te krijgen op het opstel en omdat hij wil dat Diane zijn gekreukte, loshangende poloshirt en zijn verschoten spijkerbroek met de rafelige scheur op de knie ziet. Hij gaat met zijn vingers door zijn ongekamde haar en probeert zich het opstel en de schrijver voor de geest te halen. Natuurlijk. Tina Criswell. Dertien jaar, uit Fort Collins, Colorado. In antwoord op de opstelvragen 'Wat denk je dat Amerika's grootste probleem is? Wat kan eraan gedaan worden? Gebruik details en voorbeelden om je tekst voor de lezer te verlevendigen', heeft Tina geschreven: 'Tienerzwangerschappen. Je van seks onthouden tot na het huwelijk.' Haar handschrift is keurig verzorgd en krullerig. Onder de woorden heeft ze een knipogende smiley getekend. Dat gezichtje is provocerend en onmogelijk te duiden. Wat betekent het? De seks zal fantastisch zijn als je er eindelijk aan mag gaan doen? Onthouding is een grapje?

Alex was het opstel vlak voor de middagpauze tegengekomen en had het de volmaakte kandidaat voor het cijfer nul gevonden. 'De leerling doet geen poging de vraag te bespreken en/of het antwoord van de leerling is onleesbaar en/of geschreven in een taal die niet de Engelse is.'

Hij kijkt op naar Diane, hopend dat ze zijn verbijstering persoonlijk zal opvatten. 'Een drie?'

Diane trekt haar wenkbrauwen op, een openlijke uiting van twijfel aan zijn intelligentie.

Alex rommelt door zijn papieren op zoek naar de Holistische Correctierichtlijnen en leest de omschrijving van een drie hardop voor: '"Focus onscherp." Ik zie helemaal geen focus. "Inhoud beperkt tot opsomming van ideeën." Waar zie je hier een idee? "Samenhang onlogisch." De samenhang van wat? "Veelvuldige stijlfouten." Welke stijl? Diane, dit meisje heeft helemaal niets geschreven. Ze heeft de vraag niet serieus genomen.'

Diane legt haar handen teder op Tina's woorden. De mouw van haar blazer schuift langs haar pols omhoog, waardoor er een stijve, witte manchet en een gouden horloge met een vlindervormige wijzerplaat zichtbaar wordt. 'We beschouwen dit als een poging. Een minimale poging, maar desondanks een poging. Er is focus. De focus is tienerzwangerschappen. Er worden twee ideeën opgesomd en samengevoegd. Ten eerste: tienerzwangerschappen zijn een probleem, en ten tweede: een mogelijke oplossing is je te onthouden van seksuele activiteiten tot na het huwelijk. Er zijn geen stijlfouten. We hebben hier zelfs te maken met een geraffineerd gebruik van de gebiedende wijs.'

Alex laat zijn blik langs de zwavelgele muren van het souterrain gaan, naar het urinekleurige raam met uitzicht op de achterkant van een struik. Kan het zijn dat dit allemaal een akelige droom is waaruit hij uiteindelijk wakker zal worden?

Hij schuift zijn stoel achteruit om Diane beter aan te kunnen kijken. 'Ik kan niet geloven dat het panel hier een drie voor heeft gegeven. Betekenen die richtlijnen wel iets? Weet je zeker dat die lui van de KC niet de richtlijnen voor de vijfde en zesde klas hebben gebruikt?' Hij overdrijft zijn ontzetting; eigenlijk maakt het hem niets uit en wil hij zich alleen verzetten tegen Diane en US Exam en de hele dubieuze onderneming van pubers brandmerken met punten. 'Je beloont dat meisje voor nietsdoen. We weten dat ze slim is. Ze maakte correct gebruik van het woord "onthouden". Ze had lak aan deze toets. Ze zei tegen je dat je de pot op kon met je toets.'

Diane haalt diep adem om te demonstreren hoeveel zuurstof haar reactie haar zal kosten. 'Een van onze zorgen, Alex, is dat het jou kennelijk moeite kost om inspanning te herkennen wanneer je het ziet. Jouw cijfers zijn consequent twee of drie punten lager dan die van het panel. Dat is op de lange termijn onaanvaardbaar, maar in het hier en nu zijn we bereid met je te werken.'

Alex doet zijn best zich te beheersen. Per slot van rekening heeft hij deze baan nodig. Hij laat wat wroeging in zijn stem doorklinken. 'Luister, ik moest een beslissing nemen. Ik noem dit geen poging. Niet voor een brugklasser. Zie je die ruimte hier?' Hij wijst in het examenboekje naar de lege antwoordruimte. 'Die zou gevuld moeten zijn met woorden, gedachten, ideeën.'

Diane knikt, een plichtmatig vertoon van begrip. 'Keer nog eens terug naar dat opstel en kijk of je de verdienste niet boven kunt halen. Dat was de gebiedende wijs van het werkwoord, voor het geval je die niet had herkend.'

'Volgens mij zondig je nu tegen de regels van goed taalgebruik, Diane. Je keert niet terug naar iets wat je hebt gelezen. Je zou terug kunnen keren naar bijvoorbeeld Italië, maar wanneer het om een boek of een andere geschreven tekst gaat is de juiste term "herlees", dat weet ik bijna zeker.'

'Herbeóórdeel het opstel', zegt Diane en ze schuift het op zijn tafel.

Voordat hij Isabel leerde kennen had Alex, gewapend met een bachelor in antropologie en een master in archeologie, reddingsarcheologie gedaan voor de staatsarcheoloog van Iowa. Hij en zijn team, waarover hem tot zijn trots de rol van toezichthouder was toebedeeld, reisden naar locaties voor toekomstige wegen en snelwegen, waar ze velden en braakliggende terreinen omspitten om er, voordat de bulldozers eroverheen reden, zeker van te zijn dat er niets van historische of culturele waarde – resten van een prehistorische nederzetting bijvoorbeeld – vernietigd zou worden.

Alex hield van het werk, van de dagen op het land, knielend op droge, harde grond, penseel in de hand, zijn heuptasje vol gereedschap (pollepel, theelepeltje, tandenstoker), zijn voornaamste zorg een vierkante meter van het aardoppervlak. Hij hield van de eenzaamheid – zijn meter in het vierkant, zijn terrein – en het veiligheidsnet van kameraadschap, de andere gravers vlakbij, geknield op hun vierkante meter, zijn behoefte aan concentratie respecterend maar beschikbaar voor een praatje als de gelegenheid zich voordeed.

Later zou hij een vergelijkbare mengeling van eenzaamheid en ongedwongen mededeelzaamheid met Isabel ervaren. Wanneer hij samen met haar in een kamer zat te lezen of te studeren had hij de stilte en ruimte voor zijn eigen geestelijk leven, maar het was niet de dorre, onbegrensde ruimte van de verlatenheid; Isabel zat vlak bij hem met haar geestelijk leven, wat ze met het zijne had verbonden in wat hem voorkwam als een verbazingwekkende daad van liefde, gulheid en vertrouwen, en wanneer een van hen beiden een behoefte of ontvankelijkheid in de ander bespeurde, begonnen ze een gesprek en vulden elkaars hoofd met gedachten, ideeën, theorieën, verbanden. Ze koesterden allebei een vurige liefde voor wetenschap – Isabel werkte aan haar proefschrift over plantenbiologie – en tijdens hun afzonderlijk doorgebrachte dagen mocht Alex, terwijl hij op een afgelegen lapje grond zat geknield, graag aan haar denken terwijl ze in de stad door een microscoop naar een spore tuurde of buiten in het veld stuifmeelmonsters verzamelde, en hij hield van de gedachte dat ze een samenwerkingsverband hadden en bezig waren aan een gezamenlijk onderzoek van de materiële wereld.

Hij had zo lang hij het zich kon herinneren met zand gespeeld. Als kind had hij van de korreligheid en de geur gehouden, het gevoel van de grond in zijn handen, onder zijn nagels, de opwinding van niet weten wat hij zou vinden als hij zelfs maar een paar centimeter diep groef: een blauw glazen parfumflesje ter grootte van een duim, een koperen kogel, een pijlpunt. Zoals hij het zag zat hij twintig jaar later nog steeds gewoon in het zand te spelen, alleen met meer verfijning en meer technologie tot zijn beschikking, en met een beter besef van waarnaar hij keek en wat hij zocht. Elke laag grond was een vliesdunne bladzijde die hem – in de taal van kleur en structuur, stenen, tegels, botten, zaden, glas, minerale bezinksels – een glimp zou kunnen tonen van dierlijk, plantaardig en bacteriologisch leven, van de tumultueuze, geofysische geschiedenis van de planeet. Gedurende miljoenen jaren hadden vorst en ijs de blootliggende oppervlaktes gebarsten, regen en wind hadden modder en stof in holtes geloosd, water sijpelde, wortels graaiden, bacteriën en zwammen voedden zich met afval, insecten groeven tunnels, wormen kropen door de aarde en lieten er miljoenen tonnen van door hun lijven gaan. Het emotioneerde Alex terwijl hij boven op dat alles geknield zat – al dat werk! Hij voelde zich onderdeel van de mars voorwaarts van de eeuwen. Hij zweefde niet in een koud, duister universum: daar in het zand lag de druppel zweet die zojuist van zijn neus was gevallen.

Twee jaar daarvoor was er gesnoeid in de begroting in Des Moines, en op het kantoor van de staatsarcheoloog moesten mensen afvloeien. Alex' pogingen ander werk te vinden – bij een bedrijf voor cultureelerfgoedmanagement en een organisatie voor milieucolportage – leidden tot niets. Hij was gedwongen als ober te werken om de huur en de rekeningen te kunnen betalen. Overplaatsing trok hem niet aan. Tegen die tijd waren Isabel en hij getrouwd en Isabel was halverwege haar promotie. Ze hadden samen een bestaan opgebouwd dat afhankelijk leek van de statige kalkstenen universiteit en de voortdurende culturele activiteiten, de vertrouwde espressobars en boekwinkels, restaurants en cafés, de met bomen omzoomde winkelpromenade, de rustige straten die ernaar snakten doelloos bewandeld te worden – al die dingen die hadden samengespannen om hen bij elkaar te brengen.

Toen Isabel stierf, verloor Alex het optimisme en de zelfverzekerdheid die nodig zijn om naar een serieuze baan te zoeken. Een compact gewicht zette zich vast in zijn voorhoofd. Concentratie, ooit een gave, was onmogelijk, bij het invullen van een formulier, het lezen van een taakomschrijving, sloegen zijn hersenen af en hij kreeg ze niet meer aan de gang, alsof alle benodigde neuronen afgeknipt en dichtgeschroeid waren.

Voortaan kocht hij het tijdschrift *People*. De sterren trouwden met andere sterren, de sterren overwonnen kanker, de sterren waren nog nooit zo gelukkig geweest. Hele dagen bracht Alex op zijn rug op de vloer van de woonkamer door, armen en benen gespreid, terwijl hij zich misselijk en verloren voelde.

's Avonds wandelde hij anderhalve kilometer naar een winkelcentrum en ging achter een flipperkast staan in een gokautomatenhal vol tieners. In zijn favoriete spelletje, Tentaclon, werd de speler uitgedaagd de planeet te verdedigen tegen een invasieleger van gigantische, gemuteerde octopussen. Bellen, zoemers en flitslichten – wit, blauw, rood – gingen af en het glimmende zilveren balletje schoot met ongelofelijke snelheid door kromme kokers en buizen, gleuven gingen open, panelen flipten en een pulserend lichtpaneel verkondigde met grote letters: OCTOPUS VERNIETIGD! en BONUSPROJECTIEL!

Het apparaat had zoveel onderdelen dat Alex na een half uur aan de flippers het gevoel had dat hijzelf een veel minder complex organisme was: een ruggengraatloze poliep die zich voedde met geluid en licht. Hij speelde uren aan een stuk. In dit spel bestond geen twijfel of dubbelzinnigheid over wat je geacht werd te doen. Wanneer het balletje in de buurt van de flippers kwam, flipperde je. Pók. En nog eens: pók. Wanneer je drie balletjes had verloren viel het apparaat stil, maar je kon het reanimeren met een paar kwartjes en dan – als door een wonder, zo leek het Alex – kwam het met rinkelende bellen en zwierige lichtjes weer sidderend tot leven.

Twee

Om vijf uur wringt Alex zich, tegelijk met een drom collega's, de deur van US Exam uit.

Hij is gezond en mager, met smalle heupen. Hij loopt langzaam, sjokkend op zijn sandalen, en draait zijn autosleuteltjes rond aan de karabijnhaak. Hij is eraan toe afstand tussen hemzelf en US Exam te creëren, maar voor de rest is er niets wat bijzonder dringend is en heeft hij geen doel voor ogen of wens in gedachten. Vroeger was dit zijn favoriete jaargetijde. Lente. April. Er staat een windje. De lucht is ijl en geurig. Wolken hechten zich als mos aan de krachtig, Caribisch blauwe hemel. Fijn om de hemel in zijn geheel te kunnen zien, onbelemmerd door het urinekleurige raam van de correctiekamer – hoewel dat felle blauw iets heeft waardoor het zooitje hierbeneden te luchtig wordt opgevat, als een feestmuts op het hoofd van een stervende.

Op het parkeerterrein fonkelen talrijke auto's in de zon. Alex gaat zijn verweerde, bruine jeep halen, die met zijn laadruimte en vierwielaandrijving eerder op het platteland thuishoort. Hij rijdt de parkeerplaats uit en kruipt samen met de stroom auto's de oprit af. Slaat links af Dorchester Road in en zet koers naar Athens Road. De zon, laag op de voorruit, verwarmt zijn gezicht en hals. Lucht klappert in het openstaande raampje. Vanaf het omringende land komt de geur van mest. Auto's komen aanrijden en stuiven met een zucht langs. Het wegdek glimt met een zilvermetalige weerschijn. Is dat een afvalzak in de berm? Nee. Een dier. Een dode...buidelrat? Dorchester Road buigt links langs avondwinkels en kruideniers, duikt omlaag, trekt zich recht en schiet onder rijzige eiken en beuken door. Een stuk papier is op een telefoonpaal bevestigd: HEEFT U MIJN KAT GEZIEN?

Terwijl Alex stilstaat voor een rood stoplicht in een mausoleum van bomen dringt de stilte van de middag door het openstaande raampje van de jeep naar binnen. Niets beweegt, behalve laaghangende takken en bladeren, beroerd door de bries die lijkt samen te spannen met het voortdurende vervagen en opleven van het licht, alsof de wolken daarboven dapper en volhardend ademhalen.

Alex slaat links af Radcliffe Road in, een maanlandschap van kuilen en afbrokkelende stoepranden. Een afbakening van feloranje lint sluit vijf gebruinde ruggen in die zich diep de straat in gegraven hebben. Wekenlang houdt deze ploeg zich nu al her en der in Radcliffe Road bezig met een ondergronds project waarvan het doel onduidelijk is en dat geen verband lijkt te houden met de bovengrondse aftakeling. Rechts, uitkijkend op een beek en omringd door bomen, staat het flatgebouw van Alex – hoog, als een ark van baksteen. Alex zet zijn auto op het grindterrein en loopt de brug over. De beek sijpelt traag tussen modder, stenen en gevallen takken door. Een rode wasmiddelfles, die is vast blijven zitten in de kromming van een tak, wiebelt en deint. In die kamer daar, Alex' woonkamer, zat Isabel altijd vlak bij het raam aan het brede Spaanse bureau te studeren, haar hoofd gebogen over tijdschriften en boeken, die grotendeels gingen over sporen – haar aandachtsgebied. *Selaginella selaginoides. Osmunda regalis.* Cellen die er onder de microscoop uitzien als miniatuurpasteitjes.

De voordeur van het gebouw blijft hangen op de stijve, geplooide deurmat. Alex duwt er met zijn schouder hard tegenaan en wurmt zich door de nauwe opening. Op zijn brievenbus hing vroeger een kaart waarop Isabel met een blauwe, watervaste stift kalligrafisch had geschreven: Isabel Howard & Alex Voormann. Nu hangt er een geel plakbriefje waarop met potlood staat: A. Voormann. In de brievenbus vindt Alex een elektriciteitsrekening, een telefoonrekening en een kleine, witte envelop met zijn adres erop in een kordaat, energiek handschrift dat hij meent te herkennen. Dit wordt bevestigd door het poststempel: Chicago, APR 15. En het retouradres: Corcoran, 2014 West Wabansia nr. 4.

Alex krijgt maagpijn. Hij heeft een stekelig, bitter gevoel jegens die Corcorans, die zo stilletjes en hardnekkig – op zijn vergeving, zegen, vriendschap? – in elk geval op Alex' erkenning uit zijn, hoewel ze bereid schijnen hem in ruil daarvoor hun medeleven te schenken. En ze zijn dankbaar, zo dankbaar dat Alex soms het gevoel heeft dat hij zelf de donor van het hart is geweest. Toch kan hij niet geloven dat deze mensen van hem verwachten dat hij enthousiast is over een briefwisseling of een vriendschap die is gebaseerd op een gebeurtenis die misschien voor hen een gift, een gelukkig toeval, een buitenkansje was, maar voor hem het ergste wat hem ooit is overkomen.

Hij leunt tegen de muur van de hal en krabt in zijn nek. Gooi het op de grond, houdt hij zichzelf voor, maar dat kan hij zomaar niet. Per slot van rekening loopt deze vrouw, Janet Corcoran, een vierendertigjarige tekenlerares, getrouwd en moeder van twee kinderen, in Chicago rond met in haar borst het kloppende hart van Isabel. De vermeende realiteit hiervan zweeft hoog boven het dagelijks bestaan van Alex in een zeepbel van abstractie, maar hij kan het niet opbrengen om zijn hoofd op te tillen en ernaar te kijken, laat staan haar te doorgronden. Er is geen ruimte over in zijn geest om deze bizarre uitwas van zijn tragedie te verwerken, om te bepalen hoe en waar die in zijn leven kan worden ingepast. Hij zou moeten gaan zitten en nadenken. Hij zou er boeken over moeten lezen, er met mensen over praten. Hoe doen ze dat, een hart transplanteren?

Er zijn gelegenheden geweest om daarachter te komen. Die avond in pizzeria Zambrotta bijvoorbeeld, in de zomer nadat hij en Isabel getrouwd waren. Ze kwam rechtstreeks van een medisch routine-onderzoek. Haar lange, zwarte haar, dat ze meestal in een paarden-staart droeg, hing los op haar schouders. Ze gooide haar blauwe rug-zak op de stoel tegenover hem, ging zitten en haalde een folder over orgaandonatie uit de zak van haar korte broek. Haar smalle, fijn-gesneden gezicht keerde zich naar binnen – haar ogen, wenkbrau-wen en mond – en richtte een onzichtbare straal belangstelling op de folder die ze open voor zich hield. Ze las Alex voor. Statistieken: hoeveel duizenden mensen er jaarlijks overlijden terwijl ze wachten op een hart, een nier, een lever, een long. Ze zei: 'Ik heb er minstens eentje van elk. Ik zou een leven kunnen redden. Misschien zelfs een paar.'

'Moeten we het hier echt over hebben? Kun je niet gewoon een kruisje zetten op je rijbewijs of zoiets?'

'We zouden het erover moeten hebben. Hier staat: "Bespreek het met uw naasten. Wees er zeker van dat zij uw wensen begrijpen." Jij bent toch mijn naaste, of niet?'

'Kijk nou eens', zei Alex. 'Er zit teer of zoiets op mijn menukaart.'

Isabel stak haar hand uit en pakte een blauwe balpen die aan de hals van zijn T-shirt zat geklemd. Ze scheurde een geperforeerd kaartje van de orgaandonatiefolder en legde het plat voor zich op ta-fel.

Alex schrok. 'Hé, mag ik dat tenminste eerst nog zien?'

ORGAAN/WEEFSELDONORCODICIL. Een regel voor de handteke-ning. 'In de hoop dat ik hier anderen mee help, leg ik vast dat deze donatie bij mijn dood van kracht wordt.' Eronder ruimte om aan te geven welke organen of weefsels je bereid was te doneren of dat je al-les wat nodig was doneerde.

Alex vroeg: 'Weet je zeker dat je wilt dat ze je opensnijden en je ingewanden eruit halen? Het wordt een smeerboel.'

'Het is niet zo dat ik dan wakker ben. Ik zal er niets van voelen.'

'Natuurlijk niet, maar...als je afstand doet van je lichaam, je ana-tomische delen, is dat niet een soort vroegtijdige verslapping van je voornemen? Een schending van je...' Hij zocht naar de term.

'Bla, bla, bla', zei Isabel.

'Je stoffelijk begiftigde, biologische project?'

'Hangt ervan af wat je denkt dat het biologische project is. Ik denk niet dat het een persoonlijk project is, dat het per se om het individu gaat. De evolutionaire parade omvat veel meer dan dat. Natuurlijk gaat het om het individu, maar het individu is eindig. Het individu zou verder moeten kijken dan zijn eigen bestaan, verder dan zijn eigen dood. Weet je wel, kiezen voor solidariteit met de groep. Belangstelling voor hoe dingen aflopen. Een bijdrage leveren.'

'Ja, maar Iz, we hebben het over medisch personeel dat met scherpe instrumenten in je lichaam snijdt.'

'Die instrumenten móéten wel scherp zijn, anders snijden ze niet.'

'Hou op', zei Alex van streek.

'Ik wil dit echt doen. Ik heb erover nagedacht.'

Ze meende het. En was, zo zag Alex in, niet tegen te houden. 'Stel dat je nier of je hart of wat dan ook uiteindelijk bij de een of andere mafketel terechtkomt? Een of andere lijpe, rechtse idioot die voor de lol illegale immigranten neerschiet?'

Isabel keek hem verbijsterd aan. 'Misschien is daar hier plaats voor', zei ze en ze draaide de kaart om. 'Je weet wel, waar je democratisch of republikeins kunt aangeven…'

Ze zette haar handtekening. En Alex ook, op een bijbehorende kaart, bedoeld om te verklaren dat hij begreep wat Isabel wilde en dat hij de relevante autoriteiten zou inlichten als het zover was. Hij tekende voornamelijk zodat ze het onderwerp konden laten rusten en verder konden gaan met eten. Hij borg het codicil op in zijn portefeuille, terwijl hij dacht: dat zien we nooit meer terug.

Het licht had de kleur van karamel. Het licht straalde warmte uit terwijl het in de poederige, kegelvormige bundel van de onderzoekslamp in het plafond omlaag scheen op het zware, schuin aflopende bed waarop Isabel grotendeels naakt lag, zonder haar fietsbroek en trui, haar haar tot op haar schedel afgeschoren en haar ogen gesloten in kleverige spleetjes. Haar lippen waren gezwollen, haar gezicht was gekneusd, boven haar rechteroog zat een snee ter grootte van een pink, die iemand had gehecht. Een doorzichtige plastic zuurstofslang was, krachtig naar één kant geduwd, tussen haar tanden geklemd, zodat haar bovenlip omkrulde en het leek of ze nijdig, snauwerig grijnsde, ook al deed ze dat helemaal niet – ze was hersendood. Dat wil zeggen, haar lichaam leefde nog: een ademhalingsapparaat naast het bed gaf haar lucht en een medicijn dat intraveneus werd toegediend hielp mee haar hart te laten pompen. Maar toen Alex haar oogleden optrok, staarden haar pupillen bijna zo groot als de irissen roerloos, alsof ze vastzat op het hoogtepunt van een nachtmerrie.

Bernice, Isabels moeder, boog zich diep over het bed en streelde haar voorhoofd. 'Hé, lieverd...Isabel, ik ben het, mama.' Uit de vastberadenheid en vurigheid waarmee Bernice zich tot haar dochters oor richtte, sprak de hoop dat ze door het labyrint van het binnenkanaal een onbeschadigd gebied van de hersenen kon lokaliseren dat op haar, de moeder, zou reageren, terwijl het niet had gereageerd op de ambulancebroeder, de neurochirurg of welk ander lid van het ziekenhuispersoneel, en als een schakelaar zou ze met een knip van haar stem het hele systeem weer op gang brengen. 'Hé, lieverd, Isabel, kun je me horen? Kindje? Laat het ons dan weten.'

Helen Pagano, de behandelend arts, mager en hoffelijk, gekleed in een witte jas met haar monogram in rood erop geborduurd, legde Alex en Bernice uit dat aangezien Isabels hersenen geen teken van activiteit vertoonden, ze feitelijk dood was. Even later, toen ze alleen waren gelaten om dit bericht te verwerken, werden Alex en Bernice benaderd door een zachtaardige, hindeachtige vrouw die knipperde met haar ogen, huiverde en voor bijna alles wat ze zei eerst bedachtzaam in- en uitademde, waarmee ze overgave aan een hogere macht leek aan te raden. Ze stelde zich voor als Susan Downing, van de Iowa Organisatie voor Orgaanuitname. Susan Downing sprak haar medeleven uit en voerde aan dat het tijd was over de delicate kwestie van orgaandonatie na te denken. Had Isabel ooit belangstelling voor iets dergelijks getoond? Als om haar eigen vraag te beantwoorden overhandigde Susan Downing Alex het donorcodicil dat Isabel had ondertekend. De verplegers hadden het in haar portefeuille gevonden. Als ze de donatie door wilden laten gaan, legde Susan Downing uit, dan moesten er stappen ondernomen worden en mensen op de hoogte gesteld. Het belangrijkste was dat Alex toestemming moest verlenen.

Alex keek strak naar Isabels handtekening. De blauwe inkt was lichtelijk vervaagd en vocht had de I aan de onderkant laten uitlopen. Op dat moment kon hij niet om het gevoel heen dat ze haar eigen dood had uitgelokt, er zelfs voor had getekend. Hij keek naar haar lichaam dat languit op het bed lag. Haar geschoren hoofd was stil als een steen en vreemd mooi. Hij was kwaad op haar, kwaad op haar goedwilligheid.

Bernice wilde de kaart zien. Alex gaf hem aan. 'Ik had daar geen idee van', zei ze en ze vroeg aan Alex: 'Heeft ze het hier met jou over gehad?' Alex wilde er niet over praten. Hij richtte zich tot dokter Pagano en zei haar dat hij het begrip 'hersendood' verwarrend vond. Als Isabels hersenen nu dood waren en haar lichaam zou later sterven – in de operatiezaal, nadat haar organen geoogst waren en de beademing was stopgezet, zoals Susan Downing had uitgelegd – wanneer zou Isabel dan in haar geheel sterven? Zou ze meer dan één keer doodgaan? En nog iets: als de stroom van bloed, vloeistof en lucht door haar lichaam het leven niet vertegenwoordigde, wat vertegenwoordigde het dan?

Dokter Pagano legde uit dat sinds artsen de diagnose hersendood onafhankelijk van het uitvallen van de hartfunctie konden stellen, hersendood het primaire criterium was geworden. Als de hersenen dood waren, was de persoon dood.

Alex overwoog te liegen, hun te vertellen dat Isabel nooit iets had gezegd over orgaandonatie. En om de bijbehorende kaart, zacht en rafelig na bijna drie jaar in zijn portefeuille, te laten waar die was. Maar hij was niet in staat tot dit verraad. Hij gaf toe dat Isabel haar organen wilde doneren – alles wat nodig was, zoals op het codicil stond – en dat ze hem dat had gezegd. Hij haalde zijn portefeuille tevoorschijn en overhandigde de bijbehorende kaart aan dokter Pagano. 'Haar handtekening staat hier ook op', zei hij. 'En de mijne.'

Toen Susan Downing en dokter Pagano waren vertrokken, begonnen de verpleegkundigen op de afdeling sneller rond te rennen.

Mensen hadden ineens een mobieltje aan hun oor. Een specialist op het gebied van orgaanwerving werd gebeld. Het was als het aftellen voor een lancering. De eerste stap was de bevestiging dat Isabels hersenen juridisch dood waren. Kennelijk moest er niet alleen onderscheid worden gemaakt tussen hersendood en volledig dood, maar ook tussen hersendood en juridisch hersendood – een onderscheid dat zou worden vastgesteld door een 'hersendoodcommissie', bestaande uit twee artsen die van huis moesten komen. Het duurde even voordat ze er waren. Ze lazen Isabels eeg, schenen met een lamp in haar ogen, bewogen haar kaak heen en weer, porden met hun vingers tegen haar lip en spoten ijswater in haar oor. De consensus was dat Isabel zeer beslist hersendood was, maar de hersendooddokters konden er geen juridische verklaring over afgeven voordat de hoeveelheid van een bepaald medicijn in haar hersenen – pentobarbituraat, een paar uur daarvoor toegediend om de zwelling van haar hersenen te laten slinken – enigszins was afgenomen. Het punt was dat Isabels eeg, hoewel vlak, niet als zodanig kon worden geïnterpreteerd totdat het pentobarbituraat grotendeels uitgewerkt was. Een van de hersendooddokters was hier wat wrokkig over: waarom waren hij en zijn collega erbij gehaald voordat het niveau aan pentobarbituraat aanvaardbaar was gedaald? Dokter Pagano legde uit dat ze had verwacht dat het niveau nu wel laag genoeg zou zijn, maar dat de laatste meting verrassend hoog uit het laboratorium was teruggekomen. Er zou om nog een meting worden gevraagd en iedereen, met inbegrip van Alex en Bernice, zou geduldig moeten wachten op de uitslag.

Het was geen kwestie van geduld, maar van onverschrokkenheid en vastberadenheid. De ervaring van Isabels overlijden, die Alex en Bernice anders misschien snel en genadig doorstaan zouden hebben, werd nu verder uitgerekt en ze moesten erbij blijven zonder hun knieën te laten knikken. Alex slaagde erin het te verduren door zichzelf eraan te herinneren dat het Isabels wens was geweest haar organen te doneren en ze moest toch enig idee hebben gehad van wat haar te wachten kon staan. Maar had ze geweten wat haar man en moeder te wachten kon staan? Had ze geweten dat zij gedwongen waren het glimmende laagje spuug op haar lippen te aanschouwen, te kijken naar haar ribben die door haar huid zichtbaar waren op het hoogtepunt van elke plotse, pneumatische opblazing van haar borst – een geraamte dat met elke ademtocht uit haar romp verrees? Haar lichaam zat vol verband en pleisters, snoeren, buisjes en slangen waardoor bloed naar als kerstlampjes bungelende spuiten toe kroop. Druppels urine sijpelden door de katheter tussen haar benen in een doorzichtige plastic zak die aan de zijkant van het bed hing.

Verder op de afdeling, uit andere bedden en vanaf de verpleegkundigenpost, klonk gepraat, gelach – stemmen waarin geen zweem van pijn of verdriet doorklonk. Het winderige geklets van televisies.

De orgaanwervingsspecialist arriveerde. Ray Albuta was een beer van een man met blozende wangen en abrikooskleurig krulhaar. Ray sprong rond Isabels bed en onderzocht slangetjes en buisjes, de infuuspompen, het beademingsapparaat. Ray wilde laboratoriumonderzoeken en overleg. Acroniemen en cryptische, meerlettergrepige formuleringen rolden uit zijn mond. Hij ondervroeg Isabels verpleegkundige, de rustige, vlijtige Emily. Hoe stond het met Isabels gentamicine? Haar cefamandol? Haar dobutamine? Alex bedacht dat Isabel die namen leuk zou hebben gevonden. Ray wilde dat ze bacterievrij bleef, haar vochtgehalte hoog, en dat haar hart gezond en krachtig bleef kloppen. Hij had het over de tonus. Isabel was zijn meisje nu. Je kon de gretigheid op zijn gezicht zien, niet zo zorgvuldig verborgen als Alex wel zou willen. Ray behandelde Isabel alsof ze een patiënte was die zou kunnen genezen, blijven leven en naar huis gaan, en telkens wanneer deze illusie aan duigen viel, voelde Alex een bijtende kou omdat hij zich realiseerde dat al die inspanningen niet gericht waren op Isabels leven, maar op dat van andere mensen, die hij niet eens kende. Ray vroeg Alex en Bernice naar de wachtkamer te gaan, zodat een cardioloog een echoscopie van Isabels hart kon maken, waarna hij, Ray, van plan was dokter Pagano te helpen een lijn voor de centrale veneuze druk in te brengen om Isabels volemische status te controleren. Alex wist niet eens dat Isabel een volemische status had. Toen hij terugkwam, zag hij een dun slangetje uit een snee in haar borst krullen.

Ray Albuta begon zijn geduld te verliezen met de hersendooddokters, die nu in de verpleegkundigenpost zaten te wachten op nieuws over het pentobarbituraat van het laboratorium, waar enige verwarring was ontstaan: de patholoog in opleiding, die de eerste pentobarbituraattest had uitgevoerd, was naar huis gegaan en nu teruggeroepen om de tweede test te doen. Het laboratorium liet weten dat het minstens nog een uur zou duren. De hersendooddokters gingen naar beneden naar de koffieautomaten.

Om half twee 's nachts kwam het bericht dat het pentobarbituraatniveau aanvaardbaar laag was. De hersendooddokters lazen de eeg – opnieuw vlak –, verklaarden dat Isabel juridisch hersendood was, tekenden een paar formulieren en gingen naar huis. Ray wilde Isabel over tien minuten meenemen naar de operatiezaal. Er waren chirurgen op weg vanuit andere ziekenhuizen om haar organen te oogsten. Ze wilden Isabels hart, nieren, leven en longen en zelfs haar huid en hoornvlies uitnemen. Zouden Alex en Bernice zich willen opmaken om afscheid te nemen?

De mededeling viel Alex rauw op het dak. Na vijf uur naast haar lichaam te hebben gestaan en nadat de wens haar te laten gaan, om door de zure appel heen te bijten, te maken dat hij daar wegkwam geleidelijk, onmerkbaar was gegroeid – want zou de pijn van weggaan niet minder zijn dan de pijn van blijven? – om dat punt te hebben bereikt en dan te horen te krijgen dat hij binnen tien minuten weg moest zijn, was ontzettend. Zou het pentobarbituraat niet terug kunnen komen? Hij streelde Isabels voorhoofd, concentreerde zich uitsluitend daarop. Hij ontwarde een infuusslang van het bedframe, rangschikte andere slangen en snoeren in een doelmatige orde waarvan hij zich voorstelde dat die voor Isabel comfortabeler zou zijn, hoewel hij inzag dat ze niets voelde. Hij veegde spuug van haar lip, een bloedvlekje uit haar rechteroor. Maakte haar schoon. Maakte haar klaar voor de grote nacht – of ochtend. Hij had geen idee hoe lang de operatie zou duren. Waar op haar borst zouden ze snijden? Zouden ze haar buik ook opensnijden? Hij probeerde niet te bedenken waar nog meer. Hij hoopte dat de artsen voorzichtig en langzaam te werk zouden gaan. Hij hoopte dat ze niets zouden zeggen. Hij wist dat het belachelijk was om dit te hopen, dat chirurgen kletsten en beuzelden en muziek op hadden staan. Maar hij zou altijd een beeld bewaren van hen zwijgend over Isabels lichaam gebogen, nauwgezet door huid en spieren snijdend, subtiel met hun handen en gereedschap, geconcentreerd, eerbiedig, verwonderd, zoals hij zelf ook zou zijn als hij op zoveel kostbaars zou stuiten.

In Alex' flat zit Otto te wachten, met zijn zijdeachtige snuit tussen de deur en de deurstijl geklemd, zijn bek open, zijn grote, vlezige tong over zijn ondertanden gedrapeerd. ''t Is goed, lieve schat', zegt Alex, terwijl hij de hond een klopje op zijn kop geeft en de deur langzaam openduwt. Otto is een enorme, blonde kolos van een hond. Alex en Isabel hebben hem vijf jaar geleden, vlak nadat ze zijn gaan samenwonen, uit het asiel gehaald. Destijds was Otto een puppy, een kleine blonde otter. Nu heeft hij de omvang van een zeeleeuw. Hij heeft ook het slordige lijf van een zeeleeuw, die nonchalante manier van zitten met zijn voorpoten en tenen naar buiten gedraaid en zijn witte, lijsterachtige borst uitgezakt ertussenin. Hij gluurt langs Alex de gang in, steekt zijn neus in de lucht, en wanneer hij geen vleug van Isabel weet op te vangen volgt hij Alex ontmoedigd de woonkamer in. In dat opzicht lijken Otto en Alex op elkaar: na al die tijd verwachten ze nog steeds dat Isabel ineens zal opduiken. Ze kunnen het maar niet bevatten dat ze er niet meer is.

Alex legt de post op de salontafel en zegt tegen Otto, die aan de enveloppen snuffelt: 'Dat is een kaart van Janet Corcoran. Wat vind je daarvan? Zijn we opgewonden? Zijn we blij, blij, blij? Kan het ons echt een zak schelen?'

Otto's tong glijdt met elke ademhaling naar binnen en naar buiten. Otto wil eruit, maar Alex kan de moeite nog niet opbrengen. Zijn hart begint sneller te kloppen wanneer hij het knipperende rode stripje van het antwoordapparaat ziet, hij haalt oppervlakkig adem. Hij zucht diep, maant zich tot kalmte, sluit zijn ogen en drukt dan op Play, oprecht vol hoop – hoewel hij weet dat het belachelijk, dat het gênant is – dat een van de boodschappen van Isabel zal zijn, dat haar stem vanuit een van de uithoeken der aarde zal worden overgebracht, uit een telefooncel in een Oost-Aziatische metropool of een Siberisch mijnwerkersgat waar ze al die maanden heeft vastgezeten, gegijzeld door een zeldzame, onverklaarbare misslag in de ruimte-tijd. *Ik ben het. Echt. Alles is goed met me. Kun je geld overmaken voor een vliegticket?*

De ene boodschap is van zijn tandarts, om hem te herinneren aan een komende afspraak. De andere is van zijn vriend Rob, die wil weten of hij zin heeft om zaterdag te gaan bergbeklimmen.

Otto staat bij de deur, zijn staart beschrijft brede bogen. 'Zo meteen, Otto', zegt Alex. Hij laat zich op de bank zakken, leunt achterover en steunt met zijn hoofd tegen het kussen. Hij hoort voetstappen de trap voor zijn deur op komen en opnieuw klopt zijn hart sneller. Hij houdt zijn adem in terwijl hij wacht op het geluid van de sleutel in het slot. De voetstappen gaan verder naar boven. Alex' verbeelding houdt vast aan haar binnenkomst en dat de scène van de hereniging met alle mogelijke verbazing en uitbundige uitingen van liefde zal plaatsvinden. Een jaar geleden zou ze rond deze tijd thuisgekomen zijn, nadat ze hem in de stad op weg naar zijn werk had gesproken. Hij zou dan aan zijn avonddienst als ober in het restaurant zijn begonnen. Isabel, moe van een lange dag in de klas en het laboratorium, zou eerst naar de keuken zijn gegaan om Otto zijn speciale brokken te geven en zich ervan te vergewissen dat hij nog water had, en daarna zou ze naar de slaapkamer zijn gegaan om haar fietskleding aan te trekken: de glanzende, korte zwarte broek, de fluorescerend zeegroene trui, de helm van piepschuim en de vingerloze handschoenen. Haar kabouterachtige fietsschoenen hadden harde, plastic zolen die hol op de vloer tikten. Otto schrok steeds van het geluid, waardoor hij van haar weg krabbelde als ze de woonkamer in kwam en, om er zeker van te zijn dat ze niets was vergeten, even bleef staan met haar handen in haar zij, haar hoofd gebogen, een omlaag wijzende voet licht tegen de andere enkel gesteund.

Otto, die de slaapkamer in gedrenteld is, komt weer tevoorschijn met een van Isabels zwarte pumps losjes als een dode vogel in zijn bek. Met een bons zakt hij op de vloer, plaatst de schoen tussen zijn poten en knauwt zachtjes op de neus. Uit de voorzichtigheid waarmee hij kauwt, de zachte halen van zijn tong, blijkt dat de hond heel goed weet van wie de schoen was. Sinds Isabels dood is Otto raadselachtig gehecht aan haar schoenen; de zwarte pumps en de Birkenstocks zijn zijn favorieten, hoewel hij soms ook met een veter- of een wandelschoen komt aanzetten. Alex heeft ze allemaal bewaard.

Andere dingen die Alex heeft bewaard: Isabels Turkse kelim, een met de hand geweven kleed dat boven het Spaanse bureau hangt en waarvan het centrale motief een pistachegroene ruit is, ingelegd met bloemen en zandlopervormen. Boeken: bijvoorbeeld *Topics in Cell Motility; Morphology, Taxonomy and Ecology of Pollen Grains and Spores* – waarin hij als door een wonder een wimper van Isabel heeft gevonden. Romans van Agatha Christie en Ursula K. Le Guin. Isabels bruinleren receptenboek, dat eerst een adresboek was tot het zo propvol kwam te zitten met recepten – op systeemkaarten gekriebeld, uit tijdschriften geknipt, op de bladzijden van het boek zelf geschreven – dat de gedaanteverandering vanzelf plaatsvond. Haar poster van Captain Kirk, met handtekening in zwarte fijnschrijver van William Shatner zelf. Op Alex' ladekast, in een bekleed sieradenkistje, oorbellen, armbanden en kettingen, haar verlovings- en trouwring.

Soms vindt Alex dat hij die dingen weg zou moeten doen, omdat ze hem allemaal telkens als zijn oog erop valt aan Isabel doen denken. Maar dit zijn de heilige voorwerpen van haar liefde en hij is hun bewaarder, hun beheerder, een functie die hij ernstig opvat en die haar dicht bij hem houdt.

Otto heeft de zwarte pump in de steek gelaten en plaatsgenomen bij de deur, hij hijgt en zijn ogen staan wijd open. Alex hijst zich van de bank overeind, loopt de keuken in, sleept de zak met brokken onder het aanrecht uit – dit zal Otto even zoet houden – en gooit er een schepvol van in in Otto's bak. Otto stort zich erop. Alex schenkt een glas grapefruitsap in en keert terug naar de bank in de kamer.

De kaart van Janet Corcoran ligt nog ongeopend op de salontafel. Het lijkt of Alex' naam en adres niet voor het magere doel van de adressering van een envelop zijn opgeschreven, maar om zijn plaats bij een banket aan te geven op een tafelkaartje. Alex Voormann. De

A is fors en rijst hoog op. Voormann: stevig en doelbewust, een Romeins aquaduct. De structuur van de twee woorden straalt respect, zelfs bewondering uit. Vreemd, hij kan zich niet voorstellen dat hij zijn naam zo zou schrijven, of dat zou willen. Het is net een handtekening op de Onafhankelijkheidsverklaring. Alex probeert greep te krijgen op het idee dat deze woorden zijn geschreven door de hand waarvan de aderen kloppen met het bloed dat door Isabels hart wordt rond gepompt. Hij probeert zich Janet Corcoran voor te stellen zoals ze een paar dagen geleden op een ochtend in haar badjas het adres opschreef, gezeten aan een bureau of een keukentafel met haar blote enkels onder haar stoel gehaakt, maar het is Isabel die hij ziet, terwijl die achter haar Spaanse bureau met een nadenkend gezicht naar een foto van sporen tuurt.

Hij scheurt de envelop open. Het is een mooie kaart van zwaar, glanzend wit papier, kunstzinnig, met een afbeelding van een schilderij voorop, van een kast of zoiets vol bloempotten en potten met schilderskwasten, groen, oranje en geel. Matisse: 'Open raam', Collioure, 1905. Hij vouwt de kaart open. *We leven met je mee in deze tragische tijd, maar sjonge, wat zijn wij blij dat je vrouw orgaandonor was. Bedankt!* Maar nee. De boodschap luidt: 'Beste Alex Voormann. Zoals altijd denken we aan je. Liefs en houd moed, de familie Corcoran.'

'Liefs'? Ze kennen hem niet eens. Waar komt dat "liefs" dan vandaan? En Alex weet ook niet zeker of hij wil dat deze vrouw 'zoals altijd' aan hem denkt. Maar afgezien daarvan moet hij toegeven dat van de kortheid van de boodschap eerlijkheid en welgemeendheid uitgaan. Janets naam staat er krachtig onder, net als het woord 'Radcliffe' op de envelop. David, de echtgenoot, heeft zijn naam ernaast gezet. De kinderen, Carly en Sam, hebben ook ondertekend, elke letter is afzonderlijk en nauwgezet gekerfd, waardoor de woorden er uiteindelijk losjes bij lijken te hangen.

Alex legt de kaart op de salontafel. Carly. David. 'Zoals altijd denken we aan je'. Wie zijn die mensen? Hij zou graag met Isabel praten, waar ze ook mag zijn, gewoon om haar te laten weten dat haar edelmoedigheid onvoorziene gevolgen heeft gehad: ze heeft hem met die Corcorans verbonden, die anders niet bestaan zouden hebben, die hem anders niet zouden bedreigen met hun nieuwsgierigheid, hun vitaliteit, met hun dankbaarheid die grenst aan adoratie. Hij kan het hun niet kwalijk nemen dat ze Isabel als een engel of een heilige beschouwen of dat ze meer over haar willen weten. Hij is het ermee eens dat ze beter verdient dan de vergetelheid van een anonieme weldoener. Maar blijkbaar moet hij Isabel nu aan die Corcorans voorstellen. De hoffelijke gastheer uithangen. Het genoegen zou geheel aan hun kant zijn.

Drie

De lange, kromme banaan is niet rond, niet zoals een wortel rond is. De banaan heeft randen en meerdere kanten. Een kant, twee kanten, drie... Het meisje raakt de tel kwijt. Ze is een tengere, ondeugend uitziende vijfjarige, die in een winkelwagentje staat, met haar gezicht naar achteren en haar benen gespreid voor het evenwicht. De banaan bungelt aan het steeltje tussen haar twee knijpende vingers. Tegen haar moeder, die het wagentje duwt, zegt ze: 'Hij is niet rond. De zijkanten zijn plat, hier en hier.'

'Hé, je hebt gelijk', zegt de moeder, oprecht geïnteresseerd. Pas onlangs heeft die geleerd haar hersenen te gebruiken voor wat beslist hun meest lonende en meest verwaarloosde vermogen is: het waarneembare omzetten in verbazing. Fruit: iets wonderlijks. Voedsel dat in verschillende kleuren en vormen in een natuurlijk beschermende verpakking aan bomen groeit voor mensen om te eten!

Janet Corcoran is groot met brede schouders, vanmiddag is ze gekleed in een lichtblauwe, zijden blouse die over een zwarte driekwart broek valt. De broek paste vroeger goed, maar nu zit hij strak om haar ronde heupen. Janet zou een grotere maat kopen als ze niet van plan was af te vallen. Ze wil vooral het overtollige vlees op haar wangen en onder haar kin kwijtraken, hoewel dat nu verhuld wordt door het lichtblauwe mondmasker dat ze draagt ter bescherming tegen infecties. Ze vindt het niet prettig om het masker te dragen. Mensen gaan haar uit de weg wanneer ze het zien, ook al zijn zij degenen die met hun gehoest en genies een bedreiging vormen. Ze houdt zichzelf voor dat het masker haar een mysterieus aanzien verleent en dat haar groene ogen, lichte huid en overdadige rode haar, vandaag in een staart boven op haar hoofd gebonden, afleiden en compenseren. Als ze wil verblinden – op een feestje, bijvoorbeeld – laat ze het masker af, laat haar haar loshangen, schiet een zwarte jurk aan en schrijdt als een reuzin. Wanneer ze wordt voorgesteld mag ze graag het gesprek openen met de verklaring dat ze dood had moeten zijn. 'Het is ongelofelijk dat ik hier überhaupt met je sta te praten', zegt ze dan en vervolgens, afhankelijk van de mate aan belangstelling – en veel is er niet voor nodig – legt ze uit dat ze nog maar een jaar geleden verpleegd werd in een groot, hoofdstedelijk ziekenhuis en daaraan voorafgaand thuis het bed moest houden, dat ze vijftien uur per dag sliep en de andere negen meestal in haar pyjama naar uit de bibliotheek geleende films lag te kijken: *Holiday, Indiscreet, His Girl Friday* – met Cary Grants jongensachtige geklets hard aan, een muur van geouwehoer opgetrokken tegen de vraag die uit de schaduw opdoemde: hoe lang had ze nog te leven?

De enorme omvang van de transformatie van die vrouw naar deze, en dat ze die heeft volbracht, zeggen meer over wie ze is dan wat dan ook. Wanneer ze ernaar wordt gevraagd, heeft ze de neiging de nieuwsgierigheid van mensen te overschatten en gedetailleerd te beschrijven hoe haar borstbeen elektrisch doormidden is gezaagd, haar borst is opengebroken, haar zieke hart eruit is gesneden en vervangen door een ander. Ze doet geen poging het litteken te verbergen: vanmiddag in de supermarkt zijn de bovenste twee centimeter van de totale twintig zichtbaar in de spleet van de openvallende kraag van haar blouse, een dunne, roze streep, licht verheven en stevig als je hem aanraakt.

Carly, het meisje in het wagentje, wijst naar een doos ontbijtgranen op het schap naast haar. 'In Graaf Chocula zit chocola.'

'Ja', zegt Janet. 'Daarom eten we dat 's ochtends niet. Staat er muesli op ons lijstje? Streep de muesli maar door. Hier.'

Het boodschappenlijstje is een velletje uit een schrift, dat met een veiligheidsspeld voor op Carly's T-shirt is gespeld. Carly pakt een bosgroen waskrijtje dat aan een touwtje om haar nek hangt, haalt het horizontaal over het papier en streept het woord door.

'Nou heb je groen op je T-shirt, liefje', zegt Janet.

'Is een groen T-shirt erg?'

'Twee handen, alsjeblieft.'

'Ik hoef er geen twee.' Carly steekt een vrije hand op, de vijf vingers gespreid. 'Alleen als we de bocht om gaan. Dan doe ik zo. Mama. Mámá.' Ze grijpt met beide handen de randen van het wagentje en duikt in elkaar. 'Ik ben wendbaar.' Haar woord van de week, opgepikt van een reclame voor bestelbusjes.

Carly, die te vroeg geboren is, is kleiner en brozer dan haar broer Sam was op die leeftijd. Daarom is Janet altijd extra – haar schoonouders zouden zeggen overdreven – beschermend geweest jegens haar. Een hele tijd, vanaf het moment dat Janet voorafgaand aan de transplantatie in het ziekenhuis was opgenomen en vervolgens gedurende de onzekere maanden erna, was Carly stil, gesloten en afstandelijk. Het is fantastisch om te zien dat ze haar pit terug heeft, dat ze in beslag genomen wordt door de wereld om haar heen en overloopt van vragen en commentaar.

Turend in de verte denkt Janet: het is prachtig, die vakken vol levensmiddelen in verpakking, het kakelbonte plastic, de opzichtige kleuren – hoewel de ongebreidelde stortvloed aan kleuren een gemarmerde, zilverige flakkering als van brandende olie creëert. Tenzij het weer de prednison is die haar zicht vertroebelt. Ze hurkt neer en pakt twee bussen met anderhalf pond rozijnen van de onderste plank, zet ze in het karretje, tilt Carly eruit, zodat die naar haar spiegelbeeld kan kijken in een hangende koekenpan, en zet haar terug. Geen ademloosheid, geen uitputting, geen heftig protesterend gebons van haar hart. Verontrustend te bedenken dat je gezondheid van die ene spier afhankelijk is. Nadat het was aangevallen door een virus – naar alle waarschijnlijkheid was het een virus – kon Janets oude hart niet krachtig genoeg meer samentrekken om het vereiste bloed door haar lichaam te pompen, kon het zijn kamers na elke vulling niet meer leegmaken. Vocht hoopte zich op in haar longen en nam kostbare ruimte in: wanneer ze adem probeerde te halen leek het of de lucht niet verder ging dan tot achter in haar keel en dat haar borst strak met tape omwonden was.

Ze steekt haar hand in het wagentje, redt een plastic beker bramenyoghurt die Carly bijna had geplet met haar voet en zet hem veilig boven op een berg bananen, sinaasappels, selderij, witte tonijn, nierbonen, bruine rijst en couscous – voedsel dat ze met nauwgezette en gewetensvolle ernst tot zich moet nemen. Soms heeft ze het gevoel dat zijzelf is getransplanteerd, alsof zij, en niet het hart, degene is die al het werk verzet. Natuurlijk, het hart steunt haar, maar het vereist op zijn beurt haar steun en die eisen zijn angstvallig ondubbelzinnig en precies. Het hart zeurt aan haar hoofd, het hart zegt: *Alsjeblieft, niet meer dan 2000 milligram zout per dag, 40 milligram vet, 200 milligram cholesterol. Het is negen uur 's morgens. Heb je je cyclosporine genomen? Je prednison? Je Os-Cal D? Je moet tegen mij niet klagen over bijwerkingen – over misselijkheid, winderigheid, krampen, constipatie, droge huid, stemmingswisselingen, haar op rare plekken. Zou je liever dood zijn? Neem je bloeddruk op. Noteer die op het clipboard naast het medicijnkastje. Neem je temperatuur op. Maak de thermometer schoon. Was je handen. Poets je tanden. Is je spuug groen of doortrokken met bloed? Is je huid rood, grauw of gezwollen? Hoe lang hoest je al zo? Ga je handen nog eens wassen. En nu je toch bezig bent, poets meteen je tanden. Hoe vaak moet ik je daaraan herinneren? Je hebt zo een infectie te pakken. Ga een wandeling maken, je hebt lichaamsbeweging nodig, maar loop niet te energiek, doe een masker voor en blijf uit de buurt van mensen die hoesten of verkouden zijn, blijf weg bij bouwterreinen, menigtes, telefooncellen, openbare toiletten, koude, tochtige plaatsen, rokerige en stoffige ruimtes. Welkom thuis, dat stuk gerookte cheddar in de koelkast is beschimmeld. Zeg tegen David dat hij het weggooit.*

Sam, Janets achtjarige zoontje, eerder eropuit gestuurd om brood te halen, duikt voor Janet en Carly aan het einde van het gangpad op met zijn armen vol broden. Hij rent naar het wagentje toe en laat het brood boven op de groeiende berg vallen. 'Ze hadden geen knapperig haverbrood, dus heb ik honing met tarwebessen genomen. Eigenlijk is honing met tarwebessen beter voor je, omdat er honing in zit.' Hij staat met zijn voeten naast elkaar en zijn vingers friemelen aan zijn buik. Op de kruin van zijn hoofd staan een paar pieken fijn blond haar door de statische elektriciteit rechtovereind.

'Waar zaten jullie?' vraagt Janets man, die tevoorschijn komt vanachter een gigantische, roestvrijstalen oven waarin geschroeide stukken kip aan een roosterspit ronddraaien. Hij draagt vier pakken sinaasappelsap, twee in elke arm, en hoewel hij ze in het wagentje zou kunnen zetten, blijft hij ermee staan hannesen, alsof hij Janet wil inprenten hoe zwaar ze zijn. Ten slotte dumpt hij de pakken in het wagentje met een zelfmedelijdende roekeloosheid waardoor er twee op hun kant terechtkomen. 'Ik heb die dingen de hele winkel rond gesjouwd', zegt hij.

'Hallo', zegt Janet. Carly, de schat, buigt zich over de omgevallen pakken.

David inspecteert de inhoud van het wagentje, licht een zak selderij op om te kijken wat eronder ligt. Kidneybonen. Tonijn. Bruine rijst. 'Tof', zegt hij.

Janet zegt tegen hem: 'Neem maar wat junkfood mee, dat kan mij niet schelen.'

'Wel als wij allemaal zitten te schranzen.'

'Dan uit ik misschien mijn frustratie omdat ik niet mee kan doen, zeker.'

Sam heeft de stang van het wagentje met twee handen beetgepakt en hangt helemaal achterover met zijn achterwerk bijna op de vloer, in een poging het op twee wielen te laten rijden.

'Hé, kalm aan', zegt Janet.

Carly zegt tegen Sam: 'Je hebt het verkéérde brood meegenomen.' Met vorstelijke zelfbeheersing staat ze onwankelbaar stevig in het wagentje.

Op een toon die net zo beschuldigend klinkt zegt Sam: 'Jij weet niet eens waar het brood ligt.'

'Vlak bij de natuurvoeding', zegt Carly correct.

'Wat jij natuurvoeding noemt, noemen anderen junkfood', zegt Sam.

Tot Janets schrik bespeurt ze de laatste tijd in de gesprekken tussen Sam en Carly een echo van haar venijniger conversaties met David. Ze legt haar hand stevig in Sams nek en zegt dicht bij zijn oor: 'We praten over dingen, maar we worden niet gemeen, hè?'

'Nee', zegt Sam gedwee en tegen Carly zegt hij sorry.

'Oké,' zegt David, 'laten we voortmaken. Wat staat er nog op het lijstje?'

Hij maakt aanstalten om het wagentje het gangpad door te duwen, maar twee trage vrouwen en drie sjokkende mannen, allemaal tegelijk snaterend, schuifelen van de ene naar de andere kant zonder waarneembare voorwaartse beweging. Binnensmonds mompelt David: 'Nou, kom op, het is hier geen receptie.'

Een opmerking die iedereen zou kunnen maken – Janet heeft ook vaak zulke dingen gezegd, want ze kon zo ongeduldig zijn als ieder ander – maar het klinkt haar grof, gevoelloos in de oren en een inwendig mechanisme, recent aangebracht, verstrakt. Na het krijgen van haar hart was ze vanuit het ziekenhuis een nieuwe planeet op gelopen. Het oppervlak was groen, de hemel blauw, de lucht verzadigd van licht en zoet van smaak. Mensen, met een symmetrisch en complex ontworpen gezicht, vormden zinnen met hun mond en raakten elkaar met sierlijke, vijfvingerige handen aan. Janets opvatting van wat mooi en waardevol was, ooit praktisch gelijk aan die van David, had zich ontwikkeld en ze weigerde zich langs die schoonheid te haasten of zich door anderen te laten opjagen. Nog maar een paar weken geleden zou ze, wanneer ze met een situatie als deze werd geconfronteerd, Davids arm hebben gepakt en een poging hebben gedaan hem te kalmeren, te sussen, hem aan te moedigen zich te ontspannen. Maar ze kan de moeite niet meer opbrengen. Ze zingt, Mick Jagger imiterend: '*Life's just a cocktail party on the street.*'

Te oordelen naar Davids gezicht zou je denken dat de wereld buiten de supermarkt een smeulende, grauwe ruïne was, dat hij zijn gezin onderbracht in een atoomschuilkelder en dat het winkelwagentje al hun wereldse bezittingen bevatte. Wanneer Sam Janets hand grijpt en zegt: 'Mam, kijk daar, mam', voelt ze zich gered en is blij dat ze hem kan volgen. Ze laat zich door Sam meetrekken naar een installatie van doorzichtige plastic bakken, vijf hoog en vijf breed. Pindabrokken, gombeertjes, jelly beans, chocoladerozijnen en Maltesers. Elke bak is versierd met een opzichtige striptekening van snoepgoed dat vanaf een centraal punt alle kanten op schiet. Met Janets goedvinden maakt Sam de transparante plastic schep los van de magneet op de bak met gombeertjes en begint een zakje te vullen. Hij schept er maar vijf of zes per keer in, de snoepjes hanterend of het bolletjes uranium zijn, en rekt de ervaring op een wijze die Janet doet denken: ja, goed zo, dit is dé manier om de wereld in je op te nemen. Ze wordt geprikkeld door een hunkering naar dropstaafjes, maar de half witte, half roze capsules lijken te veel op haar prazosin-tabletten van twee milligram, die naar zeep smaken. De gelijkenis breidt zich snel uit over het hele rek met snoepbakken tot het is omgetoverd tot een gigantische pillencontainer, waarvan elke bak vol zit met een levenslange voorraad van een van haar medicijnen – tongkleurige cyclosporinecapsules, gele binoculairvormige imuran, witte aspirineachtige prednison en furosemide, pecannootvormige k-dur, bactrim en Os-Cal D. Elke bak heeft zijn eigen magnetische schep. Een vooruitblik op al het slikken dat ze zal moeten doen om in leven te blijven.

David en Carly staan om de hoek in het gangpad met diepvriesartikelen hand in hand voor een open vrieskastdeur, terwijl de wasem over hun gezicht kruipt. Ze vindt Davids lengte, zijn dikke bos zwart haar dat grijs wordt aan de slapen en zijn robuuste knapheid nog steeds aantrekkelijk. Zoals hij gebogen voor de diepvrieskast staat, maakt dat ze hem wil wijzen op zijn houding, die alsmaar verslechtert. Niet dat ze zelf een voorbeeld van lichamelijke perfectie is. Ze gaat met haar vinger over haar rechter wenkbrauw, die zwaar en borstelig is, een van de bijwerkingen van de prednison. Als ze naar David toe loopt, voelt ze dat de stof van haar broek om haar dijen en achterwerk spant. Ze is een logge, onbehouwen atmosferische storing, een storm van hormonen, een in de strijd gehavend trekpaard. Ze heeft een akelig litteken tussen haar borsten, vlezige, gedrongen heupen (van de prednison krijgt ze een enorme eetlust) en voortdurend een vettig laagje op haar voorhoofd (weer die prednison). Ze laat winden en geeft geregeld over. Ze is huilerig en geïrriteerd zonder aanleiding. Maar het allesoverheersende zelfmedelijden dat ze ooit voelde is weg. Ze voelt zich trots en stoer. Neem me zoals ik ben, straalt ze telepathisch naar Davids hoofd. Ze is alert en vol adrenaline, alsof ze ten strijde trekt.

Davids stemming is opgeknapt sinds hun laatste woordenwisseling, wat ongetwijfeld te danken is aan Carly's onmetelijke vermogen om te vermaken. 'We vragen ons af hoe het met vissticks zit', zegt hij. 'Te vet?'

'Te zout', zegt Janet. 'Laten we verse vis kopen en die bakken.'

'We willen vis die je in de ketchup kunt dopen', zegt Carly.

'Mama mag geen ketchup', zegt David.

'Neem vissticks', zegt Janet. 'Neem ketchup. Ik ben niet van de voedingpolitie.'

Een jongetje komt een blinde hoek om hollen en botst hard tegen Davids benen op. 'Hé, grote knul', zegt David en hij legt zijn hand om het hoofd van de jongen alsof het een basketbal is.

De moeder van de jongen duikt op, trekt een gezicht tegen David bij wijze van verontschuldiging en sleept de jongen weg. 'Garth, er bestaat nog een wereld om je heen, jongeman. Er bestaat nog een wereld om je heen en daar moet je rekening mee houden.'

David wacht tot ze beiden buiten gehoorsafstand zijn. 'Alweer een Amerikaans kind dat naar een countryzanger heet.'

'Het zijn de steden in Texas waar ik een probleem mee heb', zegt Janet. 'Austin. Dallas. Houston. Wat zal de volgende hippe staat voor kindernamen worden?'

David probeert het met Washington: 'Seattle. Spokane.'

Sam opent zijn mond en laat David een groen gombeertje zien

dat op een van zijn snijtanden is gespietst. 'Waarom heet ik niet naar een countryzanger?'

'Wat is een countryzanger?' vraagt Carly aan Janet.

'Dat is een zanger die country zingt', zegt Sam.

Carly denkt even na. 'Wat is country?'

'Dat betekent "land"', zegt David. 'Country is een bepaald soort muziek die sommige mensen mooi vinden.'

'Vind jij die mooi?' vraagt Carly aan David.

'Niet speciaal', zegt David.

'Vind jij die mooi, mam?' vraagt Sam aan Janet.

'Soms. Als ik in de stemming ben om met cowboylaarzen aan te gaan lijndansen.'

Janet mist ze nu al, die kinderen van haar. Ze hoopt dat er over tien of vijftien jaar, als zij er niet meer is (zelfs als ze gezond blijft gaat een getransplanteerd hart niet eeuwig mee; vroeg of laat zal een ongeneeslijke vasculopathie de kransslagaders verstoppen), een tweede moeder van Carly en Sam zal zijn, een stiefmoeder die van ze zal gaan houden, die ze veilig de stormachtige puberteit door en de volwassenheid in zal loodsen. Janet maakt zich ook zorgen. Stel dat die vrouw haar niet kan evenaren? Stel dat ze er een zooitje van maakt? Stel dat haar kinderen evenveel van deze vrouw gaan houden als van haar? Het is een kwelling, de gedachte aan een afscheid van Carly en Sam. Langzaam laat ze haar blik over haar zoon gaan, over zijn voeten die bloot in de canvas kompressen van zijn schoenen steken, het halsstarrige vuil in de ondiepe holtes aan weerskanten van zijn enkels, zijn kuiten zo glad als het vel van een dolfijn, knobbelige ellebogen, het zachte dons in zijn nek, de lukrake krullen in zijn haar. Hoe zal hij eruitzien als hij dertig is?

Ze zijn klaar met de boodschappen, en hoewel ze voldoende etenswaren hebben om tien maaltijden te bereiden, besluiten ze om bij Dominic aan de overkant van de straat te gaan eten. Dominic zelf kwakt gyros en een groene salade op dunne papieren bordjes en schuift ze naar voren. Vier gloedvolle bedankjes bloeien uit Janets mond. David slentert geërgerd weg van de toog. Dominic zegt: 'Hé, ook bedankt. Geen probleem. Nee...ú bedankt.' Janet neemt niet de moeite uit te leggen dat haar uitbarstingen in feite afkomstig zijn uit een veel groter reservoir van dankbaarheid, dat weinig te maken heeft met Dominic of zijn gerechten – een dankbaarheid die afgedamd is van de rechtmatige ontvanger, een vrouw die Isabel Howard heet. Dus moeten mensen als Dominic maar een beetje extra in zich opnemen. Achter het raam glijden twee stromen auto's in tegenovergestelde richtingen langs. Janet, die het masker heeft afgedaan, geniet van de koele lucht op haar gezicht. Ze verslindt de salade en laat haar aandacht bevrijd van alle onderwerpen een helderwitte gedachteloosheid in glippen. Is dit niet een van de voorrechten van het leven, om het leven als vanzelfsprekend te beschouwen? Om je los te maken en de tijd achteloos te laten verstrijken? Waar is het anders allemaal goed voor geweest? De wrede dood van een vrouw, het verdriet en het lijden van haar familie, de uren werk door artsen en verpleegkundigen, om maar niet te spreken van Janets eigen inspanningen en lijden – was dat dan allemaal zodat ze de laatste, kostbare jaren mag doorbrengen belast met de onmogelijke taak uit elk moment het maximale te halen?

Ze hoopt dat Isabel Howard het zou hebben begrepen. Isabel Howard: wat zou Janet zonder die naam moeten? Natuurlijk begrijpt ze waarom de organisatie voor orgaanwerving niet wil dat de donorfamilies en de ontvangers elkaars identiteit te weten komen. Er hebben zich incidenten voorgedaan van donorfamilies die onredelijke eisen stelden, financieel en anderszins, evenals gevallen van pesterijen, bedreigingen, ongenode bezoeken en narigheid in het algemeen. Maar Janet heeft van het begin af aan gevonden dat de mogelijke voordelen van een contact zwaarder wogen dan de risico's, en door een combinatie van geluk (de toevallige opmerking van een chirurg over Iowa en 'een fiets versus een auto'), de krantenarchieven van de openbare bibliotheek van Chicago, internet en te veel telefoontjes om te tellen, heeft Janet de barrière van de anonimiteit kunnen doorbreken. Als ze die niet had doorbroken had ze een naam moeten verzinnen voor de vrouw die haar afwisselend vanuit het graf toejuicht en verwijten maakt met een stem die griezelig veel lijkt op die van Ingrid Berg-

44

man in *Notorious* en die haar nu in een grootmoedige bui voorhoudt: neem het ervan. We hebben het verdiend. Denk maar niet aan mij. Maar dat doet Janet wel. Ze wilde dat Isabel er ademend en wel bij kon zijn, terwijl ze naar de wereld kijkt en een gyros van Dominic eet. 'Zaterdag een jaar geleden', zegt ze, tegen wie het wil horen. 'Een jaar geleden heeft mama haar nieuwe hart gekregen. Wat vinden jullie daarvan?'

Met vingers beplakt met zure room laat Sam een reepje lamsvlees voor zijn neus bungelen. 'Houden we nou een verjaardagsfeestje?'

'Als we iets doen, zou het een gedenkfeest zijn.' Janet richt haar blik op David en geeft de taak het uit te leggen aan hem door.

David plukt een stukje ui van zijn lip en stopt het in zijn mond. 'Zeker. Laten we een feest geven om de verjaardag van een verschrikkelijke, gewelddadige dood te vieren.'

'Dát zouden we niet vieren', zegt Janet geërgerd.

'Natuurlijk niet. We zouden jóú vieren.'

Janet wil hier niet op ingaan. Niet nu. 'Ik hoop dat het goed gaat met haar man.'

'Dat weet ik wel zeker.'

'Hoe weet je dat zeker?'

David legt zijn broodje op zijn bordje, veegt zijn mond af en verfrommelt het servetje tot een bal. 'Het is een jaar geleden. Hij zou verder moeten gaan met zijn leven. Of proberen.'

'Zou jij nu verder zijn gegaan met je leven als ik was gestorven?'

'Ik zou niet...misschien niet nu', stamelt David. 'Maar ik kan je wel zeggen dat ik niet geïnteresseerd zou zijn in kaarten en brieven van de mensen die jouw organen hadden gekregen. Daar krijg je toch de rillingen van?'

'Het hart was een gift', zegt Janet opstandig.

'Niet van hem.'

'Hij stond achter de beslissing van zijn vrouw. Hij heeft het groene licht gegeven. Anders was het allemaal niet doorgegaan. Anders zou ik hier misschien niet zijn.'

'Daarom heb je hem bedankt. Maar zijn twee kaarten niet genoeg? Twee kaarten en een brief van vier kantjes?'

'Drie kantjes.' Goed, die eerste brief was lang geweest en hem schrijven was een van de moeilijkste dingen die Janet ooit had gedaan. Hoe legde je uit aan een man, zonder te dankbaar of te ondankbaar te klinken, zonder al te grote nadruk op de wrange onrechtvaardigheid van de transactie of die helemaal te negeren, dat de vroegtijdige, tragische dood van zijn vrouw hem weliswaar ondraaglijke pijn had bezorgd, maar haar, een volslagen vreemde, had toegestaan te blijven leven? Een week lang had ze zitten krabbelen en doorstrepen en uiteindelijk had ze het gevoel dat ze een bewonderenswaardige inspanning had geleverd, ook al was de brief maar drie kantjes en leek hij niets meer te bevatten dan alle dankbaarheid, verwarring en schuld in haar hoofd.

'Ik weet zeker dat hij de brief waardeerde', zegt Janet. 'Ik geloof niet dat die opdringerig was. En de gedenkkaart was een gebaar. Het zou schandalig zijn geweest om niets te sturen. Als hij hem niet wil lezen, mag hij hem kapotscheuren. Het is geen dagvaarding.'

David kauwt op zijn gyros, voor even tot zwijgen gebracht. Dan zegt hij: 'Wat ga je doen als je ooit de kans krijgt om met die vent te praten?'

'Om eerlijk te zijn weet ik dat niet.'

'Stel dat je oog in oog met hem komt te staan. Wat doe je dan?'

Toen Janet in het ziekenhuis, de dood nabij, op een hart wachtte, had ze zich vaak auto-ongelukken voorgesteld – er zelfs op gehoopt – waarbij een donor het leven zou laten. 'Als je me een schuldgevoel wilt aanpraten, dan laat maar, ik voel me al schuldig. Misschien zou ik dat tegen hem zeggen. Hoe schuldig ik me voel.'

'Het is een gift, zoals je zei, je hoeft je niet schuldig te voelen.'

'Het is allemaal zo gemakkelijk voor jou, hè?'

'Ik beschouw die vent gewoon niet als zo'n grote held', zegt David defensief en met een soort gekweldheid. 'Zijn vrouw is de held. Of was.'

'Haar lijden is over', zegt Janet. 'Hij leeft nog. Hij betaalt nog steeds de prijs.'

David slaat zijn ogen ten hemel, geërgerd over haar scherpte. 'Doen we dat niet allemaal.'

Vier

Soms wandelt Alex na het werk, om het gezelschap en de troost of omdat hij niets beters te doen heeft, naar Isabels moeder. Bernice woont aan de oostkant van de stad, ten oosten van de universiteit, net buiten de grens van de eeuwige studentenonderkomens. Haar buurt bestaat uit bescheiden woningen, *foursquare-* en *craftsmans*-huizen en bungalows. De trottoirs en straten worden overschaduwd door oude bomen. Er zijn moes- en bloementuinen, schuurtjes en houtstapels, afscheidingen van ceders en van latwerk. Isabel is hier opgegroeid. Voor Alex ligt over alles heen de naglans van Isabels jeugd. Door een val van de lage tak van die witte eik daar brak ze de middel- en ringvinger van haar rechterhand. Daar lieten zij en Sally Serbousek elkaar in groep zeven hun ontkiemende borsten zien in het donkere, benauwde interieur van het hondenhok van de Serbouseks. Aan de andere kant van die heg, in de tuin van de familie Cavanaugh, werd in de warme jaargetijden een trampoline opgezet, waarop de buurtkinderen sprongen, duikelden, gilden, zongen en zich bezeerden.

Het huis van Bernice is in tudorstijl en van bruine baksteen, omringd door bomen. Het hoge puntdak ziet eruit alsof het ontworpen is om alles te doorboren – wolken, vliegtuigen – dat er van boven op zou kunnen neerdalen. De muren zijn bekleed met wijnranken, zo dik als kabels, waaraan blaadjes ter grootte van een theelepeltje groeien. De ramen zijn donker, groengetint door de weerspiegeling van de bomen, en het lijkt of het huis vol vijverwater zit.

De deurbel laat binnen een zacht geklingel horen. Uiteindelijk gaat de deur open en Bernice komt het duister uit drijven in een zwarte spijkerbroek en een wit T-shirt van het Joffrey Ballet, waarvan ze de korte mouwen kunstig tot smalle manchetten heeft opgerold. Ze zet een hand als een zonneklep boven haar ogen, alsof Alex haar met een fel licht beschijnt. Haar voeten zien er broos uit en zo bleek dat ze bijna doorzichtig zijn, met gevaarlijk blootliggende aderen. 'Hé. Hoe gaat het?' vraagt ze. 'Hallo, Otto.' Ze woelt door het haar op de hondenkop. 'Wat een brave hond.'

'Heb ik je wakker gemaakt?' vraagt Alex.

'Ik zat achter de computer.' Bernice bestudeert de hemel, die nog zuiver lichtgevend blauw is. 'Het is prachtig weer. Vertel me alsjeblieft waarom ik binnen naar e-mails zit te staren.'

'Dat weet ik niet. Maar waarom zou je binnen naar e-mails zitten staren als je binnen kunt zitten en staren naar', met een theatraal gebaar haalt hij een video achter zijn rug vandaan, *'Jason and the Argonauts?'*

Een paar weken geleden, nadat ze de oorspronkelijke *Godzilla* op televisie hadden gezien, begonnen Alex en Bernice andere Japanse monsterfilms te huren. *Godzilla vs. Mothra; Rodan; King Kong vs. Godzilla.* Maar het genre begon hen te vervelen en Alex had bedacht dat het leuk zou zijn om andere wegen in te slaan. Helaas lijkt Bernice niet geïnteresseerd. 'O, huh', zegt ze als een slachtoffer van ongewenste colportage.

Alex stapt naar voren voor een knuffel. Bernice grijpt naar hem: haar handen omklemmen zijn rug, haar kin port tegen zijn sleutelbeen. Het zijn zulke ingewikkelde gebeurtenissen, die knuffels. Stuk voor stuk een loslaten van het verdriet, een bekentenis van eenzaamheid, een inzuigen van geruststelling.

Alex loopt achter Bernice aan naar binnen en maakt Otto los, die koers zet naar de keuken, wetend dat hij kruimels op de vloer zal vinden. Bernice blijft in de hal staan om een kleed glad te strijken met haar blote voet, waarna ze de kamer in loopt en de muren bestudeert met een soort abstracte onzekerheid, alsof ze haar niet bekend zijn, alsof ze deze kamer voor het eerst ziet. Ze draait zich naar Alex om, glimlacht, brengt haar handen bij elkaar en vouwt ze samen. Bernice is zestig. Haar leeftijd wordt bevestigd door haar gezicht – het is een knap gezicht, alleen is de huid om haar ogen en mond gekreukt als papier – maar weersproken door haar lichaam, dat goed verzorgd is, en stevig en gespierd in de armen en schouders door het oefenen met gewichten. Jaren geleden, toen Alex Bernice voor de eerste keer ontmoette, dacht hij nogal bezitterig dat hij geluk zou hebben als Isabel er halverwege de vijftig even goed uit zou zien als haar moeder; even slank en gezond en met dezelfde heldere teint.

Bernice steekt haar handen in de zakken van haar spijkerbroek en krabt over de kuit van haar ene been met de teen van de andere voet. 'Ik dacht erover om naar de school te gaan voordat het te donker wordt om te kijken hoe ze het stellen op de nieuwe speelplaats. De oude klimrekken worden verwijderd en de hele boel wordt opnieuw ingericht.'

Alex kan er geen enthousiasme voor opbrengen. Hij heeft weer een lange dag de domme schrijfsels van twaalfjarigen zitten corrigeren. Hij wil zich op de bank van Bernice planten en vegeteren. Een paar biertjes drinken. Het Middellandse Zeegebied rondreizen met Jason. 'Wat is er mis met klimrekken? Ik was dol op klimrekken. Ik heb me er altijd goed op vermaakt.'

'Ze maken zich zorgen over verwondingen en rechtszaken. De nieuwe toestellen zouden veiliger moeten zijn, hoewel sommige mensen beweren dat ze minder uitdagend zijn en op een andere manier potentieel even gevaarlijk. Wie zal het zeggen. Ik wil alleen maar een eindje lopen. Ik zit al de hele dag naar dat scherm te turen.'

In het besef dat hij zou moeten proberen het Bernice naar de zin te maken glimlacht Alex berustend. Ze geeft een dankbaar klopje op zijn bovenarm, bukt zich alsnog en trekt aan een draadje dat aan het gat in zijn spijkerbroek hangt. 'Ben je vandaag gaan werken? Het lijkt wel of je bent aangevallen door een poema.'

'Formeel mogen we alleen op vrijdag een spijkerbroek aan. Trek-aan-wat-je-wilt-vrijdag. Ik probeer me elke dag te kleden zoals ik wil. Het is mijn beperkte manier van verzet. Trek-aan-wat-je-wilt-vrijdag wordt geacht een enorme stimulans voor de moraal te zijn, maar er blijkt alleen maar uit hoe hopeloos ontoereikend de directie is. Ze laten honderd fulltime medewerkers afvloeien en vervangen die door uitzendkrachten, ze betalen ons minder, geven ons geen ziekteverzekering, geen voorzieningen en geen enkele arbeidszekerheid, maar ze denken: hé, als we ze vrijdags een spijkerbroek laten dragen, zijn ze vast tevreden.'

'Als ze geen uitzendkrachten zouden aannemen, had jij geen werk', merkt Bernice op.

'Soms zou ik dat helemaal niet erg vinden.'

'Heb je de promotieprogramma's al eens bekeken?'

Alex is niet bepaald geïnteresseerd om in archeologie te promoveren. Hij zou liever de particuliere markt op gaan of voor de overheid werken, cultureelerfgoedmanagement voor een milieubedrijf of voor Staatsbosbeheer of Natuurbescherming – een baan waarbij hij buiten kan zijn. Maar een paar maanden geleden liet hij op een avond de mogelijkheid van promotie vallen om de regelmatig terugkerende vragen van Bernice naar zijn toekomst af te weren en sindsdien blijft ze hem ermee achtervolgen. Hij zou Bernice graag vertellen dat enkel omdat Isabel bezig was met haar proefschrift het nog niet betekent dat promoveren de enige weg is die voor hem openligt. Hij heeft het gevoel dat Bernice hem onder druk zet, bewust of niet, om Isabels potentieel te evenaren, Isabels droom te volgen, Isabels ambities en doelen over te nemen. Te bereiken wat Isabel zou hebben bereikt als ze was blijven leven. 'Als ik besluit om een proefschrift te schrijven, en ik zeg "als", dan moet ik een paar programma's bekijken, ja', zegt Alex. 'En contact opnemen met een paar hoogleraren. En een miljoen andere dingen doen. Als.'

'Het is eigenlijk een raar idee, dat trek-aan-wat-je-wilt-gedoe, als je erover nadenkt', zegt Bernice. 'Het impliceert min of meer dat je de andere dagen een soort uniform aan moet. Maar goed. Ik moet even naar boven om schoenen aan te doen.'

De traptreden kraken onder haar voeten. Alex loopt door de zitkamer en eetkamer naar de keuken, waar Otto de vloer krachtig aflikt, waarschijnlijk de grondigste schoonmaakbeurt die de vloer ooit krijgt. Alex pakt een biertje uit de koelkast en slentert terug de woonkamer in. Hij weet dat hij, net als Isabel indertijd, moet leren geduld te hebben met Bernice' zorgen, haar aansporingen en hoge verwachtingen. Bernice gelooft dat ze haar eigen leven heeft verspild, dat ze zo'n twintig jaar geleden de tewaterlating van de feministische boot is misgelopen. Volgens Isabel was Bernice er niet zeker van of die wel zeewaardig was. Ze was er niet zeker van waar de boot heen voer en of ze wel aan boord thuishoorde. Haar man stimuleerde haar twijfels. Haar kinderen eisten aandacht en eten. Plotseling was Bernice vijftig en was haar man ervandoor; toen ze besloot dat ze wel op die boot hoorde, was die te ver de zee op. Personeelschefs namen de vrouw in bezadigde dameskleding van top tot teen op en lieten haar weten dat ze niet voldoende opleiding en ervaring had om redactieassistente, baliemedewerkster in een naslagbibliotheek of zelfs maar secretaresse te worden, wat waar was. Ze had een bachelor huishoudkunde van de universiteit van Kansas en dertig jaar ervaring in het runnen van haar eigen huishouden. Maar ze slaagde erin een baan te bemachtigen op de debiteurenadministratie van het telecombedrijf US West en vervolgens, vele jaren daarna, de baan waarnaar ze lang had verlangd, die van kostuumontwerpster voor de opera- en dansproducties van de universiteit.

De gordijnen voor de ramen in de woonkamer zijn licht geelbruin en ze zijn dichtgetrokken zodat er slechts een vaag getint schijnsel op het kleed valt. Alex gaat zitten op de bultige, bruine bank, strijkt over de versleten kussens en zet zijn voeten op de salontafel – een groot stuk drijfhout bedekt met een glasplaat, een reliek van een gezinsvakantie van lang geleden, een zomertrektocht met de stationwagon langs de kust van Oregon. Een philodendron hangt omlaag van de schoorsteenmantel. Naast de philodendron staat een bronzen buste van Mozart met een groen-witte pet van het bedrijf Pioneer Hi-Bred Seed zwierig schuin op zijn hoofd. Jaren geleden, toen ze een meisje was, heeft Isabel hem de pet als grap opgezet en Bernice vond dat het iets uitdrukte. Aan weerskanten van de open haard hangen boekenplanken: de linker is dunbevolkt met oudere boeken, *Adam's Rib; The Sensuous Woman; The Female Eunuch*. Een serie over de oceaan van Time-Life, waaraan de delen twee en vijf ontbreken. De rechterplank is een armoedige huurkazerne van sciencefictionpockets, romans en verhalenbundels die in het wilde weg zijn opgestapeld en samengepropt, veel ervan hebben een gescheurde, kapotte rug en glimmen van het plakband waarmee Bernice ze heeft gerepareerd. De stokoude stereo-installatie staat er ook, plus een nieuwere cd-speler, en lager, in lades die meestal uitgetrokken zijn, haar verzameling cd's, eclectisch van samenstelling – jazz, klassiek, folk, wereldmuziek, Broadway – maar overheerst door opera in tientallen cassettes met libretto's in het Italiaans, Frans en Duits.

Hoe houdt Bernice het vol, wonen in het huis waarin haar gezin zijn kortstondige tijdperk van bloei en snelle neergang heeft beleefd? Todd, Bernice' man, vertrok als eerste, toen Isabel dertien was, en een paar jaar daarna verliet later haar oudere broer, Clancy, het huis toen hij ging studeren aan Stanford, vanwaar hij zelden terugkeerde. Nu is Clancy beleggingsbankier in Hongkong. Hij belt of schrijft praktisch nooit, en wanneer hij in het land is logeert hij in San Francisco bij zijn vader en stiefmoeder, met wie hij na de scheiding geallieerd is gebleven. Alex heeft de indruk dat Clancy's afvalligheid en voortdurende afwezigheid Bernice veel meer kwetsen dan die van Todd. Een tijdlang had Bernice Isabel, die steeds vlak bij huis en loyaal bleef, maar nu is Alex, afgezien van een vervreemde oudere zus in Kansas, de enige.

Soms denkt Alex dat Bernice en hij hierin op elkaar lijken, in hun isolatie en hun gebrek aan naaste familie. Alex is een geadopteerd, enig kind en hij heeft nooit een hechte band met zijn ouders gehad. Zijn vader is directeur van een bank in Council Bluffs en samen met zijn moeder vangt hij onhandelbare jongeren op in hun grote victoriaanse huis. Eens per jaar, meestal met Kerstmis, gaat Alex er plichtshalve voor een paar dagen naartoe en zo nu en dan, wanneer Herman en Gena oostwaarts reizen over de Interstate-80, komen ze bij hem langs. De rest van het jaar mist hij hen niet, en voor zover hij weet missen ze hem evenmin. Integendeel, ze lijken volledig op te gaan in hun eigen leven, hun boeken, hun filantropie, hun kostgangers, en er tevreden mee te zijn dat ze hem hebben opgevoed en zijn eigen weg hebben laten gaan. Zijn hele jeugd zocht hij naar de verzekering, die hij nooit kreeg, dat hij meer was dan enkel Herman en Gena's eerste en langst blijvende kostganger, en bij het heldere licht van de terugblik heeft hij het gevoel dat hij misschien wel meer was, maar dan toch niet heel veel meer. Hij voelt eerder dankbaarheid jegens Herman en Gena dan liefde.

In de studeerkamer, op het bureau voor het raam dat uitkijkt op de achtertuin, begint Bernice' computer te zoemen. Alex tikt met een vinger tegen de eivormige muis. Het scherm stroomt vol woorden:

Ik vind het zeer interessant te horen dat je belangstelling koestert voor het waarnemen van vogels! Of, zoals de meer toegewijde liefhebbers het noemen, vogelen. Het observeren van vogels in de natuur en hun gedrag opnemen met mijn Panasonic Palmcorder, een uitrustingsstuk van onschatbare waarde, verschaft me een uitermate vredig gevoel. Geloof me: met zorg de juiste uitrusting uitzoeken zal je ervan verzekeren dat je gunstig wordt beloond door de natuur. Maar als je echt geïnteresseerd bent, dan raad ik je aan te beginnen met de veldgids voor Noord-Amerikaanse vogels (oostelijke regio) van de Audubon Society. Het is een heel grondige, goed opgezette gids met tal van prachtige kleurenillustraties en beschrijvingen van vogels en hun leefgebied.

Met Janet gaat het goed. Ze zei dat ze gisteravond een beetje last had van onscherp zicht in de supermarkt, wat ongetwijfeld te wijten is aan de prednison. Vrijdag neemt ze een van haar gevorderde tekenklassen mee op excursie naar buiten om te tekenen, waar ze heel blij om is. Het is voor het eerst sinds twee

jaar dat ze dit weer kan doen. Ze lopen een paar straten naar
een drukke straat bij de middelbare school en maken daar teke-
ningen van de oude Tsjechische gebouwen.

Pas goed op jezelf en tot gauw,
Lotta

Lotta. Alex voelt een koele lichtheid door zijn borst omlaag drup-
pen, alsof er een capsule vol ijskoude vloeistof is geknapt. Een paar
weken geleden is hij er tot zijn verontrusting achter gekomen dat
Bernice een e-mailcorrespondentie heeft aangeknoopt met Janet
Corcorans moeder, die er op de een of andere manier in is geslaagd
het e-mailadres van Bernice op te sporen. Hij vindt – is dat raar? –
dat Bernice hem verraadt. Overloopt naar de andere kant. Omgang
heeft met de vijand. Hij betwijfelt of Lotta de belangen van Bernice
voor ogen heeft en vermoedt dat Lotta hoopt Bernice, en misschien
hem, te verleiden tot een ontmoeting met Janet, die zal willen praten over, drie keer raden, Isabel. *Geef me alsjeblieft ook de rest van*
haar. Haar geschiedenis, haar persoonlijkheid, de feiten. Kennelijk
was haar hart niet genoeg.

Er klinken voetstappen op de trap en Bernice komt de studeerkamer in schuifelen. Haar wangen en lippen zijn roze, ze heeft make-
up opgedaan. 'Ik moet dat afzetten', zegt ze en ze knikt naar de computer. 'Ik heb zelfs niet...o. Ben je mijn e-mail aan het lezen?'

'Die vrouw heeft een probleem met de Engelse taal', zegt Alex.
'"Gunstig beloond door de natuur." Wat is dat?'

Bernice gaat achter de computer zitten, tuurt naar het scherm en
legt haar hand op de muis. Het lijkt of ze de hand van de computer
vasthoudt. 'Ik geloof niet dat er iets mis is met "gunstig".'

'Je bent dus ineens geweldig geïnteresseerd geraakt in vogels?'

Bernice haalt haar schouders op. 'Je raakt makkelijk geïnteresseerd
in dingen wanneer het doel is een gesprek gaande te houden.'

'Ik vind het vervelend te moeten zeggen, maar die vrouw is getikt.
"Gunstig beloond door de natuur". "Uitrustingsstuk van onschatbare waarde". Ik word ervoor betaald om menselijk proza te duiden

54

en ik kan je vertellen dat dit taalgebruik symptomatisch is voor een ontwrichte relatie met de werkelijkheid.'

Bernice werpt een sluwe, insinuerende blik op Alex. 'Om je de waarheid te zeggen denk ik dat ze nerveus is. En wat dan nog als ze een bloemrijke stijl van schrijven heeft. Ik begrijp niet waarom je daar zo'n moeite mee hebt.'

'Ik heb geen moeite met haar', zegt Alex en hij denkt: niet zoveel als met jou, jij die voortdurend over de Corcorans praat, aan de Corcorans denkt, benieuwd bent naar de Corcorans, mij stom, banaal nieuws geeft over de Corcorans. 'Ze is fantastisch. Geef haar een cyberpakkerd van mij.'

Bernice vouwt haar armen laag voor haar buik en klauwt aan haar ellebogen, het ziet eruit alsof ze probeert ze los te schroeven van haar armen. Isabel deed dit vroeger ook, precies zo, wanneer ze geïrriteerd of van slag was. Zelfs de houding van Bernice lijkt op die van Isabel: de schouders stijf, het hoofd gebogen en volmaakt roerloos alsof het op verzoek van de kapper is. Zouden Isabel en hij zo zijn geworden, vraagt Alex zich af, over dertig jaar en nog wat? Ruziënd? Vittend? Hij kan het nauwelijks geloven.

'Een paar dagen geleden kwam er weer een kaart van Janet Corcoran', zegt hij verzoenend.

Bernice beweegt niet, onzeker van zijn bedoelingen. 'Heb je hem meegebracht?'

Waarom zou hij die méébrengen? 'Hij ligt thuis. Een heel stel mensen heeft hem ondertekend. Ik weet hun namen niet meer. Carly?'

'Dat is Janets dochtertje. Ze hebben ook een jongen. Sam. Hij is acht.'

'Ik dacht dat Sam misschien de hond was. Je weet wel hoe sommige mensen voor hun hond tekenen en de letters helemaal slordig en scheef maken om het eruit te laten zien alsof de hond de pen echt heeft vastgehouden?'

Bernice kan er niet om lachen en draait de muis langzaam rond over het matje.

Alex vraagt: 'Hoe oud is Carly? Jonger dan Sam?'

'Carly is vijf. Wil je een foto zien?'

Het duurt even voordat het tot Alex doordringt dat ze een foto van de Corcorans bedoelt. Hij heeft nooit een foto van de Corcorans gezien en wist ook niet dat Bernice er een heeft. Hij voelt zich beetgenomen. Bernice loopt de andere kamer in en komt terug met een kleine envelop van manillapapier, waaruit ze een foto van 7 x 12 haalt. Op de voorgrond staan een man en een vrouw en twee kinderen, allemaal onnatuurlijk stram rechtop, longen gevuld met lucht – nu allemaal even lachen! Als winnaars van de loterij. De man is lang en heeft zwart haar. De duimen van de jongen zijn in de zakken van zijn spijkerbroek gehaakt. De vrouw houdt de hand van het meisje vast en buigt zich licht over haar heen, alsof ze haar tegen de zon wil beschutten. Het meisje is klein en schattig, gekleed in een blauw T-shirt. Op de achtergrond is een stuk gras te zien en verder weg, boven een groepje bomen uitrijzend, gebouwen met zilver- en bronskleurige pilaren.

Dus dit is Janet Corcoran. Groot, breedgeschouderd, potig. Een lange, gebreide zwarte muts. Slierten rood kroeshaar reiken tot haar schouders. Alex staart naar haar borst, vertelt zichzelf dat Isabels hart daar onder dat T-shirt zit, onder de huid en het bot, maar hij kan het niet geloven. 'Ze ziet eruit als het monster van Frankenstein. Wat weegt ze wel niet, honderd kilo? Ze moet minstens een meter tachtig zijn. Het moet een belasting zijn voor het hart, serieus.'

'Het is juist vanwege het hart dat ze zo zwaar is', zegt Bernice geërgerd. 'Ze moet speciale medicijnen nemen.'

'Wat bedoel je, vanwege het hart? Het kan niet door het hart komen. Dat kun je niet menen, met al die training van Isabel? Het is een geweldig hart.'

'Nee, je begrijpt het niet. Het hart – ze moet steroïden slikken voor het hart en daar komt ze van aan, zo heeft Lotta het uitgelegd. Er is niets mis met het hart zelf.'

'Het is haar geraden om goed voor het hart te zorgen', zegt Alex, hoewel de gedachte bij hem opkomt dat hij maar weinig kan doen om dat af te dwingen. Hij kijkt naar de gezichten op de foto. De gezichten kijken terug. 'Ik voel geen band.'

Bernice tilt haar hoofd achterover alsof ze een geurspoor in de lucht wil opvangen.

Zonder de beschuldiging te verbloemen zegt Alex: 'Jij wel.'

Bernice knikt. Haar gezicht staat weemoedig, alsof ze naar een ander, beter leven terugverlangt.

Vijf

Bernice heeft moeite met slapen. Elke avond rond een uur of tien, elf, wanneer ze uitgeput op de bank in de kamer ligt, zakt ze weg in een zalige sluimering; haar lichaam warm, haar wangen gevoelloos, haar zicht wazig, alsof ze een dosis morfine heeft gekregen. Maar wanneer ze opstaat, naar boven gaat en probeert verder te slapen in bed, plat op haar rug in het donker, lukt het niet meer. Gekweld door herinneringen, onrustig en bedroefd, ligt ze tot lang na middernacht te woelen. 's Ochtends wordt ze wakker op haar buik alsof ze tegen de grond is geworsteld, met haar borst en wang tegen de matras gedrukt, een ronde zevervlek op het laken.

Ze veegt haar mond af met de mouw van haar T-shirt en zwaait haar benen over de rand van het bed. Ze gaat voor het raam staan dat op het oosten uitkijkt en baadt zich in het zonlicht, omdat ze in een vrouwenblad heeft gelezen dat zonlicht de stemming verbetert – iets met fotonen die je netvlies raken.

Het is vrijdag, 21 april. Vanavond is het een jaar geleden dat Isabel overleed. Bernice ziet op tegen elke minuut van deze dag, maar ze is vastbesloten hem moedig tegemoet te treden. Er staat haar een drukke dag te wachten in het kostuumatelier, wat haar zal afleiden. En 's avonds komt Alex en eten ze samen.

Ze trekt een spijkerbroek aan, doet haar T-shirt uit en maakt haar beha vast. Ze had onderhand bij zichzelf een borstonderzoek moeten doen, maar kan het niet opbrengen, misschien omdat het vooruitzicht van de dood haar geen angst meer inboezemt. In haar familie, waarin grootmoeders, grootvaders, haar vader en moeder en nu Isabel dood zijn, is sterven iets als je belijdenis doen of op school een medaille winnen met sport of naar de universiteit gaan, iedereen heeft het wel een keer gedaan. Bernice voelt zich buitengesloten, achtergelaten, niet getest. *Weet je zeker dat je het niet eens wilt proberen?* Bernice antwoordt: *Nee.* Zelfmoord – pillen slikken, een scheermesje over haar polsen halen – heeft ze nooit overwogen, hoewel ze zich wel afvraagt of ze Isabel aan de andere kant zal tegenkomen. Ze heeft onlangs een aantal boeken gelezen met een omfloerste, wazige kaft, een ijle explosie van licht op de achtergrond, de titel in opgewerkte, gouden letters: *Dichter bij het licht;Transformatie door het licht; Gered door het licht; Omarmd door het licht.* Die boeken laat ze boven op haar nachtkastje liggen, in de hoop dat Alex ze daar niet zal zien. Hij is agnostisch en zou haar onnozel vinden. Ze denkt dat hij een bijdehante opmerking zou maken, zoals: hoort dat soms bij je sciencefictionverzameling? Sciencefiction zou Bernice het niet willen noemen. Ze gelooft dat er een goede kans bestaat dat wat ze heeft gelezen waar is, dat mensen met een bijna-doodervaring op de spoedeisende hulp, de operatiezaal of de intensive care daadwerkelijk boven de drom paniekerige artsen uitstijgen en door een tunnel een nevel van welzijn in zweven, een door licht overgoten ontvangstruimte waar overleden verwanten hen opwachten. Bernice vraagt zich af of Isabel daar ook is, waar 'daar' ook mag zijn. Sommige van de meer evangelische auteurs willen haar ervan overtuigen dat het de christelijke hemel is, een groot, uitbundig liefdesfeest voor een wijze Michelangelo-achtige god. Maar Bernice heeft zo haar grenzen. Ze doet die boeken af als propaganda. Ze vindt dat het bewijs te mager is en dat ze slecht doordacht zijn; de auteurs dalen als Mozes van de berg af en doen verslag van gesprekken die ze als bevoorrechte vertrouwelingen met een professorale godheid hebben gehad. Bernice leest de boeken lachend en geeft ze voor zichzelf een nieuwe titel: Christendom: het is allemaal waar! Of: Het klopt als een bus!

Op de trap ligt een zandkleurige loper en de treden kraken luid onder haar voeten. In de woonkamer is het donker, de gordijnen zijn dicht. De blik van Mozart, zoals hij onder de groen met witte pet uit gluurt, is vanochtend bijzonder vurig en onverzettelijk. Bernice had de buste met alle plezier tijden geleden al opgeruimd als Isabel niet op een avond thuisgekomen was, een paar maanden na het vertrek van Todd, en de pet op Mozarts hoofd had gezet. Todd had erop gestaan de buste te kopen toen ze een keer in de zomer een antiektentoonstelling bezochten, en had vervolgens aangevoerd dat hij een prominente plaats in de woonkamer moest krijgen – een plaats die Bernice hem niet waard achtte. De buste is prullig en de beeldhouwer heeft Mozarts gezicht niet goed getroffen; de uitdrukking is te bars en zwaarwichtig, de kaken lijken op zadeltassen. Deze Mozart ziet eruit als Churchill.

Ze raapt een paar sokken op die ze gisteravond op de vloer heeft laten liggen. Toen ze op de bank naar *Alien* zat te kijken voelden haar voeten klam aan, dus had ze haar sokken uitgetrokken en haar voeten tussen de kussens op de bank gestoken. Nu rolt ze de sokken op en gebruikt de bal om een vochtkring van haar glas ijsthee op te nemen. Zonder een speciale aanwijzing of prikkel ziet ze ineens haar zoon Clancy voor zich, met een groep levendige, honingkleurig getinte Aziaten om een tafel gezeten die vol staat met porseleinen vingerhoedkopjes, kommen dampende rijst en schalen met vis. Ergens in de bijenkorf van Hongkong. Ze begrijpt heel goed wat hij tegen haar heeft, wat hij haar verwijt. De scheiding. De verstoring van zijn vroege volwassenheid. Maar dat hij niet genegen is haar te vergeven, het meer complexe beeld te zien, haar fouten te accepteren als het onbedoelde geblunder van een welmenende volwassene die haar best doet een leven te leiden waarvoor proefdraaien niet mogelijk is, verbijstert haar en maakt haar kwaad.

Ze trekt de gordijnen opzij en opent de ramen. De lucht is koel, vochtig en geurt naar bloesem. Een man in een blauwe parka loopt op de stoep langs met een zwarte labrador op pezige poten. Een vrouw met zwaaiende paardenstaart komt in een glimmende, oranje legging voorbij gerend. Bernice tracht een beeld van Theresa Skarda – de vrouw met wie Todd een verhouding had – weg te drukken. Klein en compact, met een lichaam als van rubber. De volmaakte, weerbestendige accessoire voor de Gedistingeerde Man van Vijftig. In fietsbroek en sportbeha, een snackpak van seks. In haar grijze kasjmier vest en zwarte vlinderbril, de modieuze, schrandere doctoraalstudente. Het is gek, maar de gedachte aan Theresa zit Bernice niet meer zo dwars als vroeger. De scheiding evenmin. Wat stelt een scheiding voor vergeleken bij een sterfgeval? Achteraf gezien is het verlies van Todd, wat toentertijd aanvoelde als een doodsklap, niet meer dan een licht tikje geweest. Mensen die bypass- of hersenoperaties of een orgaantransplantatie hebben overleefd, mensen zoals Janet Corcoran, moeten zo'n soortgelijk blasé gevoel hebben ten opzichte van de gescheurde gewrichtsbanden en gebroken botten die ze eerder in hun leven hebben verduurd. Niet dat het verlies van Todd niet ondermijnend was. Bernice voelde zich verraden en bedrogen. Maar de schade was beperkt tot een paar gevoelige, blootliggende streken van haar ziel. Toen Isabel stierf, was door de verwoesting elke heuvel en vallei verkoold. Bernice kwam boven in een nucleaire winter.

Het is inspirerend om vanuit haar huidige gunstige positie terug te kijken op die periode. Ze heeft een lange weg afgelegd. Hier is ze dan, kwiek door de eetkamer lopend, wakker, alert, stoffend met een bol vochtige sokken, de rand van het dressoir, een lampenkap, plekken waar het alomtegenwoordige membraan van stof tot bont is verdikt. Ze voelt zich kalm en vredig. Ze verheugt zich op het bezoek van Alex vanavond, maar hunkert niet naar zijn gezelschap zoals gedurende de tijd dat ze hem voortdurend opbelde en op de vreemdste tijdstippen bij hem op de stoep stond, betraand en emotioneel: 'Wil je alsjeblieft met me gaan wandelen?'

Het is een puinhoop in de keuken. De gootsteen vol afwas, het aanrecht bezaaid met vuile glazen, bekers, borden, kommen, papieren cakevormpjes, lege yoghurtbakjes. Bernice gooit het koffiedik van gisteren uit de filter, spoelt hem af en doet er drie scheppen fair trade Guatemalakoffie in. Ze staat bij het aanrecht te wachten tot de koffie is doorgelopen en bereidt zich mentaal voor op een zware dag in het kostuumatelier: een allerlaatste pasbeurt, manchetten die aan twee van de herenjassen moeten worden gezet, het gouden boordsel van een tulband dat versteld moet worden, meer werk aan de kostuumwisseling in het tweede bedrijf. Als ze geluk heeft kan ze om zeven uur weg uit het atelier. Het was slim van haar om gisteravond de boodschappen al te doen. Ze vraagt zich af of ze een derde fles shiraz zou moeten kopen. Noch zij noch Alex drinkt bijzonder veel, maar ze vindt het een prettig idee dat ze vanavond lang zullen praten, terwijl hun glazen royaal kunnen worden bijgevuld. Ze zal muziek opzetten, iets opgewekts en jazzachtigs, Ellington of Armstrong. Ze probeert het nu in de woonkamer te horen, maar hoort in plaats daarvan de traptreden kraken. De jonge Clancy van twaalf of dertien verschijnt in de deuropening van de keuken, fris uit de douche, vochtplekken op zijn shirt en kakibroek. Hij zat in een fase waarin hij weigerde zich af te drogen met een handdoek, omdat hij volhield dat zijn kleren voldoende vocht opnamen en dat je afdrogen verspilling van energie was. Toen al was hij bezig met efficiëntie, met het grootst mogelijke rendement behalen. Isabel, voorlijk en hyperzelfverzekerd, in groep zes, slenterde rond in haar blauwe broek van gebreide polyester met bijpassende blouse, een oranje hesje met franjes en een of andere lange ketting met een hanger: een konijnenpootje of een brok rode klei bezet met plastic robijnen. Bernice was gek op die drukke doordeweekse ochtenden. Boekentassen slingerend op de keukenvloer, het nieuws kabbelend op de radio, iedereen keuvelend, op Engelse muffins kauwend, jus d'orange slurpend en zich haastend om de deur uit te komen, of zich niet genoeg haastend; Isabel had de neiging te treuzelen met haar eten, ermee te experimenteren, haar vinger in de jus d'orange te dopen op zoek naar vruchtvlees en met haar vork kraters in haar muffin te prikken. Bernice strafte Isabel zelden en joeg haar ook niet op, omdat ze vond dat Isabels nieuwsgierigheid behoed moest worden. Bernice kweekte ook vertrouwen en intimiteit aan, want ze had al vroeg aangevoeld dat Isabel, eerder dan Todd of Clancy, de meest waarschijnlijke kandidaat was voor een bondgenootschap. Isabel en zij hadden een hechte en toegewijde band, warm en gelijkgezind. Ze waren maatjes. In de beginjaren liep Isabel Bernice overal achterna. In de supermarkt kropen ze met hun hoofd gebogen, zachtjes pratend, bij het winkelwagentje samen, terwijl Isabel de ingrediënten probeerde te lezen van vruchtensap, cakemix of soep en Bernice te hulp schoot bij woorden als 'fructose' en 'gehydrogeneerd'. Ze gingen samen bowlen, stampten rond op de gekke schoenen, deden te lang over het kiezen van de ballen, verzonnen variaties op het spel waarbij je bowlde terwijl je op één been stond of een bepaald dier nabootste. Op bloedhete middagen fietsten ze naar het gemeentezwembad en poedelden in het koele water tot Bernice moe geworden op de kant ging liggen en Isabel salto's van de lage duikplank maakte of naar haar giechelende basisschoolvriendinnetjes holde om te roddelen, meisjes met wie ze binnenkort alleen naar het zwembad zou gaan. Het verwonderde Bernice dat zij door die meisjes niet volledig verdrongen was als Isabels metgezel. Weliswaar bracht Isabel naarmate ze ouder werd niet meer zoveel tijd met haar door, ze praatten nog steeds met elkaar, Isabel nam haar nog steeds in vertrouwen.

De scheiding hakte erin. Zowel Clancy als Isabel scheen uit hun vaders afwijzing van hun moeder op te maken dat die ernstige gebreken en zware tekortkomingen vertoonde en dat ze op hun hoede moesten zijn voor haar ogenschijnlijke goedheid. Isabel hing landerig en ontmoedigd, met de ongelovige blik van een geslagen hond, in huis rond. Ze sprak amper. Ze bracht urenlang in haar kamer door, stripboeken lezend waarvan het geweld Bernice verbijsterde, en wanneer ze beneden was, werd ze door de televisie aangetrokken en zat ze naar het scherm te staren als een straatkind dat de verlokkingen van een sekteleider aanhoort. De sekte, zo bleek, was actief op de middelbare school, waar Isabel toen net op zat. De monstermeisjes, zoals Bernice hen noemde, waren een nors, agressief groepje dat zich uitsluitend in het zwart kleedde, plukken haar oranje of blauw verfde en luisterde naar uitzinnig woeste muziek die klonk alsof hordes krijsende mannen elkaar met automatische wapens afslachtten. De monstermeisjes hingen rond in de winkelpromenade in de stad, met hun armen om elkaars hals geslagen lurkten ze aan kruidnagelsigaretten en slurpten ze zwarte koffie uit de thermosbekers uit hun oude broodtrommeltjes, die versierd waren met afbeeldingen van superhelden: Cat Woman en de Incredible Hulk. Ze waren eigenzinnig, de monstermeisjes, en zonder hun hitsige blikken, grove taalgebruik en verachting voor ouders, docenten en de politie, die hen dwongen hun peuken op te rapen, zouden ze misschien ontwapenend zijn geweest. Bernice twijfelde er niet aan dat de monstermeisjes schuldig waren aan ernstiger overtredingen van de wet, maar onomstotelijk bewijs daarvoor had ze niet. 's Ochtends, na een heksenbijeenkomst, was Isabel ontwijkend en sarcastisch, kenmerkend gekleed in een zwarte trainingsbroek en een zwart T-shirt met voorop de gruwelijke afbeelding van een schedel, krioelend van de wormen, en een crucifix druipend van het bloed, haar gezicht zo bleek als van een vampier, haar oogleden paars getint, met lange klauwachtige, zilverkleurige nagels een snee toast pijnigend terwijl ze met rollende ogen de vragen van Bernice afweerde. *Een dronken vent heeft me thuisgebracht. Wie? Ted Bundy. Son of Sam. Rob Kutcher. Als je het per se wilt weten. Nee, dat is mijn vriendje niet. Dat is mijn pooier.*

Bernice, die zich een totalitaire dictator voelde, durfde het niettemin niet aan om de verhoren en de avondklok te versoepelen; ze was bang dat Isabel een keer in een weekend tijdens een slamdance-concert zou verdwijnen en maanden later pas weer zou opduiken in Milwaukee of Detroit, waar ze een kelder deelde met een man die zijn onderlip had doorboord met een veiligheidsspeld. Gelukkig ging Isabel er nooit vandoor. Ergens in het najaar van de tweede klas raakte ze ontgoocheld door de ideologie van de monstermeisjes, wat die ook mocht inhouden, en keerde terug uit de woestijn. Het pessimisme en de somberheid van de monstermeisjes putten haar uit en beperkten haar keuzes. De monstermeisjes stonden te afwijzend tegenover de interesses waarmee Isabel zich heimelijk, blasfemisch wenste bezig te houden: sport, schoolwerk, een zekere knappe, aardige jongen die met wiskunde achter haar zat. Weldra nam die jongen Isabel mee naar basketbalwedstrijden op de universiteit en kwam hij op vrijdagavond langs om naar gehuurde video's te kijken (waarvoor Bernice met alle plezier het veld ruimde). Isabel verfde haar haar niet langer, droeg geen zwart meer en herontdekte de primaire kleuren. Op school gingen haar cijfers omhoog naar achten en negens voor biologie en scheikunde. Ze werd lid van de zwemploeg, niet gehinderd door het feit dat ze nog nooit aan wedstrijdzwemmen had gedaan. Ze bleek een gave te bezitten voor de rugslag en genoot van de lange uren in het water, heftig maaiend met haar armen terwijl een man haar door een megafoon in het gezicht brulde en haar op en neer langs het water achtervolgde.

Bernice ging naar alle thuiswedstrijden en de uitwedstrijden die op rijafstand gehouden werden. In zekere zin was het een triomfantelijke terugkeer van hun uitstapjes naar het gemeentebad in de tijd voor de scheiding en voor de middelbare school. Bernice zat met de andere ouders en fans op de tribune en schreeuwde de longen uit haar lijf naar de snel voortglijdende opstuivende nevel in haar dochters baan. Na de wedstrijden was Isabel uitgelaten, trots en hongerig, en dan nam Bernice haar mee voor een cheeseburger en een milkshake. Ze praatten lang en openhartig bij zwetende waterglazen en borden vol ketchupstrepen. Isabel sloeg haar ogen niet ten hemel en knaagde niet aan haar nagels wanneer Bernice haar ideeën of meningen uitte. Isabel sloeg haar moeders gezicht gade. Isabel was ernstig en ontvankelijk. Een wonder: de nieuwsgierigheid die Bernice zo lang had aangemoedigd in het meisje was nu op haar gericht.

Bernice was opgetogen toen Isabel besloot naar de universiteit in Athens te gaan. Bernice had angstvallig vermeden dit besluit af te dwingen, ook al had ze zich verscheidene keren op haar knieën willen laten vallen om Isabel te smeken dicht bij huis te blijven. Clancy zat toen al drie jaar op Stanford en kwam zelden naar huis, in plaats daarvan bracht hij zijn vakanties liever door bij Todd en Theresa in San Francisco. Als Isabel voor Michigan of Wisconsin koos, zou Bernice compleet alleen zijn. Maar Isabel scheen het te begrijpen. Ze bleef niet alleen dicht bij huis, maar paste er ook voor op dat ze niet in de draaikolk van het studentenleven verdween; wanneer ze maar kon, belde ze of kwam langs. Een aantal van Bernice' favoriete herinneringen stammen uit deze periode; in café Apollinaire onder het genot van een schuimende cappuccino, kletsend over Isabels colleges, haar docenten, haar interesses, ambities en onzekerheden. Bernice werd erdoor geïnspireerd om zich op te geven voor lessen op de plaatselijke volkshogeschool: kennismaking met computers; basisverzorging en -bemesting van gazons; aikido voor beginners. Zet 'm op, mam, zei Isabel dan tegen haar, oprecht trots. Bernice nam ontslag van de debiteurenadministratie bij us West en vond werk als naaister van kostuums op de universiteit. Ze ruimde haar souterrain uit, ontdeed zich van alle oude rommel met een reeks feestelijke garageverkopen. Ze schreef vrienden die ze sinds de middelbare school of de universiteit niet meer had gezien, deed verslag van haar beproevingen en vertelde hun: 'Nu trekt de mist eindelijk op en ik onderga mijn eigen persoonlijke renaissance.' Een paar jaar later schreef ze vol trots aan dezelfde vrienden: 'Isabel is verloofd met een man die ze al een poosje kent. Hij heet Alex Voormann en hij is fantastisch. Hij werkt als archeoloog voor de staat. Ze overwegen een datum in het voorjaar. Ik ben zo blij dat ze niet dezelfde fouten maakt als ik indertijd!'

En toen op een avond, terwijl ze een citroen aan het snijden was, kwam het telefoontje van Alex uit het restaurant, zijn stem gejaagd, wat hij zei amper verstaanbaar. De hele weg naar Burlington Street was op elk kruispunt het licht rood, zes pijnlijke pauzes. Het goot van de regen. Ze arriveerde bij hetzelfde ziekenhuis als waarin haar dochter geboren was. En nu lag die dochter opgebaard als een of ander prachtig geslacht dier.

Bernice staat op precies dezelfde plek als toen dat telefoontje kwam, haar koffiebeker op het aanrecht voor haar, en ze bedenkt dat niets haar meer zo'n pijn zal doen. Ze had altijd al vermoed dat de prijs voor geluk, de prijs voor het genot om bij de persoon te zijn van wie je hield, het gestaag toenemende risico was hen te verliezen, en bij tijden, wanneer ze de mogelijkheid had overwogen dat ze Isabel of Clancy zou kunnen verliezen, of in de begintijd Todd, dan dacht Bernice dat ze ertegen zou kunnen, ze dacht dat ze niet door kon leven in een universum waarvan de wetten haar dwongen zich aan zo'n vreselijke angst te onderwerpen. Nu beseft ze dat het een kleine prijs is om te betalen, dat ze in ruil daarvoor een ontstellende vreugde heeft ontvangen. Je zou bereid moeten zijn die prijs te betalen voor maar een paar dagen of een paar uren met de persoon van wie je houdt, denkt ze, en ze wrijft met haar vingers over een stukje zeil dat door de jaren heen tot een vage vlek is afgesleten.

Zes

Elk voorjaar – vooral dit voorjaar, nu ze haar oude energie weer terug heeft – is het opwindend voor Janet om haar gevorderde teken-
leerlingen de achterdeur van Benito Juarez High School uit te dirigeren, door Ashland Avenue naar Eighteenth Street. Op dit uur
van de dag, het loopt tegen enen, is het rustig, er staan geen auto's
voor de stoplichten en de trottoirs zijn leeg, afgezien van een paar
jonge moeders die wandelwagentjes voortduwen, knappe, goed geklede vrouwen met een karamelkleurige huid en ravenzwart haar.
Een trio sjofele hippies is op weg naar café de Jumping Bean. Een
pas aangekomen Mexicaan laat zich op een onzichtbare, lusteloze
stroom dicht langs de winkelpuien meevoeren. Hij is gekleed in een
oud flanellen overhemd, een spijkerbroek vol verfvlekken, de klep
van zijn honkbalpet is ver naar beneden getrokken, zijn vuisten zijn
diep in zijn jaszakken gestoken.

Het is een prachtige dag, de zon staat hoog en helder aan de hemel,
een briesje waait elke tien of twintig seconden de opgehoopte warmte
van je huid. Janet zou willen dat Isabel Howard hier kon zijn om deze
dag te zien, het briesje te voelen – Isabel, die vanavond een jaar gele-

den overleed. Natuurlijk, als Isabel hier zou zijn, zou Janet er waarschijnlijk niet zijn, wat de reden is waarom ze, sinds ze die ochtend haar ogen opende, aan Isabel denkt en waarom ze elke paar minuten haar ogen sluit, haar hoofd buigt en binnensmonds fluistert: 'Dank je.'

'Oké, verspreiden!' roept Janet tegen haar kudde, die dromerig en beneveld door de vrijheid is en liever een feestje zou vieren dan gebouwen tekenen. Janet is een dwingende herder en binnen een paar minuten zitten haar leerlingen netjes verspreid op het schaduwrijke trottoir aan de zuidzijde van Eighteenth Street, voor de *taquerías, fruterías* en *panaderías,* op banken, stoepjes of met gekruiste benen op de grond, hun schetsblok open op schoot, potlood in de aanslag, ogen gericht op het straatgezicht: de hoge, sierlijke gebouwen met hun buitenissig gevormde gevelspitsen en kas teelachtige kroonlijsten – gebouwen die intact uit het negentiende-eeuwse Praag konden zijn getransporteerd maar die in feite zijn gebouwd door Tsjechische immigranten tegen het einde van de eeuw, jaren voor de komst van de Mexicanen.

Julia Perez, aantrekkelijk en mager als een fotomodel, gekleed in een zwarte vinyl broek en roodbruine trui, zit met afgezakte schouders tegen een muur met het schetsblok dichtgeslagen op schoot. Achter haar zonnebril vertrekt ze haar gezicht tot een verveelde, wereldse grimas.

'Hoe gaat het?' vraagt Janet. 'Zware dag? Moe?'

Julia opent matpaarse lippen en toont een glanzend wit gebit, met een grijze rozijn van kauwgom op een ondertand gespietst. 'Neu...ik weet niet.'

'Jij doet *la psíquica,* toch?'

Julia doet haar blok open en slaat een paar bladen vol gekrabbelde tekeningetjes en aantekeningen om tot ze bij een paar vage lijnen komt die in aanzet blijkbaar het geraamte van de luifel voorstellen. 'Ik was er niet bij toen we het perspectief hebben gedaan.'

'Vergeet het perspectief', Janet hurkt naast Julia. 'Laten we eens kijken.'

De luifel is verweerd lichtblauw. Het woord PSÍQUICA staat er in heldergele letters op, aan één kant geflankeerd door een gele maan en aan de andere door een gele zon. Boven het woord PSÍQUICA is een waaier van drie, eveneens gele tarotkaarten geschilderd. Aan weerskanten van de kaarten staan in gele letters de woorden LAS CARTAS en LA MANO.

'Wat zie je?' vraagt Janet. 'Wat vind je boeiend om te zien?'

Janet friemelt aan een van de zilveren sierknopjes waarmee de tailleband van haar broek is omcirkeld. 'Een gebouw.'

'Luister, Julia, toen je die broek kocht,' Janet knijpt met twee vingers in de stof, 'was dat niet alleen omdat het een broek was, wel? Je zag de stof. Je vond het vinyl mooi. Waarschijnlijk heb je hem aangeraakt. Je vond het zwart mooi. Je zag die zilveren knopjes op de tailleband en vond ze cool. Je hebt de broek aangepast. Je vindt het mooi dat hij strak om je heupen en benen zit, hoe je figuur erin uitkomt. Toch?'

'Hij maakt me slank', zegt Julia.

'Je bént slank. Kijk nou eens naar de overkant. Wat zijn de zilveren knopjes op de winkel van dat medium? Wat is daar het zwarte vinyl? Je hoeft me niet aan te kijken of ik gek ben. Richt je blik. Laat je hersens meedoen. Zet om te beginnen die zonnebril af.'

Met een enthousiasme dat Janet verrast zet Julia haar zonnebril af, gaat rechtop zitten, kruist haar benen onder zich en concentreert zich. 'Ik vind de letters mooi. Daarom wilde ik het doen. Die letters zijn positief, weet je. Vrolijk.'

'Ja! Ze beloven je een gunstige lezing, een gelukkige toekomst. Daar ga je. Begin met de letters. Wat maakt ze vrolijk? De kleur? De vorm? Je moet opgewonden raken door wat je ziet en dan die opwinding overbrengen, zet wat je opwindt op papier. Ik kom straks terug.'

Raak! Janet feliciteert zichzelf als ze doorloopt. Vroeger zou ze het geduld of de vasthoudendheid niet hebben opgebracht om contact te krijgen met Julia. Toen Janet zes jaar geleden op Juarez begon, was ze jong en zat ze vol idealistische noties over het onderwijs aan achterstandskinderen. Ze had al twee jaar lesgegeven op de glamoureuze middelbare school in een welgesteld feodaal gebied ten noorden van de stad. Daar waren haar leerlingen adellijke pubers, de modieuze, goed gewassen zonen en dochters van de aristocratie. Janet, die van haar moeder een ongewone hoeveelheid energie en uithoudingsvermogen had meegekregen, begon te voelen dat ze die verspilde aan de gezalfden, de jongeren die voorbestemd waren voor een leven van zekerheid en comfort, ongeacht wie hun tekenles gaf. Ze wilde lesgeven waar het nog wat uitmaakte. Versterkt door die zendingsgeest accepteerde ze een onthutsende achteruitgang in salaris en begon les te geven in de binnenstad, op de Benito Juarez High School, in Pilsen. Alles aan haar nieuwe baan waar de oude ijzervreters in de docentenkamer over klaagden, beviel haar: de leerlingen die weliswaar futloos en snel afgeleid maar ook behoeftig en bedreigd waren; de ingewikkelde bureaucratie van het openbareschoolsysteem van Chicago, dat Janet fascinerend in zijn absurditeit vond en een uitdaging om het te slim af te zijn; de lange, zware, onvoorspelbare werkdagen, het ruwe terrein en de scherp gepunte obstakels, waar Janet als een Hummer overheen denderde, opgewekt, alle systemen op scherp en vonken schietend.

Natuurlijk struikelde ze in het begin. Hoeveel jonge docenten deden dat niet? Ze wilde zo graag in de smaak vallen bij haar leerlingen en hun sympathie winnen, dat ze zich als een vurige, door liefde overmande vrijer op iedere jongen en ieder meisje stortte en ontzet was wanneer ze werd afgewezen. Haar leerlingen hadden andere dingen aan hun hoofd dan leren tekenen, schilderen en beeldhouwen. Naast de gebruikelijke puberbekommernissen – identiteit, relaties, seks, alcohol, drugs en bendes – kwamen deze leerlingen ook nog uit gezinnen waar men moeite had zich te voeden en kleden, de rekeningen te betalen en de almaar stijgende huur veroorzaakt door yuppificatie op te brengen. Veel leerlingen hielpen mee in de familiebedrijfjes en kwamen doodmoe op school. Veel van hen gingen vroegtijdig van school om fulltime te gaan werken, met toestemming van hun ouders. Die leerlingen leken altijd net te verdwijnen wanneer Janet gehoor bij hen begon te vinden, wanneer er iets van een belofte doorheen begon te schemeren.

Aan het begin van haar vierde jaar op Juarez, net toen ze de slag te pakken kreeg – ze had haar verwachtingen bijgesteld, iets

71

van haar beperkingen geaccepteerd – werd ze ziek. Een ademhalingsprobleem, het onvermogen haar longen met lucht te vullen, liet haar stokstijf stilstaan. Ze viel tegen tafels aan en hijgde als iemand met longemfyseem. Het gerucht deed snel de ronde: *malo corazón*. Haar leerlingen ontwikkelden een fascinatie voor haar aandoening die deels ontroerend, deels morbide was. Hoe ernstig was het? Waar kwam het door? Was het te genezen? Ze schreef het woord 'myocardiopathie' op het bord. Ze tekende een doorsnede van haar hart, om de slechte werking van haar vergrote linkerhartkamer te illustreren. Een paar maanden lang letten haar leerlingen buitengewoon goed op, misschien omdat ze verwachtten dat ze voor hun neus dood zou neervallen. Maar ze viel niet dood neer. Ze viel weg. Ze verdween. *Mevrouw Corcoran heeft verlof genomen.*

Rudi Villarreal zit hoog op de rugleuning van een bank, het schetsblok ligt open op zijn knieën en zijn potlood is in beweging. Zijn streperig blond geverfde haar is met gel achterover geplakt en in de bovenrand van zijn rechteroor glinsteren drie gouden knopjes. Met zijn ambitieuze tekening probeert hij om een lang stuk van Eighteenth Street te bestrijken: de gebouwen beginnen links groot en worden rechts kleiner. Zijn gebruik van het perspectief is vakkundig en de voorgrond wemelt van de details: bomen, lantaarns, parkeermeters, auto's.

'Wauw', zegt Janet. 'Vanaf nu noem ik je Pisarro. Weet je wie Pisarro was? Hij hoorde bij de impressionisten, dat was een groep schilders in Frankrijk aan het einde van de negentiende eeuw, en hij schilderde van die fantastische, brede, ongelofelijk gedetailleerde Parijse straatgezichten. Ik zal er je maandag in de les een laten zien.'

Rudi tuit zijn lippen, heft zijn gezicht naar de lucht en kijkt alsof ze hem zojuist een raadsel heeft opgegeven. 'Maar was hij verwonderd door wat hij zag? Heeft hij zijn verwondering overgebracht aan de toeschouwer?'

Janet lacht. Hij steekt de draak met haar. Het is wat ze haar leerlingen voortdurend voorhoudt: leer verwonderd te zijn en die verwondering aan de toeschouwer over te brengen.

'Hé, denkt u dat ik dit kan inlijsten?' vraagt Rudi. 'Ik wil het inlijsten en in mijn kamer ophangen.'

'De laatste week van school gaan we passe-partouts en lijsten maken. Maak dit eerst maar eens af.'

'Si no me molestarias...' zegt hij. Als u me met rust zou laten. Janet geeft Rudi een duwtje tegen zijn schouder voordat ze doorloopt.

Ze is dol op Rudi. Op zijn ernst, zijn gezond verstand, zijn eigenwijze gevatheid en zijn talent. Ze vindt het een leuk idee dat Rudi's ingelijste straatgezicht met hem naar huis zal gaan, dat zijn tekening op een dag met hem zal mee verhuizen naar zijn eigen flat, aan de muur van een andere woonkamer zal hangen terwijl zijn kinderen opgroeien en zijn kleinkinderen op bezoek komen tot Villarreal op een dag, lang nadat Janet abuelito is, naar die tekening zal wijzen en aan een van die kleinkinderen zal vertellen dat hij dat op de middelbare school heeft gemaakt, en het kind zal opkijken en een mengeling van emoties ondergaan, die deels te danken zijn aan haar, aan Janets bestaan, aan haar inspanning en aanmoediging.

Janet vraagt zich af of Isabel Howard een vergelijkbaar verlangen had naar een bestaan buiten haarzelf om, om zich te verzekeren van een vertrouwelijke band met een persoon en een tijd die ze anders niet had kunnen bereiken. Ik ben zelf een kunstwerk, denkt Janet, een creatie, een product van de vooruitziendheid en wil van mijn donor.

Leer verwonderd te zijn en die verwondering over te brengen aan de toeschouwer.

Janet is er niet zeker van of ze haar eigen verwondering kan overbrengen. Niet aan iemand die niet dezelfde ervaring heeft gehad, die geen harttransplantatie heeft ondergaan. Ze faalt voortdurend in haar pogingen David te doordringen van haar verwondering. Wanneer ze haar leven een wonder noemt, wrijft hij haar onder de neus dat ze er duur voor hebben betaald met angst, pijn en geploeter. Hij wijst haar erop dat het hart een gigantische belasting is. Alsof zij dat niet weet. Alsof ze het niet vaak ziet als een behoeftige,weerzinwekkende, onbetrouwbare zuigeling die voortdurende waakzaamheid vergt, alle beschikbare middelen opsoupeert en haar bewegingsvrijheid en die van haar gezin beperkt. Maar de ongemakken van de zorg voor het hart hebben haar niet blind gemaakt voor de complexiteiten en mysteriën van de transactie. De innerlijke ontwrichting, de gemengde gevoelens van geluk en belemmering, het sobere, obsederende besef dat ze in haar lichaam niet slechts een deel van een ander mens meedraagt, maar het enige deel van die persoon dat nog in leven is – nou ja, een van de delen. Het is geen fysieke gewaarwording, niet echt. De overheersende fysieke gewaarwordingen zijn de bijwerkingen van haar medicijnen. Haar nieuwe hart voelt niet heel erg anders aan dan haar oude, toen dat nog werkte althans. Het zit op dezelfde plek. Het maakt hetzelfde gedempte de-doem, de-doem-geluid wanneer ze er door een stethoscoop naar luistert. Goed, het nieuwe hart is gedenerveerd; de chirurgen waren niet in staat het even nauwkeurig aan haar zenuwstelsel vast te hechten als het oude, ze konden in vier uur niet volbrengen wat in de baarmoeder negen maanden had gevergd, en daarom komt Janets hart maar traag op gang wanneer ze er stevig de pas in zet of hard begint te lopen. Ze moet geleidelijk aan beginnen, het hart gelijke tred met haar laten houden, de hormonen en chemische boodschappers in haar bloed de tijd gunnen om het werk van de zenuwen te doen. Als ze dat niet doet, wordt ze ijlhoofdig. Ernstiger is dat wanneer ze ergens van schrikt, het haar hart een paar minuten kost om te reageren, en dan, net wanneer ze is gekalmeerd, ontvangt haar hart het bericht als een golf van adrenaline en begint heftig te bonzen, wat haar veel banger maakt dan dat waar ze aanvankelijk van schrok. Ze moet diep ademhalen, ze moet tegen haar hart zeggen: ontspan je, er is niets aan de hand. De arme, verwarde stakker.

Afgezien van die eigenaardigheden is het hart een geolied apparaat. De vreemdheid, de fascinatie zit in Janets geest, en wordt gevoed door nieuwsgierigheid en verbeelding. Het hart in haar borst is een hart waarmee iemand anders is geboren. Janet wordt onpasselijk als ze bedenkt dat een deel van haar lichaam ooit uit de baarmoeder van een vreemde is gekomen. Soms denkt ze na over die vrouw, Bernice Howard, Isabel Howards moeder, de moeder van het hart: een slanke, knappe vrouw met kunstig kort geknipt, grijs haar en door een plaatselijke edelsmid gemaakte zilveren armbanden om haar knokig smalle polsen. Het is maar een vermoeden. Wie weet waar dat beeld vandaan komt. En wie weet hoe Bernice Howard er jaren geleden uitzag toen ze Isabel in een wandelwagentje over het schaduwrijke trottoir voortduwde.

Janet zal toen zes of zeven zijn geweest, ze woonde in Minneapolis, was in de ban van The Beatles, had sinds kort toestemming om de gezinsgrammofoon te bedienen en sprong rond in de speelkelder terwijl ze 'Yellow Submarine' zong met als microfoon een ijslolly in kersensmaak, terwijl bijna vijfhonderd kilometer zuidelijker haar toekomstige hart het trottoir over werd geduwd met een peutermeisje eromheen, waarvoor de buren vooroverbogen om zich te verwonderen over die blozende wangetjes en mollige roze vingertjes. Het hart was toen nog heel klein, de grootte van een pruim. Maar toch zo jong al een meester in perfusie. Zoveel activiteit om te ondersteunen, al die meisjesgroei, ontwikkeling en hysterie: rennen, springen, rondtollen, klimmen en klauteren, tillen, gooien en smijten. Het hart klaagde nooit, stelde geen vragen. Zo'n gehoorzame spier. Het voedde kreten van vreugde en wanhoop, bonsde in de gejaagde toestanden van opwinding en angst en de hele tijd trokken de kamers samen, gingen de strijd aan met de zwaartekracht om Isabels hersenen van bloed te voorzien zodat ze kon leren praten, denken en vragen kon formuleren waarop geen antwoord was. Waarom is sneeuw niet blauw, net als de lucht? Waarom groeien bomen niet door de ramen van huizen naar binnen? Zodat ze de tafels van vermenigvuldiging kon leren en onthouden en verliefd kon worden op een jongen. Op excursie kon gaan. Collages van bladeren kon maken. Nou ja, Janet stelt er nu haar eigen jeugd ervoor in de plaats, want ze weet niets over die van haar donor. Maar ze kan het voelen, vanbinnen zit ze vol met de opgehoopte mogelijkheden van een vroegtijdig afgebroken leven.

Ze loopt terug door Eighteenth Street, kijkend bij haar leerlingen van wie de meesten gehoorzaam met half dichtgeknepen ogen voor zich uit zitten te turen en te tekenen. Julia's hoofd is gebogen, haar potlood gaat heen en weer; zo te zien is ze goed bezig. Janet werpt een blik op *la psíquica*. Zelfs de waaier van drie tarotkaarten op de luifel ziet er opgewekt en hoopvol uit. Janet vraagt zich af of ze er een keer op een middag langs zou moeten gaan, aangezien ze zoveel onbeantwoorde vragen heeft. Zal haar relatie met David zich herstellen? Zal hij bijdraaien en haar behoefte aan contact met Isabel Howards familie accepteren? Zal zij, Janet, gezond genoeg blijven om voor haar kinderen te zorgen? Daar maakt ze zich vaak ongerust over. Als ze overlijdt, zal David de kinderen dan in zijn eentje kunnen grootbrengen? Stel dat hij een andere vrouw tegenkomt? Zal die dan goed zijn voor Carly en Sam? Stel dat ze te goed is?

Gisteravond hebben zij en David weer een verhitte discussie gehad over uit de stad weggaan. David wil naar een van de westelijke voorsteden verhuizen – tegenwoordig is hij gecharmeerd van Elmhurst en Wheaton – maar zij wil er niets van weten, ze heeft de radiator al uitgekozen waaraan ze zich zal vastketenen. Ze is gek op Wicker Park; de energie, de mengelmoes van mensen, de etnische restaurants, koffiehuizen en tweedehandsboekwinkels. Maar David is het op elkaar gepropte wonen zat, hij is de mafkezen en de zonderlingen zat, en ook de daklozen die hem aanklampten voor kleingeld en vervolgens pissen op het trottoir waar hij overheen moet lopen – de voortdurende aanvallen op zijn persoonlijke ruimte. Hij ziet overal bedreigingen. Janet denkt dat deze verhevigde bezorgdheid teruggaat op de geboorte van de kinderen, waarna hij begon te klagen dat er geen filter op de stad zat om ongewenste elementen – kortom, de armen – buiten te houden, die eerder wanhopig en in de war zullen raken, eerder zullen sjacheren, stelen, stoned en dronken zullen worden en roekeloos zullen rijden, waardoor iedereen, vooral kinderen, gevaar loopt. Daarnaast – en dit is bijkomstig, wat Janet betreft – denkt David dat een stedelijke omgeving niet goed is voor haar broze gezondheid, haar verzwakte immuunsysteem, haar verlaagde energieniveau. Hij denkt dat ze beter af zal zijn in een rustiger, vrediger oord, zonder al die herrie, mensenmassa's en bacteriën.

Janet waagde het bijna een opmerking te maken over wie er hier een verlaagd energieniveau had, maar besloot haar mond te houden. David was degene die al om negen uur in bed lag in zijn grijze Northwestern T-shirt en pyjamabroek van L.L. Bean, suffig bladerend door *Preparing for the Twenty-first Century* van Paul Kennedy. Janet, die net de keuken had opgeruimd nadat ze eerst Sam en Carly in bed had gestopt, zat zich nu op de rand van een leunstoel te verkleden in een topje en een trainingsbroek. Er stond cafeïnevrije thee op het fornuis en ze was van plan zich door wat administratie heen te werken alvorens zelf naar bed te gaan. 'Ik wil geen vrede', zei ze. 'Ik had bijna eeuwige vrede en het maakte me doodsbang. Ik wil dichtbevolkte, stedelijke waanzin. Ik loop liever een virus op straat op en ga over een jaar plotseling dood dan weg te kwijnen in de veiligheid van een bangelijk, voorstedelijk herstellingsoord.'

David glimlachte en op zijn gezicht verscheen de zelfvoldane, vragende uitdrukking die daar altijd verscheen wanneer hij werd geconfronteerd met haar lef. 'Dus je hebt er geen moeite mee om je kinderen in dichtbevolkte stedelijke waanzin groot te brengen?'

'Wat, wil jij ze dan laten opgroeien als balletje trappende landjonkertjes? Er zijn echt wel mensen die hun kinderen grootbrengen in de stad, hoor. Alleen omdat jij en ik daar niet zijn opgegroeid...'

'Hé, ik vond het fijn waar ik ben opgegroeid', zei David. 'En we hebben het niet over Highland Park of Lake Forest. We hebben het over Elmhurst of Wheaton. We kunnen het ook over Oak Park hebben. Of over Evanston. Wat is er mis met Evanston?'

'Wat is er mis met de stad? Waarom moeten wij overlopen naar de andere kant?'

'Overlopen naar de andere kant? Wat is dat nou voor onzin. De kinderen zouden gelukkiger zijn in een voorstad. Met een tuin om in rond te rennen. Ruimte. Er zullen meer activiteiten voor kinderen zijn. Betere scholen. Meer mogelijkheden en voordelen. Voor hen en voor ons. En ik zeg het nog een keer: de huizenprijzen.'

Janet probeert zich te herinneren of ze ooit hebben afgesproken, zoals David lijkt te suggereren, dat hun leven deze loop zou nemen, deze baan zou volgen; een paar jaar in de stad, tot de kinderen groot genoeg waren om naar school te gaan en dan een verhuizing naar een voorstad. Wat hebben ze nog meer afgesproken zonder dat ze daar weet van had? Een zomerhuisje? Een seniorenwoongemeenschap? De vervolgopleidingen waar Sam en Carly naartoe gaan? 'En hoe zit het dan met de prijs van het leven?' vroeg ze. 'Moeten we ons bestaan laten dicteren door de huizenprijzen?'

'Hoor eens, laten we nou niet filosofisch gaan doen', zei David en hij zuchtte diep, stak zijn armen achter zijn hoofd en trok de kussens recht. 'Het gaat niet alleen om scholen en de huizenprijzen. Het zijn een paar zware jaren geweest. Jouw ziekte en al die tijd in het ziekenhuis, een ingrijpende operatie, enorme ontreddering en angst. En dan hebben we het nog niet eens over je eerste jaren op Juarez. Ik ben klaar voor graziger weiden. Rust. Ik ben toe aan een rustpauze.'

Ze wilde hem vragen of hij dan nu geen rust kreeg, ondersteund door al die kussens. Ze wilde zeggen: ik ben chronisch ziek. Er komt geen rustpauze. Ze zei: 'Geweldig, dus je hebt wat ontspanning en verstrooiing nodig. Neem dat dan.'

'Ik zie open ruimte. Ik zie gras. Bomen.' Hij spreidde zijn armen alsof hij het uitzicht voor zich had.

'Je ziet Lincoln Park', zei Janet, geërgerd over zijn grilligheid. 'Het is tien minuten met de trein. Ga daar dan heen.'

'Ik moet verder weg.'

'Wat probeer je me nou precies te vertellen?'

'Ik zou verder de stad uit willen.'

'Dat heeft je voorkeur, het is geen noodzaak. Terwijl het in mijn geval echt noodzakelijk is om in de stad te blijven, en daarnaast heeft het ook mijn voorkeur.'

'Dus blijven we hier voor altijd wonen, gekluisterd aan dat ziekenhuis van jou? Het Parkland-Wilburn is niet het enige grote medische centrum op het continent, hoor. Het Evanston en het Loyola zijn er ook nog. Die hebben allemaal goede harttransplantatieprogramma's. Ik heb het nagekeken.'

Het stoorde Janet dat David steevast weigerde te respecteren wat voor haar het belangrijkste was en dat dit kennelijk weloverwogen gebeurde, alsof hij vond dat hij recht had op de overhand. 'Niet mijn harttransplantatieprogramma', zei ze koel. 'Niet mijn dokter, mijn verpleegkundigen. Besef je wel hoeveel geluk ik heb gehad met Lenka?' Ze bedoelde haar cardioloog, die haar hartkwaal tweeënhalf jaar geleden had vastgesteld en haar sindsdien door alle zware tijden had geholpen. 'Besef je wel wat een geluk ik heb met een dokter die ik mag en vertrouw en die niet naar elders is vertrokken voor een betere baan? Ik zou gek zijn om bij haar weg te gaan. En zij is niet de enige. Ik ken bijna iedereen in het Parkland-Wilburn en zij kennen mij. Besef je wel hoe belangrijk dat is?'

'Ja, ik besef het', antwoordde David gehoorzaam.

'Waarom kun je dan niet wat flexibeler en inschikkelijker zijn?'

'Waarom kun jij niet wat flexibeler en inschikkelijker zijn?'

'Omdat ik degene ben die ziek is, daarom.'

'Je bent ziek wanneer het je uitkomt. De rest van de tijd ben je mevrouw de stoere. Dus waarom kun je niet stoer zijn in een nieuw ziekenhuis?'

'Ik ben lang genoeg stoer geweest. Nou ben jij aan de beurt.'

'Ik, aan de beurt?' David ging overeind zitten en draaide zich naar haar toe, zijn gezicht vertrokken van woede.

Janet voelde een vlaag van opwinding: was dit het gesprek waarin alle grievende, felle aanvallen die ze in haar hoofd had gerepeteerd eindelijk uitgesproken zouden worden? Was het tijd om open kaart te spelen over al die donkere, opgekropte teleurstelling?

Nee. Ze zou de aandrang, die zo overweldigend was als de aandrang om een volle blaas te legen, weerstaan. Ze ging naar de keuken en schonk thee in, heet water op het aanrecht morsend. Ze ging op een hoge kruk zitten en tekende doelloos in haar huiswerkagenda, of juister gezegd, ze kerfde driehoeken en zeshoeken en drukte zo hard met haar pen dat het papier vochtig en hol werd van de inkt.

Ze wachtte tot er uit de slaapkamer een excuus kwam of een herroeping van woorden of een laatste wanhopige verzoeningspoging, maar er kwam niets. Janet was benieuwd met hoeveel succes David zijn ogen over de bladzijden van *Preparing for the Twenty-first Century* liet gaan.

Naar alle waarschijnlijkheid zou zij niet zoveel van de eenentwintigste eeuw meemaken. Bereidde het boek hem daarop voor?

Zeven

Kort na Isabels overlijden bezweek Alex, het oberen moe maar te gedemoraliseerd om zichzelf de hindernisbaan op te dwingen van informeren en solliciteren naar een baan die paste bij zijn opleiding en capaciteiten, en sloot zich aan bij het groeiende leger uitzendkrachten. Om de paar weken werkte hij voor een ander bedrijf, hij beantwoordde de telefoon, tikte brieven en archiveerde documenten. Toen de kans zich voordeed een contract van vijf dagen bij US Exam om te zetten in een contract voor onbepaalde duur, nam Alex, verlangend naar enige vastheid, die aan.

Vandaag zijn Alex en de andere galeislaven aan Tafel E bezig met een zending opstellen van twaalf- en dertienjarige leerlingen uit Colorado over wat Amerika's grootste probleem is.

'Ik heb het zo gehad met Irak', zegt Grier Kuehl, terwijl hij zijn wang plet met zijn handpalm en zijn hoofd op zijn elleboog laat rusten. 'Irak, misdaad, onderwijs, Irak, terrorisme, immigratie, Irak, gezondheidszorg, het begrotingstekort, Irak. Weet je wat me hartstikke bang maakt? Ze weten allemaal hoe je het moet spellen. Ik ben nog geen fouten tegengekomen. Geen Iraks met een ie, ck of een q.'

Grier is afgestudeerd in toneelschrijven, en hoewel zijn carrière niet echt van de grond komt – zijn meest recente stuk, *Mijn leven in een glas melk*, werd door de jury van een wedstrijd in Minneapolis 'onuitvoerbaar' geacht – heeft hij zich wel een eigen soort artistiek uiterlijk aangemeten: lang, woest Germaans stamhoofdenhaar, een ronde bril en kwabbige armen.

'Ik ben met gemuteerde kikkers bezig', zegt Mavis. Mavis is mager, met hoekige schouders en een hals zo lang als van een gazelle. Ze studeert Afrikaanse talen aan de universiteit. 'Kikkers met extra poten en koppen. Ik geef het een vijf.'

'Oké, zeg dan eens wat ik dit kind moet geven.' Alex trommelt met zijn handen op het opstel van Charlie LaFosse. Zijn eerste opwelling was er een één tegenaan te gooien, maar Charlies toon had iets onbepaalds, een ernst, waardoor hij het aan Grier gaf, die het las en vervolgens de fout maakte het aan Mavis door te geven.

Grier vraagt: 'Lees die ene zin nog eens?'

Alex leest: '"Als we meer geld van de regering zijn gebruik voor het leger aan de polisie gefen, dan zou dat goet zijn want de regering zijn middel..."'

'Poëtisch', zegt Grier. 'Het beeld van de regering met een uitdijende taille. Ik denk dat dit wel een klassieker is.'

'Daar ben ik het mee eens', zegt Alex.

Mavis kijkt op van haar werk. 'Als je bedenkt dat de redenatie tamelijk subtiel is, verdient hij minstens een drie. Je kunt niet zeggen dat er sprak is van "afwezigheid van focus, afwezigheid van relevante inhoud, geen aanwijsbare beheersing van zinsbouw en woordkeuze". Er zijn stijlfouten, zeker, maar niet zoveel dat zijn ideeën onmogelijk te begrijpen zijn. En het gaat niet alleen om grammatica. Dat heeft Diane duidelijk gemaakt.'

Hoewel Alex het niet laat merken is hij voortdurend verbaasd over de scherpte en kracht van Mavis' brein, over de snelheid en grondigheid waarmee ze de opstellen leest en begrijpt, over haar fotografisch geheugen van de correctierichtlijnen.

'Over de onbevreesde leider gesproken', fluistert Grier en hij houdt zijn hoofd als een plastic bloem, star en glazig, voor hun naderbij komende bazin. Diane draagt een perzikkleurige blazer met schoudervullingen, ze trekt aan de manchetten als ze over de vloerbedekking langs hen flaneert.

Alex kan niet zeggen wat maakt dat hij een mes diep in Charlie LaFosse's jonge leven wil steken. Het komt bij hem op dat Charlie een slachtoffer van het noodlot zou kunnen zijn, of preciezer gezegd, van het slechte humeur van zijn corrector. Het is een jaar geleden dat Isabel is overleden en Alex zou zich ziek hebben gemeld als het vooruitzicht van in zijn eentje thuisblijven in een lege flat hem van de twee beproevingen de draaglijkste had geleken.

Charlie LaFosse: zonder één enkel litteken, met zijn hele leven nog voor zich.

Alex geeft hem een één en gooit het opstel op de stapel.

Grier buigt zich voorover, gluurt naar het cijfer. 'Goed zo.'

Mavis kan het niet laten om te kijken. Met afkeer zegt ze tegen Alex, en het kost haar duidelijk inspanning zich te beheersen: 'Dit is ongelofelijk. Het was volkomen onterecht.'

'Ja, hè?' zegt Alex.

Er staat muziek op, jazz, iets van een swingende bigband, wat Alex te vrolijk vindt voor deze gelegenheid. Maar misschien is dat juist de bedoeling. De eettafel is leeggemaakt, afgestoft en geboend, het donkere hout glanst. Bernice heeft voor twee gedekt, in de breedte van de tafel tegenover elkaar; mooie borden met een motief van oranje, gele en blauwe bloemen. Twee wijnglazen. Een fles shiraz. Twee lange, dunne, witte, nog niet aangestoken kaarsen, in kristal geplant, flankeren de couverts.

Bernice is bezig in de keuken, zich haastend om het maal op tafel te krijgen, met uitgestrekte handen draaiend van koelkast naar aanrecht, van gootsteen naar gasfornuis, zo nu en dan stoppend om haar rug te rechten, een vinger tegen haar onderlip te drukken en diep na te denken, terwijl haar ogen tussen de onderdelen van haar project heen en weer schieten.

'Lucifers', zegt Alex en hij wurmt zich langs haar. 'Ik bedacht dat ik die kaarsen weleens aan kon steken.'

'Boven de gootsteen. Maak de wijn ook maar open. In de bovenste la moet een kurkentrekker liggen.'

Alex gaat terug de eetkamer in, steekt de kaarsen aan en doet de plafondlamp uit. Hij heeft een donkere, grenzeloze ruimte gecreeerd waarin de couverts drijven, glanzend in het kaarslicht.

Bernice brengt een salade van Romeinse sla, tomaten, appels en champignons binnen. Ze zet de kom op tafel. 'Dat is mooi', zegt ze, waarmee ze de sfeer bedoelt.

'Te donker?'

'Het is prima.'

Terwijl hij met de kurkentrekker bezig is, bekijkt Alex het etiket op de achterkant van de wijnfles. Hij hoopte een poëtische beschrijving van het karakter van de wijn te lezen, maar er staat alleen de standaardwaarschuwing van de overheid op: 'De Nationale Gezondheidsdienst raadt vrouwen aan tijdens de zwangerschap geen alcohol te drinken, vanwege het risico van geboorteafwijkingen.' Scherpe, duidelijke focus, specifieke inhoud – zonder meer een zes. Alex houdt niet van het woord 'zwangerschap', het klinkt kostbaar en in kant gewikkeld, als een gift die hij nooit zal ontvangen. Hij had er zich op verheugd samen met Isabel kinderen te krijgen. Tijdens de maanden voor haar dood hadden ze de kwestie vaak besproken, en hoewel ze niet precies op één lijn zaten, waren ze overeengekomen met proberen te wachten tot ze haar proefschrift af had.

'Hé, dit spul vermindert je vaardigheid om machines te bedienen', zegt hij tegen Bernice, die terug naar de keuken is gelopen. 'Stel dat we na het eten de vaatwasmachine aan willen zetten, of brood willen roosteren?'

'Een van ons zal nuchter moeten blijven om de vaatwasser te besturen.'

Na een paar minuten van bedrijvig heen en weer geloop zitten ze aan de eettafel en nemen hun eerste hap tagliatelle. Alex ziet en probeert te verhullen dat hij ziet hoe Bernice, nu ze haar schort heeft afgedaan, vanavond gekleed is. Een zwarte blouse met korte mouwen en iets van een glinstering in de stof. Een ketting met een jade cabochon hanger – een ketting die Isabel Bernice een paar jaar geleden voor haar verjaardag heeft gegeven. Jade oorbellen. Drie zilveren armbanden om haar rechterpols.

'Die ketting staat je goed', zegt Alex.

Bernice lacht onzeker. 'Nou, dank je wel.' Ze slaat haar ogen neer en bekijkt zichzelf vluchtig. Wrijft met haar duim en wijsvinger over de hanger. 'Ik ben bijna nooit meer chic genoeg gekleed om hem te dragen.'

'Isabel was gek op jade.'

'Dat weet ik. Haar moeder ook.'

Afgezien van een lichte trilling in het puntje van haar vork beweegt er niets aan Bernice. Alex krijgt een visioen van Isabel die hem door een besneeuwde straat tegemoet loopt, ze heeft haar dikke, blauwe donsjack aan, met een zwarte sjaal strak om de onderkant van haar gezicht – haar mond en neus – gewikkeld, zodat alle aantrekkingskracht in haar ogen is samengebald, een blauwe, driehoekige muts met een lange, slingerende kwast en eronder een zwarte legging en wandelschoenen. Ze barst los in een Slavisch danspasje, waarbij ze haar voeten om beurten vier keer naar buiten schopt, wat inhoudt dat ze blij is hem te zien.

Het gezicht van Bernice ziet er zonder leven, zonder beweging, ingevallen, ontmoedigd en hangend uit. 'Weet je, ik zat vandaag te denken en misschien klinkt het belachelijk, maar we zijn er zo aan gewend om een zeker aantal jaren samen te zijn met mensen om wie we geven, vanwege de natuurlijke levensduur en zo, maar als je erover nadenkt hebben we wonderlijk veel geluk dat we elkaar überhaupt tegenkomen, in aanmerking genomen hoe immens tijd en ruimte zijn. Vind je niet? Dat is mijn kleine filosofische gedachte.'

Het is een aangename opvatting en licht inspirerend, maar het verzacht nauwelijks de fysieke pijn van Isabels afwezigheid, noch de woede en bitterheid die Alex voelt bij de gedachte aan andere mannen van zijn leeftijd van wie de vrouwen in leven zijn en dat nog jaren zullen blijven. 'Ik snap wat je bedoelt. Maar toch zou ik willen dat ik langer met haar samen had kunnen zijn.'

'Natuurlijk. Natúúrlijk.' De verstrakking van de spieren in Bernice' gezicht duidt erop dat de tranen hoog zitten.

Alex vult haar bijna lege wijnglas bij.

'Toen Isabel acht of negen was,' zegt Bernice, 'zag ze een programma op tv, een nieuwsverslag over Honduras, of misschien El Salvador – een van die Midden-Amerikaanse landen – en het raakte haar echt, ik bedoel, het drong echt door. Ze doolde door de achtertuin en deed alsof ze een arm boerenmeisje was. Ze liep met van die hele kleine, onhandige pasjes, weet je, alsof ze zwak was van de honger of een ziekte of zoiets, alsof ze elk moment kon neervallen. Soms viel ze ook echt. Isabel had altijd al gevoel voor dramatiek. Ze had een riedeltje, dat hoorde ik haar mompelen met een hijgerig, buitenlands accent: "We hebben geen water in het dorp. We zijn heel arm in het dorp." Het accent was Oost-Europees, nota bene, dat heb ik nooit gesnapt. Als ik haar riep om aan tafel te komen, zei ze dat we niet konden eten, want in het dorp was niets te eten. Dat dorp kwam me op een gegeven moment mijn neus uit, dat kan ik je wel zeggen.'

Het is bitterzoet en pijnlijk om meer te weten te komen over de vrouw die hij heeft verloren – te horen dat hij zoveel meer is kwijtgeraakt dan hij besefte. 'En hoe gaat het met het kostuumatelier?' vraagt hij. 'Wordt die opera niet binnenkort opgevoerd? Welk was het ook alweer?'

'*Così fan tutte.* Mozart. De première is over een week. Het is een gekkenhuis.' Bernice beschrijft haar beproeving van die dag, toen ze een studente met de pretenties van een diva haar laatste pasbeurt gaf. De studente bleef maar klagen dat het kostuum haar achterwerk dik maakte. 'Je had moeten horen hoe ze tekeerging over de onvolmaaktheden van haar kostuum. Alsof ze gebukt ging onder een afgrijselijke, lichamelijke afwijking.'

'Tjee', roept Alex uit en hij bedenkt dat waarmee hij op zijn werk te kampen heeft niet half zo erg is. 'Kon je haar niet met een speld in haar kont prikken of zo?'

Bernice lacht. In het kaarslicht lijkt haar wang glad als gepoetst koper. Het is buitengewoon, denkt Alex, dat Bernice tot op zekere hoogte het vermogen met Isabel gemeen heeft hem op zijn gemak te stellen door hem puur en volkomen zichzelf te laten zijn.

'Ik kreeg vandaan een e-mail van Lotta', zegt Bernice. 'Eigenlijk kwam hij nog maar een paar uur geleden. Een herdenkingsbriefje. Condoleances. Dat was lief. Ik ben onder de indruk dat ze aan ons denkt. Dat ze het onthoudt.'

'Dat is geen groot raadsel. Als Isabel niet doodgegaan was, zou Lotta zich nu opmaken voor de herdenking van haar dochters dood.'

Bernice staart naar haar salade die ze half op heeft, ze prikt een sla-blad aan haar vork. 'Het kan niet gemakkelijk voor haar zijn om aan ons te denken. Ik vind haar moedig. Dat ze het kanaal openhoudt.'

'Het zou zwaarder zijn om het kanaal af te sluiten. Het openhou-den geeft hun een beter gevoel. Minder schuldig. Als ze ons blijven bedanken en schrijven en van ons horen dat het goed gaat, dat we niet in de kreukels liggen, dan kunnen zij doorgaan met hun leven.'

Bernice blijft zo nadrukkelijk zwijgen dat Alex zich realiseert, zo-als zij kennelijk al heeft gedaan, dat het gesprek stekelig werd.

'Nou, wat is dat voor mysterieus toetje dat je hebt gepland?' vraagt hij. Sinds ze een aantal dagen geleden met de voorbereiding van dit etentje begon, heeft ze hem ermee geplaagd, hem lekker ge-maakt met het vooruitzicht van een surprise.

'O. Het is toch nog geen tijd, wel?' Bernice is verrast, overziet de tafel en schat hun voortgang in. 'Heb je haast?'

Alex kijkt Bernice bevreemd aan en wijst haar op de bespottelijk-heid van het idee dat hij ergens anders naartoe zou moeten of iets anders te doen zou hebben.

'Ik weet het niet', zegt Bernice. 'Misschien heb je een afspraakje.'

Ze zegt het terloops, met een zweem van geprikkeldheid en ach-terdocht in haar stem. Meteen slaat ze haar hand voor haar mond. 'O, mijn god. Wat vreselijk om zoiets te zeggen. Wat mankeert mij?'

Alex rilt en hij voelt zich licht in het hoofd, alsof hij een liter bloed kwijt is. 'Er mankeert je niets', zegt hij, en hij probeert het te begrij-pen. 'Ik heb geen afspraakje. Jij bent mijn afspraakje.'

Bernice lacht – een hortend, onbeheerst gekakel –, dan zwijgt ze abrupt en met een gezicht dat rood is van verlegenheid kijkt ze naar haar bord. 'Dat was gewoon verschrikkelijk en onnadenkend. Ver-geef je me?'

Ze kijkt hem bedroefd aan en met een intensiteit die verraadt hoe gehecht ze aan hem is. Hij weet dat ze zich ongerust maakt over de mogelijkheid dat hij op een dag – niet binnenkort, maar op een dag – een andere vrouw zal leren kennen, deel zal gaan uitmaken van een andere familie en haar zal achterlaten. Wanneer dat gebeurt, zal ze hem dan vergeven?

'Natuurlijk', zegt hij.

Acht

Het is bijna middernacht als Alex thuiskomt en dan moet hij Otto nog een laatste keer uitlaten, waar hij weinig zin in heeft. Hij heeft een opgeblazen gevoel en is aangeschoten. Hij heeft een enorme portie gegeten van Bernice' surprisedessert: frambozen-chocolade-kwarktaart – een van Alex' favorieten – van de beste bakkerij in de stad. Bernice en hij hebben allebei te veel wijn gedronken.

Tegen het einde van de avond waren ze lacherig en uitgelaten en maakten ze grapjes terwijl ze de tafel afruimden en de vaatwasser vol laadden.

Alex wurmt zich de voordeur van het gebouw in, schuifelt over een lappendeken van weggegooid reclamedrukwerk, grijpt de leuning vast en hijst zich de trap op. Als hij bij zijn verdieping komt, ziet hij boven in zijn gezichtsveld een paar grote, eiachtige klodders die tot hardloopschoenen stollen. Er zit een man vast aan de schoenen, hij zit gebogen op de overloop, met zijn knieën opgetrokken tegen zijn borst en zijn handen om zijn schenen geklemd. Zijn hoofd ligt opzij op een knie, de knieschijf misvormt zijn wang. Een tree kraakt onder Alex' voet, de man kijkt op en knippert zijn ogen tot leven.

Alex blijft staan.

De man is Jasper Klass.

Woede golft door Alex' lichaam en stroomt naar zijn armen en benen.

Jasper komt snel overeind, stapt onvast wiebelend achteruit op de overloop en veegt zijn mond af met zijn bovenarm. 'Hé. Sorry dat ik je stoor, Alex.'

Zijn haar is als een rafelig bosje gehecht aan de grote, witte steen die zijn hoofd is. Zijn oren zijn klein en bladachtig, zijn wangen zijn rood. Zijn lichaam is fors, als van een walrus. Hij draagt een perzikkleurig poloshirt los over zijn bolle buik. Van dichtbij gezien blijken de hardloopschoenen dure sportschoenen met tektonisch in elkaar grijpende plaatjes, lapjes en kussentjes. In de hakken zitten grote, doorzichtige luchtbellen waarin je rondzwemmende goudvissen zou verwachten. Jasper maakt goed gebruik van de schoenen, hij wipt op en neer en verplaatst zijn gewicht van de ene voet op de andere, alsof hij al dagenlang in de rij staat te wachten. Hij zegt tegen Alex: 'Ik weet het, ik ben de laatste die je nu wilt zien. Ik ben de laatste die je ooit wilt zien. Maar als je even naar me wilt luisteren, zou ik daar heel blij mee zijn.'

Er klinkt een vertwijfeld ontzag door in zijn stem, wat maakt dat Alex zich tiranniek en autoritair voelt. Hij loopt verder de trap op, dwingt Jasper opzij te gaan en gaat voor zijn deur staan. 'Ik wil dat je weggaat', zegt hij.

Jasper knikt meelevend, alsof hij een reactie herkent die hij al had voorzien. 'Ik wil alleen even met je praten. Even maar.'

'Ik wil niet met jou praten. Zelfs niet heel even. Ik moet mijn hond uitlaten.'

Jasper zet zijn handen plat tegen de muur en buigt zijn hoofd tussen zijn armen. Plotseling gaat hij weer rechtstaan en zegt: 'Ik kan toch wel met je meelopen als je je hond uitlaat, of niet? Of zou dat je avond verpesten?'

Alex diept zijn sleutel op uit zijn zak en steekt hem in het slot. 'Volgens mij hebben we niets te bespreken.'

'O.' Jasper kijkt verschrikt. 'Nou, als je hebt gedaan wat ik heb gedaan, als je zo'n soort ongeluk hebt gehad als ik...' Hij stokt en concentreert zich. 'Ik wil alleen mijn verontschuldigingen aanbieden, het goedmaken, iets rechtzetten.'

'Je kunt het nooit meer goedmaken', zegt Alex. 'Tenzij je de doden kunt laten verrijzen.' Hij maakt de deur open, glipt naar binnen en smijt de deur achter zich dicht.

Aanvankelijk is er door de deur heen in de gang niets te horen. Dan, eindelijk, het klagende geluid van een vloerplank en de ene tree na de andere die kraakt onder het gewicht van Jaspers lichaam dat de trap afdaalt.

Alex aait Otto's harde, knokige kop en er blijft een laagje fijn, poederig gruis aan zijn hand plakken. 'Hé, jongen. Hoe gaat het? Heb je me gemist?'

Otto is urenlang alleen geweest en moet eigenlijk meteen worden uitgelaten. Maar Alex wacht een paar minuten, tot hij er zeker van is dat Jasper tijd heeft gehad om een eindje weg te zijn. Dan pakt hij de riem van de knop aan de kastdeur en haakt hem aan Otto's halsband.

De trap af. De deur door. Waakzaam laat Alex zijn hoofd als een radarschotel draaien. Geen spoor van Jasper. Het pad, de brug – alles is veilig. Dan ziet Alex een gedaante in de schaduw van een boom staan. Jasper staart omhoog naar de takken, tussen zijn vingers heeft hij een twijgje waarmee hij licht in de palm van zijn andere hand krabt. Hij krijgt Alex in het oog, gaat rechtstaan en laat het twijgje vallen. 'Hoi', zegt hij opgewekt.

'Goed. Luister.' Alex probeert zijn woede te bedwingen. 'Je pakt dit heel erg verkeerd aan.'

Zonder waarschuwing en met een typische uitbarsting van vriendelijkheid galoppeert Otto naar Jasper toe, terwijl hij Alex meesleurt. Alex trekt aan de riem, maar niet voordat de hond zijn snuit in Jaspers kruis heeft geduwd.

'Wat een prachtbeest', zegt Jasper en hij stapt achteruit, onzeker of hij de hond zal aaien. 'Volgens mij vindt hij me leuk.'

'Hij vindt iedereen leuk. Otto, vooruit.' Alex rukt aan de riem en trekt Otto bij Jasper weg – een daad waar hij onmiddellijk spijt van heeft. Otto helt gevaarlijk naar één kant en bewaart met moeite zijn evenwicht. 'Sorry, jongen', zegt Alex en hij geeft de hond een klopje in zijn nek.

'Ik loop met je mee,' zegt Jasper, 'dan kun je wel of niet met me praten. Dat mag je zelf weten. We leven in een vrij land.'

Alex overweegt naar binnen te gaan en de politie te bellen. Hij wordt lastiggevallen. Maar hij handelt het liever zelf af, voorlopig tenminste.

Hij sleept Otto mee. Ze steken het parkeerterrein over, laten Jasper achter en lopen verder over het trottoir. Het is koel. De hemel is helder en de sterren vonken tintelend. De maan werpt een waterblauw licht op de huizen en opritten. Een windje laat de struiken ritselen en buigt de takken van bomen, waardoor de schaduwen sluipen en schuiven.

Jasper haalt hen in en duikt naast hen op. Hij haalt een dik, opgerold tijdschrift voor uit zijn broek, hij laat het afrollen in zijn vuist en tikt ermee in de palm van zijn andere hand. *Killer Pentatonics and Modal Jams for Guitar.* Het is een muziekblad. Jasper overschat de interesse van Alex en houdt het boek omhoog zodat die het beter kan zien. 'Dit is geweldig', zegt hij. 'Een schatkist. Een complete handleiding voor de theorie van modusopbouw en ook nog wat over toonladders. Ik speel gitaar. Blues. Je zou maandagavond eens naar de bluesjamsessie in Calamity Jane moeten komen. Goeie tent. Ik ben daar best een grote attractie, in alle bescheidenheid. Je zou ervan staan te kijken. Ik kan voor gratis drank zorgen.'

Alex steekt de straat over langs een feloranje afzetlint dat om een gat is geplaatst, met in de diepte brokken steen en delen van een betonnen buis.

'Dit is geen slechte buurt', zegt Jasper, die gelijke tred houdt. 'Een maat van mij heeft daar vroeger gewoond. Een basgitarist. Getalenteerde knul. We hadden toen een bandje dat Animal Instinct heette. Ik heb het nou over lang geleden.'

Otto doet een vertwijfelde uitval naar een dode vogel in de goot. Een van de piepkleine kraaloogjes van de vogel zit vol bloed – een geplette bosbes. Otto meetrekken is als sjorren aan een zak vol keien.

'Hoeveel weegt dat beest eigenlijk?' vraagt Jasper.

Alex negeert hem. Hij denkt aan al de keren dat Isabel en hij met Otto hier de blok rond zijn gelopen. Honderden keren. Honderden avonden. Honderden gesprekken.

Een auto nadert – de schroeiende witte gaten van de koplampen verblinden Alex – en rijdt voorbij. Langzaam, als een foto die wordt ontwikkeld, verschijnt de wereld weer. Vormen, contrasten. Ramen: schilderijen van licht die aan de huizen hangen.

Alex slaat abrupt rechts af zodat Jasper, die niet weet welke kant ze op lopen, het weer op een holletje moet zetten om hen bij te houden. 'Oké', zegt hij buiten adem. 'Nou vraag je je zeker af wat, nou ja. Goed, ik wilde je laten weten, voor de goede orde...' Hij lacht ongemakkelijk. 'Ik vind het heel erg. Dat bedoel ik. Het is niet te beschrijven.'

'Hé, geen probleem', zegt Alex. 'Maak je niet druk. Echt, ik ben veel gelukkiger in m'n eentje.'

'Het gebeurde zo snel. Ze dook ineens op. Ineens reed ze daar midden op de weg.'

Het komt bij Alex op dat hij nu met de enige ooggetuige van het ongeluk spreekt. 'Reed ze midden op de weg? Of reed jij te veel naar rechts? Jij met die gigantische kutpantserwagen van je.'

'Ze reed midden op de weg.'

'Het midden van de weg of het midden van de rijstrook? Het midden van de weg is de witte streep. Je gaat me toch niet vertellen dat ze op de witte streep fietste.'

'Ze fietste midden op de rijstrook. De rechterrijstrook. Mijn rijstrook. Als je formeel wilt zijn.'

'Ik wil formeel zijn.'

'Het was de wind. Zeg ik je. Het waaide heel hard.'

'Dan nog had je een seconde om te reageren.'

'Ik heb nooit begrepen hoe ze bij een seconde zijn gekomen.'

'Wiskunde. De tijd die verstreek tussen het moment dat je haar zag en het moment dat je haar overreed. Een seconde. Zoals je "duizend en een" zegt.'

'Duizend en een.'

'Je zegt het te vlug. Duizend en een.'

'Dat is te langzaam', zegt Jasper, die kwaad begint te worden.

'Het is precies goed. Duizend en een.'

'Hé, als je het gezellig wilt houden, hou ik je niet tegen.'

Alex zou willen dat hij meer concreet bewijs had om Jasper mee aan te vallen. Hij zou willen dat Jasper twee of drie biertjes had gedronken of dat Jasper vijftien kilometer te hard had gereden toen hij Isabel raakte. Maar volgens Jaspers verklaring voor de rechtbank, die onmogelijk te weerleggen was, was hij in wezen nuchter geweest, had hij zo'n tachtig kilometer per uur gereden en had hij op de weg gelet. Niet dat Alex daarin trapt. Hij is ervan overtuigd dat Jasper sneller gereageerd zou hebben als hij volkomen nuchter was geweest – als hij helemaal niets had gedronken – of als hij voorzichtiger had gereden, met een lagere snelheid en als hij beter opgelet had, vooral toen hij de top van de heuvel naderde, waarvan hij de andere kant niet kon zien. Maar de jury was het er niet mee eens. De jury vond dat Jasper voorzichtig genoeg was geweest en dat zijn reactievermogen niet verminderd was. Ze vonden dat Isabel ver genoeg naar het midden had gereden om althans deels verantwoordelijk te zijn.

'Ze zeggen dat ik op Oliver Stone lijk', zegt Jasper en hij duwt zijn gezicht naar Alex toe, voor het geval die het wil bekijken. 'Je weet wel, Oliver Stone? Van *Platoon. JFK, The Doors?* En een paar dagen geleden was er nog een andere. Ik zat in de Java Jolt', zegt hij, verwijzend naar een plaatselijke koffiebar, 'en de barista zei: "Heeft iemand je ooit verteld dat je wel iets weg hebt van Russell Crowe?" Ik had zoiets van: hallo. Volgens mij probeerde ze me te versieren.'

Alex heeft een gewaarwording, een moment van totale verwijdering van zichzelf, een soort enorme psychische whiplash: op de achterste rij van het balkon zit hij door zijn eigen ogen over een donkere vlakte uit te kijken naar de lucht, de bomen, naar vreemde huizen en een hond die aan een riem aan zijn hand vastzit, met naast zich een wauwelende, onbekende stem – *Volgens mij probeerde ze me te versieren* – waarvan niets met hem te maken heeft. Is dit zijn leven?

Ze zijn bij zijn flat aanbeland – wat Alex snel heeft weten te bewerkstelligen door maar een heel klein blokje om te lopen. Ze blijven staan op het trottoir bij de ingang. Jasper lijkt van slag door de abrupte beëindiging van hun wandeling, die hij als rechtvaardiging heeft gebruikt om in het gezelschap van Alex te verkeren. Hij vouwt zijn handen op zijn rug en schommelt naar voren op zijn tenen. 'Ik ben gestopt met drinken. Heb ik dat al verteld? Ik rij ook geen auto meer. Alleen wanneer het absoluut moet.'

'Ik ga nu naar binnen', zegt Alex.

'Moet je mij horen kletsen. Hé, leuk je gezien te hebben. Misschien dat we elkaar nog eens tegenkomen?'

'Blijf uit mijn buurt.'

Alex en Otto lopen snel de trap op en zijn flat in. Alex doet de deur achter zich op slot. Hij haakt de riem los van Otto's halsband. Hij doet geen licht aan, bang dat Jasper een uitkijkpunt zal hebben gevonden vanwaar hij hem door de ramen kan bespioneren. Hij gaat op de bank zitten, verbijsterd. De brutaliteit van Jasper is ongelofelijk, dat hij voor zijn flat zat te wachten en hem nota bene vanavond lastigvalt, terwijl het zonneklaar had moeten zijn dat Alex met rust gelaten wilde worden. Heeft die man dan geen enkel respect? Geen greintje fatsoen?

Na een poosje loopt Alex naar het raam, blijft in het donker staan en speurt het verlichte pad beneden af, en de toenemende duisternis van de brug over de kreek en het parkeerterrein. Er is niemand te zien. Wat niet betekent dat Jasper daar niet ergens rondhangt.

'Je zult het niet geloven, Iz', zegt hij hardop. 'Je zult niet geloven wat er zojuist bij ons voor de deur stond.'

Negen

Oké, denkt Jasper, terwijl hij wegloopt. Het had slechter kunnen gaan. Alex had hem verbaal of zelfs fysiek kunnen aanvallen. Maar Alex was beleefd geweest. Vriendelijk zelfs. Geen onsympathieke vent. Jasper kon zich zeker voorstellen dat hij meer met hem zou omgaan.

Jasper wilde dat hij duidelijker was geweest, de verontschuldigingen en verklaringen beter onder woorden had gebracht. Hij wilde dat hij een manier had gevonden om het hart ter sprake te brengen. Aan de andere kant moet hij voorzichtig zijn. Vertrouwen kweken. Wat hij zeker heeft gedaan. Hij heeft het fundament gelegd. Contact gemaakt. Maar hij kan niet overhaast te werk gaan. Bij de hond heeft hij het beslist gemaakt.

Hij stapt op zijn motor, een rode Kawasaki Vulcan, en start hem, kijkt beide kanten op voordat hij bij het trottoir wegrijdt. Hij had preciezer kunnen zijn toen hij Alex vertelde dat hij niet meer reed. Wat hij bedoelde was dat hij geen pick-up of auto meer reed. Na het ongeluk heeft hij geprobeerd om zijn Dodge Ram, de pick-up waarmee hij Isabel heeft aangereden, te blijven rijden, maar telkens wanneer hij achter het stuur ging zitten en de weg op reed, hoorde hij de rauwe, metalen klap van de fiets die voorop botste en zijn lichaam maakte de gebeurtenis opnieuw mee: zijn benen schokten, zijn armen verstijfden, zijn luchtpijp verschrompelde waardoor zijn ademhaling schroeide. Hij verkocht de Ram en maakte een paar proefritjes met andere auto's, maar zelfs een Ford Focus bezorgde hem dezelfde symptomen. Meerijden met iemand anders was ook zwaar. Pas toen hij op aanraden van een vriend op een motor stapte en zijn lichaam een compleet andere houding op een compleet andere machine aannam, voelde hij zich ver genoeg verwijderd van de voorafgaande rijervaring om zich te ontspannen en de controle te behouden. Natuurlijk liep hij nu meer gevaar dan vroeger – zijn vriend waarschuwde hem dat motorrijders niet alleen meer kans hadden om ongelukken te krijgen, maar ook om erbij om te komen – maar Jasper vond dat terecht. Hij had een vrouw gedood. Als boetedoening zou hij het risico nemen zelf gedood te worden.

Het is vrijdagavond en hoewel het al bijna half een is, heeft Jasper nog geen zin om naar huis te gaan. Hij gaat nog even naar Mendocino, voor een laatste drankje met Ryan en Blake. Op het werk is het een lange week geweest. Hij werkt als geluidsspecialist voor Best Buy. Onlangs is hij voor de tweede maand op een rij gekozen als verkoper van de maand. Hij beschouwt zichzelf als een expert op het gebied van stereoapparatuur: cd-spelers en recorders, tuners en versterkers, luidsprekers, koptelefoons, thuisbioscopen, mp3-spelers, satellietradio, autogeluidsinstallaties, noem maar op. Als tiener was hij gek op het verzamelen van onderdelen, ze met elkaar verbinden en ermee prutsen, en op de universiteit was iedereen in het studentenhuis jaloers op zijn installatie. Veel meer succes had hij niet geboekt en na het tweede jaar was hij met zijn studie gestopt. Lezen en schrijven verveelden hem. Hij vond het leuk om tijdens het college te praten, maar noch zijn docenten noch zijn medestudenten luisterden naar hem. Het waren allemaal pretentieuze idioten. Hij ging werken voor Radio Shack, waar hij werd aangemoedigd te praten zoveel hij wilde, wat hij deed, charmerend, overtuigend en verkopend. Nadat een promotie aan zijn neus voorbijging nam hij ontslag.

Hij werkte voor Circuit City tot hij de voortdurende verkooptips van zijn chef zat werd. Jasper wist zelf wel hoe hij moest verkopen; hij had geen lessen nodig. Zijn volgende baantje – zijn langste en beste, hij hield het bijna twee jaar vol – was bij Custom Sound Design, een dure audiospeciaalzaak. Jasper ging over de evaluatie en installatie in de huizen van klanten die duizenden dollars te spenderen hadden. Helaas negeerden velen van hen zijn advies of hadden geen oog voor zijn expertise. De druppel die de emmer deed overlopen was de klacht van een klant dat Jasper 'onverschillig en onbehulpzaam' was geweest. Jaspers chef zei hem dat hij zijn houding moest verbeteren. Kritiek krijgen was één ding, beledigd worden was een ander. Jasper schopte een luidspreker van achthonderd dollar omver en stormde de showroom uit.

Op een kruispunt voor een stoplicht dat net van rood op groen is gesprongen heeft de bestuurder van een zwarte Toyota Tundra die vlak voor Jasper staat het te druk met zijn mobieltje om te zien dat het licht groen is. Jasper geeft gas, zwenkt de linkerrijstrook op, en terwijl hij langs de Toyota schiet, kijkt hij door het open raampje kwaad naar de bestuurder en denkt: leg die telefoon neer voor je iemand doodrijdt.

Hij koerst naar de binnenstad en rijdt het terrein naast Mendocino op. Hij laat de motor even razen voor hij hem uitzet. Door het gebulder draaien een paar mensen in de drom voor het café hun hoofd om en Jasper geniet ervan om af te stappen in het gezichtsveld van een leuke studente. Als hij het café in loopt, werpt hij haar een blik toe. Ze draait zich om. Ze vindt zich te goed voor hem. Dat is ze ook. Aan de andere kant heeft Yvette, Jaspers laatste vriendin, een te gekke yogalerares met wie hij een recordtijd van drie maanden verkering heeft gehad, hem gezegd dat hij een gulle minnaar is. Ze heeft hem ook gezegd dat hij manipulatief is en zichzelf voor de gek houdt, maar dat heeft hij al eerder van vriendinnen gehoord.

Hij loopt naar binnen met zijn mobieltje tegen zijn oor om naar de boodschappen te luisteren – of juister gezegd, aangezien er geen boodschappen zijn, te doen alsof. Binnen heerst het rumoer van muziek en gelach. Sigarenrook zweeft onder de lampen. Mendocino is het nieuwste café in de stad en Jasper en zijn vrienden, van wie niemand sigaren rookt, zijn ernaartoe gelokt door de mooie meiden, die er opgedoft heen trekken om economie- en rechtenstudenten te ontmoeten. Voor Jasper is het de vierde of vijfde keer. De inrichting is chic en de drankjes te duur. Jasper kijkt zoekend rond naar Ryan en Blake. Ze zijn er niet. Hij kan het niet geloven, ze hadden hem verzekerd dat ze hier de hele avond zouden blijven. Hij controleert zijn mobieltje om te zien of hij een telefoontje heeft gemist. Dat is niet zo. Hij belt Ryan, krijgt zijn voicemail te horen en spreekt een boodschap in: Waar zitten jullie? Op Blake's voicemail laat hij iets vergelijkbaars achter: Ik zit bij Mendocino. Komen jullie nog?

Hij loopt naar de bar en wacht tot de barkeeper, een meisjesachtig knappe jongen die Mike heet, hem herkent en bedient. Jasper trekt zijn mond open alsof hij bij de tandarts zit; zijn kaken voelen steeds te strak aan, en pijnlijk, als een ding met scharnieren die geolied moeten worden. Zijn linkerooglid trekt onbedwingbaar, krampen die aanvoelen alsof er een piepklein kikkertje onder de huid is genaaid. Van een afstand wijst Mike naar hem en Jasper roept: 'Jim Beam, graag, Mike.' Mike brengt hem zijn bestelling en zegt: 'Alsjeblieft, maat.'

'Hé, man, weet je niet meer hoe ik heet?' vraagt Jasper.

Mike kijkt hem wezenloos aan.

'Jasper. Jásper.'

'Dat is dan vier dollar, Jasper.'

Jasper overhandigt Mike vier briefjes en geeft geen fooi. Het verbaast hem dat hij moest betalen; hij zou er onderhand wel een paar gratis hebben verwacht. Hoe vaak moet hij hier nog komen, hoeveel geld moet hij hier nog uitgeven voordat het personeel weet wie hij is? Hij loopt bij de bar weg en neemt een slok van de Jim Beam. Hij houdt één hand op zijn mobieltje, dat in de trilstand staat, voor het geval Ryan of Blake belt. Er gaat een kwartier voorbij en geen van beiden belt. Jasper bestelt nog een glas – als troost. Wanneer je hebt meegemaakt wat ik heb meegemaakt, denkt hij, wanneer je per ongeluk iemand om het leven hebt gebracht, zonder dat het je schuld is, moet je aardig zijn voor jezelf. Het schiet hem te binnen dat hij tegen Alex heeft gezegd dat hij gestopt is met drinken en hij voelt een scheut van schaamte. Vóór het ongeluk, toen hij besefte dat het hem moeite kostte voor zijn werk uit bed te komen, was hij echt opgehouden met drinken. Eigenlijk was hij alleen door de week gestopt, maar dat was al iets, aangezien hij door de week praktisch elke avond uitging en dan drie of vier biertjes dronk. Een paar keer was hij gestruikeld – niemand is volmaakt – en de derde keer was die donderdagavond, afgelopen april, net voordat hij in zijn pick-up was gestapt en Isabel Howard doodgereden had. Maar hij zou haar sowieso hebben aangereden. Het zat hem niet in de drank. Toch vermoedt hij dat hij te veel drinkt en is hij van plan te minderen. Maar niet nu. Niet in deze tijd van nood. Drank tempert zijn angst, krikt zijn zelfvertrouwen op, maakt hem minder gevoelloos voor de wereld om hem heen. Drank helpt hem in slaap te komen. Drank maakt weliswaar dat hij zich schuldiger voelt dan normaal, maar dan houdt hij zichzelf voor dat hij niet drinkt ter verlichting, maar als boetedoening – om zijn schuldgevoel dieper en echter te maken.

De drom om hem heen is onstuimig en melig van de drank, er wordt luid gelachen, mensen staan onwankel op hun benen en stelletjes besnuffelen elkaar. Er zijn zeker zo'n honderd mensen in het café, maar Jasper ziet niemand die hij kent en niemand besteedt aandacht aan hem. Hij voelt zich onzichtbaar en afstandelijk, alsof hij het hele tafereel door een tweezijdige spiegel gadeslaat. Hij zou het nooit toegeven, maar tijdens het proces, afgelopen november, ook al was het de meest beangstigende periode van zijn leven – hij was de gevangenis in gegaan als hij schuldig bevonden was – heeft hij van de publiciteit genoten, dat zijn foto in de krant stond, dat hij zichzelf op het regionale nieuws zag. Mensen wisten wie hij was. Mensen herkenden hem. Goed, veel van die mensen veroordeelden en verachtten hem, maar het feit dat hij bekend was geworden maakte het goed en was zelfs af en toe opbeurend. Hij was iemand. Hij liep rond in het nieuwe pak dat hij voor de rechtszaal had aangeschaft. Journalisten zwermden om hem heen en stelden vragen. Hij voelde zich gewichtig terwijl hij naast zijn advocaat stond, die de meeste antwoorden gaf en naar Jasper verwees als 'mijn cliënt'. Jasper kreeg brieven en telefoontjes van vrouwen die hem vertelden dat hij aantrekkelijk was en dat ze aan de goedheid in zijn gezicht konden zien dat hij onschuldig was. Jasper had afspraakjes met verscheidene van deze vrouwen en hij zoog hun medeleven in zich op. Hij werd bedreven in het vertellen van een versie van het verhaal waaruit het cruciale, bezwarende detail was weggelaten en waarin hij zichzelf afschilderde als een triest, onfortuinlijk slachtoffer van de omstandigheden. Zijn seksleven piekte.

Zijn advocaat vertelde dezelfde versie van het verhaal aan de jury. Hij liet verscheidene getuigen opdraven: de serveerster van het restaurant waar Jasper vlak voor het ongeluk was geweest, die verklaarde dat hij maar één biertje had besteld, en een scheikundeprofessor die verklaarde dat Jaspers gewicht en lengte, samen met de gefrituurde kippenvleugels die hij had gegeten, de snelle opname van het bier in zijn bloed zou hebben voorkomen. De jury trapte erin. Jasper stompte juichend met zijn vuist in de lucht. Voor de rechtbank dromden zijn aanhangers – weliswaar maar een paar – om hem heen. De journalisten wilden weten hoe hij zich voelde. Er waren tv-ploegen.

Nu is het allemaal in rook opgegaan. Jasper is dankbaar dat hij vrijgesproken is en niet de gevangenis in hoefde. Aan de andere kant is de terugkeer naar het normale leven niet gemakkelijk geweest. Hij heeft aan de hele geschiedenis niets overgehouden. Zo'n vreselijke gebeurtenis die zijn leven op zijn kop heeft gezet, had hem moeten verheffen of hervormen, het had de poort tot een voorschot of beloning moeten zijn. In plaats daarvan zakte hij rechtstreeks terug in zijn middelmatige baan, zijn saaie sociale leven, zijn eenzaamheid – waarvoor niemand zich interesseert en wat evenmin de aandacht van de media trekt. Zelfs zijn vrienden schijnen hun belangstelling voor hem te hebben verloren. Lindsay en Vinnie, Daniel, Robert en Rebecca, en nu Ryan en Blake. Hebben zij de uitspraak dan niet gehoord? Hebben ze het nieuws niet gezien? Onschuldig! Vrijgesproken!

Waarom gaat het steevast zo met zijn vrienden? Waarom verslijt hij ze zo snel? Mendocino loopt leeg. Het is bijna half twee. Jasper voelt zich onbehaaglijk, hij wil niet de laatste zijn in het café, dus drinkt hij zijn glas leeg en loopt resoluut de deur uit.

Op de motor weerstaat hij de aandrang die te laten razen en langs het uitgaanspubliek op het trottoir te stuiven. Hij heeft drie glazen op. Hij vormt een prima doelwit voor de agenten, die in groten getale op zoek zijn naar dronken bestuurders. Langzaam en behoedzaam rijdt hij door zijstraten en stegen naar huis. Zijn flat beslaat de helft van een souterrain van een oud, omgebouwd huis. De ingang is aan de achterkant. Gewaarschuwd door het geluid van de motor slaat de hond van de bovenburen aan. Dovend hout gloeit na in de vuurkuil in de achtertuin, omringd door een stuk of tien plastic Adirondack-stoelen en een uitgespreide deken. Aan de picknicktafel, die is bezaaid met bierblikjes en wijnflessen, zitten een man en een vrouw, duidelijk de enige overlevenden van het feestje dat door de andere huurders van het huis is gegeven, dicht naast elkaar te praten. Jasper, die de vrouw eerder heeft gezien, zet zijn motor weg en loopt naar de tafel voor een praatje. Algauw blijkt dat het stel, ook al zijn ze vriendelijk, liever met rust wil worden gelaten. En precies daarom doet Jasper dat niet en hij praat lyrisch door over de warmte van de nacht en de sterren, terwijl hij zijdelings flirt met de vrouw, die te goed is voor die vent. Wanneer het stel opstaat en vertrekt krijgt Jasper een wee gevoel in zijn maag, een soort van vertwijfeling. Hij eet een chip die op tafel ligt, steekt een wegwerpaansteker in zijn zak – God weet waarom, want hij rookt niet.

In zijn flat vult hij een glas met water uit de kraan en gaat op de zwartleren bank zitten. Legt zijn mobieltje op de salontafel. Er hangen ingelijste posters aan de muur: B.B. King, Buddy Guy, Jimmy Reed. De koffer met zijn elektrische gitaar staat in de hoek, naast zijn versterker en effectpedaal. Zijn akoestische gitaar, een mooi blond dingetje, staat erbij voor de show. Hij is trots op zijn cd-verzameling, voor het merendeel blues en rock, en op zijn dvd's, waaronder hele seizoenen *X-Files* en *Saturday Night Live*. Zijn thuisbioscoop is het nieuwste van het nieuwste, gekocht in Best Buy met werknemerskorting. Een Yamaha-receiver, een set van 7 RBH-luidsprekers, een HSU Research subwoofer, een high-definition dvd-speler en, als koning van het spul, een Pioneer 42 inch high-definition plasmascherm. Je bent wat je kijkt. Jasper zapt een minuutje langs zijn uitgebreide zenderpakket. Er is niets wat hem aanspreekt. Hij zet de dvd-speler aan en start de dvd, een recente uitzending van NOVA getiteld *Het wonderbaarlijke menselijke hart*, die hij bij de plaatselijke bibliotheek heeft geleend. Het kan nauwelijks gewone kost voor Jasper worden genoemd. Hij geeft de voorkeur aan actiefilms en sciencefiction. Maar sinds hij in de nacht van Isabels dood een flard van een gesprek tussen haar moeder en haar man heeft opgevangen, heeft hij belangstelling opgevat voor orgaandonatie. Het gesprek vond plaats in het ziekenhuis, waar hij naartoe was gegaan om zijn verontschuldigingen aan te bieden (zonder succes) en hij heeft Alex duidelijk horen zeggen dat Isabels organen gedoneerd zouden worden. Met het verstrijken van de tijd heeft de herinnering aan dit gesprek voor Jasper betekenis gekregen en begonnen er ideeën en mogelijkheden bij hem op te komen. Isabel Howards organen – haar hart, lever, nieren, longen en wie weet wat nog meer – waren ergens naartoe gegaan. Ze hadden gereisd, een nieuw lichaam gevonden om in te wonen. Jasper was het meest geïnteresseerd in het hart. Niet uit gebrek aan respect voor de andere organen. Maar het hart riep gedachten op aan liefde, compassie en edelmoedigheid. De gedachte aan het hart bezorgde Jasper een gevoel van belofte en mogelijkheid, en hij had het idee dat als hij de persoon kon vinden die het had ontvangen – hij stelde er zich een vrouw bij voor – dat die hem dan zou respecteren en waarderen, hem misschien zelfs zou vergeven voor het doden van Isabel Howard.

Het wonderbaarlijke menselijke hart is een zes uur durende serie in drie afleveringen, maar Jasper is alleen geïnteresseerd in het tweede uur van deel twee: 'Het hart van een ander'. Dit is de vierde of vijfde keer dat hij het ziet. Hij is te weten gekomen dat de eerste harttransplantaties op honden zijn uitgevoerd. De eerste harttransplantatie op een mens werd uitgevoerd in 1967 in Zuid-Afrika door een chirurg genaamd Christiaan Barnard, maar de procedure werd pas in 1980 algemeen, nadat het medicijn cyclosporine, ontdekt door een Zwitserse wetenschapper die op vakantie in Noorwegen bodemmonsters verzamelde, werd ontwikkeld en goedgekeurd. Dit is allemaal inleiding. In 'Het hart van een ander', waarvoor Jasper nu goed gaat zitten, wordt het verhaal verteld van Ellen, een vijfenveertigjarige vrouw van wie het hart niet te herstellen is. Ze ligt in een ziekenhuis in Boston te wachten op een nieuw hart. Ze wacht en wacht. Blijkbaar overlijden er jaarlijks honderden mensen terwijl ze wachten op een hart. Uiteindelijk hoort ze dat er een donor is doodgeschoten vanuit een rijdende auto en dat er nu een hart beschikbaar is. Terwijl de verpleegkundigen haar voorbereiden op de operatiezaal, racet een team chirurgen van het ziekenhuis met loeiende sirene in een ambulance naar de nabijgelegen luchthaven, waar ze in een kleine jet stappen en naar Baltimore vliegen In Baltimore stappen ze in een andere ambulance en racen naar het ziekenhuis. Daar, in de bomvolle operatiezaal, oogsten ze het hart van een jonge zwarte man. Terug in Boston wordt Ellen op de operatietafel onder narcose gebracht. Wanneer de chirurgen in Bosten van de chirurgen in Baltimore horen dat het hart gezond is, openen de chirurgen in Boston Ellens borstkas, halen haar hart eruit en sluiten haar aan op een bypass. Tegen die tijd vliegt het oogstteam terug van Baltimore met het donorhart in een koelbox. Na hun aankomst in Boston racen ze naar het ziekenhuis en dan volgt er een dramatische scène waarin het hart in de operatiezaal arriveert: de deuren van de operatiezaal zwaaien open, een chirurg holt naar binnen met de koelbox, de chirurgen rond Ellens lichaam kijken op, de menigte wijkt uiteen om het hart door te laten.

Jasper kan maar geen genoeg krijgen van deze scène. Hij spoelt de dvd terug en kijkt er opnieuw naar: de deuren die openzwaaien, het hart dat zijn entree maakt. Een jaar geleden moet zich 's ochtends ergens in het Midwesten een vergelijkbare scène hebben afgespeeld toen Isabel Howards hart, waar een stervende vrouw – althans, dat veronderstelt Jasper – op lag te wachten, zijn entree maakte. Jasper ziet hoe de staf in de operatiezaal opzij stapt om de koelbox door te laten, hij ziet hoe de chirurg het donorhart voorzichtig uit de koelbox haalt, het onderzoekt en het keurig in Ellens borst plaatst.

Een paar dagen later is Ellen thuis uit het ziekenhuis en loopt ze in haar tuin rond met haar man en kinderen.

Jasper heeft weliswaar een vrouw gedood, maar hij heeft er ook een gered.

Alles wat hij in zijn leven heeft gedaan – de universiteit, banen, relaties – is allemaal in de soep gelopen. Maar nu is er uit de grootste rotzooi iets buitengewoons voortgekomen.

DEEL TWEE

SEPTEMBER 2003

Tien

Moeite met ademhalen, een onvermogen haar longen met lucht te vullen, had zich gevoegd bij de entourage van kwaaltjes – pijntjes, krampen, mysterieuze blauwe plekken, snijwondjes van papier, nijnagels, droge knokkels – die Janet dagelijks kwelden.

Ze zou haar probleem, dat zich aanvankelijk slechts sporadisch voordeed, hebben omschreven als strakheid, een beklemming in haar borstkas die haar het gevoel gaf alsof ze haar adem inhield, ook al ademde ze diep in. Ze werd er ook licht in haar hoofd van, ze wist niet of dit door gebrek aan zuurstof kwam of door angst.

Het was het begin van het einde van haar eerste leven, van haar eerste hart.

Ze was net begonnen aan haar vierde jaar als docente op Juarez. Na drie stormachtige jaren van verbijstering en gêne over de maatschappelijke problemen die haar leerlingen teisterden en door het onvermogen van die leerlingen om hun rampspoed te overstijgen in naam van de Kunst, had ze besloten zich te ontspannen, het kalm aan te doen, over de moeilijkheden heen te stappen. Niet dat ze bakzeil haalde. Ze werkte harder dan ooit. Haar werklast was sinds het voorjaar verdubbeld. Ze gaf les in een nieuw vak: geschiedenis van de Mexicaanse kunst. Ze had een naschoolse muurschilderclub opgestart voor risicoleerlingen – jongeren die anders de straat op zouden gaan en in de problemen zouden raken door winkeldiefstal of drugshandel. Er was een nieuw spijbelbeleid dat vereiste dat ze niet alleen buitensporig nauwgezet een absentenlijst bijhield, maar ook dat ze elke middag de familie van de afwezige leerling belde – *Su hijo no està en esquela hoy. ¿Por qué no?* – ook al kende ze negen van de tien keer het antwoord van tevoren al. 'Hij is aan het werk.' 'Hij moest voor de rechter verschijnen.' 'Ze moet het bed houden.' 'We weten niet waar ze is.'

Dus was het vanzelfsprekend dat Janet zich afvroeg of haar ademhalingsprobleem veroorzaakt was door stress. Haar andere theorie was dat er door een werkploeg, die in de zomer een van de trappenhuizen had ontsmet, een irriterend en mogelijk giftig restant was achtergelaten. Er hing daar een vreemde, medicinale geur, en als ze deze trap op klom, wat haar rooster haar verscheidene malen per dag dwong te doen, sloeg Janets ademhalingsprobleem meestal toe: de kortademigheid, de beklemming in haar borst, de lichthoofdigheid. Een keer betrapte Tom Eugenides, de leraar biowetenschappen, haar terwijl ze tegen de trapleuning leunde. Ze vroeg of hij ook vond dat het er eigenaardig rook.

Vol hoop snuffelde Tom in de lucht. 'Wiet? Waarom bieden ze dat mij nou nooit aan?'

Janet zou aan haar ontsmettingstheorie vastgehouden hebben als haar ademhalingsprobleem haar niet naar huis was gevolgd om haar 's nachts en in het weekend lastig te vallen. Het probleem bleef stilletjes en onheilspellend deel uitmaken van de gevarieerde massa kwaaltjes en pijntjes en drong zich op de voorgrond wanneer ze zich inspande, wanneer ze ging hardlopen langs het meer of op woensdagavond ging basketballen of tijdens de zaterdagse wandeling in Lincoln Park met David en de kinderen. Algauw stak het ademhalingsprobleem de kop op wanneer ze de trap op snelde naar het perron van de luchtspoorweg, de El, om de aankomende trein te halen of als ze de lange, rechte, steile trap naar hun loft op de derde verdieping op liep. Of wanneer ze bij het boodschappen doen een te grote afstand trachtte af te leggen met te veel tassen. Wanneer ze holde om de bus te halen. Wanneer ze Carly op haar schouders tilde of armdrukte met Sam. Wanneer David en zij seks hadden. Een dokter stelde astma vast en stuurde haar naar huis met een respirator. Heel de maanden november en december spoot ze albuterol in haar keel. Het ademhalingsprobleem ging zijn gang met de onbekommerde brutaliteit van een ordeverstoorder. Nadat het Janets inspannende activiteiten had gesaboteerd – tijdens de les was ze uitgeput en zwak, ze kon niet meer dan twintig meter hardlopen, op een avond kreeg ze een black-out van een paar seconden op het basketbalveld – rukte het ademhalingsprobleem nu op naar het zittende deel van haar leven. De opmars viel samen met de feestdagen. Een tijd van rigoureus winkelen, geestdriftige gezinsleden en uitgebreide maaltijden. Bij het oversteken van de uitgestrekte, geplaveide vlaktes van Water Tower Place, Bloomingdale en Marshall Field (was het haar verbeelding of knelden haar schoenen?), het inpakken van cadeautjes, een ham uit de oven halen, het inruimen van de vaatwasser, aan Davids moeder uitleggen waarom ze er niet toe was gekomen de spiegel in de badkamer, die aan één kant licht gebarsten was (nou en?) te vervangen, tijdens al die activiteiten hijgde Janet als een hardloper. Ze begon te vermoeden dat de ongerustheid over het probleem op zich al genoeg was om de symptomen ervan teweeg te brengen, want ze zat vaak een hele tijd op de bank, haar lichaam in ruststand, maar haar geest knetterend van angst, terwijl ze grote teugen lucht nam die niet naar haar longen omlaag wilden gaan tenzij ze ze met de spieren in haar keel verplaatste en doorslikte als een slang een muis.

'Misschien zou je eens naar een andere dokter moeten', opperde David.

Het was tien voor half vijf in de ochtend. Voor het slaapkamerraam stoof de sneeuw in het rossige licht. Een droge, knarsende hoest had Janet uit haar slaap geklauwd. Ze zat op de rand van het bed aan haar nieuwste respirator te zuigen. David was ook wakker, hij zat vlak achter haar en masseerde haar schouders.

'Ik geloof dat mijn voeten groter zijn dan vroeger', zei ze.

David schoof naar voren, pakte een van haar voeten en bekeek die al wrijvend van verschillende kanten. 'Je hebt mooie voeten. Je stamt uit een familie met mooie voeten en ik kom uit een familie met lelijke voeten.'

'Wie heeft er lelijke voeten in jouw familie?'

'Mijn moeder. Ze heeft geen wreven. Jij hebt fraaie wreven', zei David en hij ging met zijn vingertoppen over haar voetzool.

'Je moeders voeten zijn me nooit opgevallen.'

'Omdat ze schoenen draagt.'

'Aah!' Janet trok haar voet weg van Davids tastende hand. 'Dat kietelt.'

'Wacht eens even.' David pakte haar voet weer vast, omvatte de zool met twee handen en drukte die samen. 'Ze zijn een beetje vlezig, niet?'

'Als ze nog vleziger worden, zien ze eruit als braadkippen.'

'Sinds wanneer worden je voeten groter van astma?'

Janet wilde dat hij de vraag niet met zo'n verontrustende helderheid had gesteld. Ze smeet de respirator tegen de muur.

Dokter Lenka Maslowcya, de cardioloog naar wie Janet in het Parkland-Wilburn Medisch Centrum werd verwezen en die Janet aan een reeks onderzoeken had onderworpen, gebaarde naar Janet en David om plaats te nemen op de twee stoelen in haar spreekkamer. Dokter Maslowcya ging zelf op een derde stoel zitten, trok haar witte jas recht en rimpelde haar neus, waardoor haar gouden bril omhoog schoof in haar knappe, olijfkleurige gezicht.

'Wat we hier zien, Janet, is een verzwakt vermogen van je hart om met de benodigde kracht samen te trekken om voor een goede bloedsomloop te zorgen. Je cellen krijgen niet de vereiste zuurstof, vandaar de vermoeidheid. Omdat het bloed niet met de benodigde kracht door je lichaam stroomt, zien we vochtophoping in de handen en voeten. Oedeem. Het was juist dat je voeten gezwollen waren. Je hebt moeite met ademhalen omdat het bloed dat van de longen door de linkerhartkamer rechtstreeks naar het lichaam hoort te worden gepompt, zich in het hart verzamelt, en daardoor sijpelt er vocht de longen in. Astma is een veelvoorkomende foutieve diagnose. Astma zou voor ons allemaal fijner zijn.'

Dokter Maslowcya stond op, liep naar een whiteboard en tekende iets dat leek op een kruispunt van snelwegen ontspruitend aan de billen van een baby. 'Aan elke kant van het hart zit een boezem en een kamer. De linkerkamer pompt het bloed naar de rest van je lichaam. We hebben een uitgesproken insufficiëntie van de linker ventriculaire contractie waargenomen. Waarschijnlijk heeft een virus een verharding van de ventriculaire hartspier veroorzaakt, waardoor hij niet goed samentrekt. De belaagde linkerkamer heeft zich ter compensatie vergroot om meer bloed vast te houden, maar de vergrote kamer verliest zijn elasticiteit en trekt nog slechter samen. Vergelijk het maar met een rubber bal die harder en groter wordt, tot je hem niet langer zo gemakkelijk met je hand kunt samenknijpen. Het is een ernstige aandoening. De ziekte heet gedilateerde myocardiopathie. De eerste vijf jaar is het sterftecijfer hoog, hoe snel de achteruitgang gaat varieert van patiënt tot patiënt.'

Het gevaar leek niet in Janets lichaam te schuilen, maar in dokter Maslowcya, in het brein dat bekend was met deze ziekte en over de taal beschikte die te beschrijven. Janet had het gevoel dat als ze nou maar de deur uit kon schieten een trappenhuis in, drie trappen af kon hollen en naar buiten kon stormen het daglicht in, niets hiervan waar zou zijn. Zij had geen gedilateerde myocardiopathie of hoe het ook mocht heten. Dokter Maslowcya stak haar ermee aan.

Dokter Maslowcya tekende nog een diagram op het whiteboard. Janet sloeg de hand gade die met opmerkelijk gemak de markeerstift hanteerde. 'Dat is een fantastische tekening, dokter Maslowcya. Het is toch niet erg dat ik dat zeg, hè? Uw lijnvoering is geweldig.'

Dokter Maslowcya bekeek de punt van de stift alsof die en niet Janet tegen haar had gesproken. 'Dank je.'

'Tekent u weleens? Iets anders dan dit? Als dat zo is, zou ik graag wat van uw werk zien.'

'Ik geloof dat we beter even op kunnen letten, lieverd', zei David.

111

Dokter Maslowcya legde de markeerstift op de richel onder aan het bord en stak haar handen in de zakken van haar witte jas. 'Je bent een sterke vrouw, denk ik, nietwaar, Janet? Hoop ik? Met je hart heb je een ernstig probleem. Ik zal wat van jouw werk moeten zien.'

Na de diagnose van Janet, waarin haar vermoeidheid en onvermogen te ademen waren gekoppeld aan een naam, een ziekte, een klinisch gedocumenteerde aandoening – aan wetenschap, geschiedenis, de ervaring van andere mensen – had Janet het gevoel dat ze een zekere mate van inzicht en controle had verworven. Ze slikte de voorgeschreven medicijnen. Ze raakte nog steeds vermoeid en buiten adem, maar niet heel vaak en meestal laat op de dag, zodat ze na een paar weken vond dat ze tegen David kon verklaren: 'Ik ben opgeknapt! Serieus. Ik denk dat het eronder heb gekregen.'

De rust was aarzelend in het huishouden teruggekeerd. Carly en Sam, die hun eigen symptomen van Janets mysterieuze ziekte hadden vertoond, begonnen te herstellen. Carly was druk en aanhankelijk geweest, omdat ze niet alleen een ontwrichting aanvoelde, maar ook een bedreiging van haar belangrijkheid, en de stuurse, verbijsterde Sam, die had begrepen dat zijn moeders hart werd aangevallen door een klein insect, had haar fantastisch ingewikkelde plannen voorgeschoteld om het geteisterde orgaan te redden, plannen die van alles omvatten, van de inname van magische kristallen tot een washandje doordrenken met een insectenwerend middel en dat op haar borst leggen als ze ging slapen. Het was een opluchting voor Janet om hem weer met lego en de Nintendo bezig te zien. En Carly, die zich niet meer druk maakte om haar, was weer vrolijk en schelms, ze bemoederde haar knuffeleend, Ocean, en plunderde het Tupperwarekastje voor bakjes om op te trommelen.

Als ze de kans had gekregen David een cijfer te geven voor hoe goed hij omging met haar ziekte, dan zou het een tien zijn geweest. Hij was bemoedigend en ondersteunend en zelfs toen ze op haar ergst was – moe, gedeprimeerd, bang – slaagde hij erin opgewekt en hoopvol te blijven. Hij hielp grootmoedig mee in huis, nam een groot deel van de taken op zich: boodschappen doen, de was, schoonmaken, koken. Hij deed de kinderen 's avonds in bad, zorgde dat ze zich 's ochtends aankleedden. Het indrukwekkendst waren zijn verwoede pogingen zich te onderrichten over haar aandoening. Hij kocht een medisch handwoordenboek, verzamelde al haar potjes met pillen uit het medicijnkastje en bestudeerde elk medicijn: waar het voor diende, wat de eigenschappen en bijwerkingen waren. 's Avonds in bed las hij artikelen over haar hartkwaal die hij van internet had gehaald, las sleutelpassages aan haar voor of, als ze niet geïnteresseerd was – sommige dingen wilde ze niet weten – hield ze voor zich. Hij markeerde fragmenten met een roze markeerstift. Hij maakte aantekeningen op een geel notitieblok. Janet sprak hem voortaan aan als ''s lands meest vooraanstaande geleerde in de myocardiopathie'. 'Heeft 's lands meest vooraanstaande geleerde in de myocardiopathie dit weekend tijd om de keukenvloer te dweilen?' 'Heeft 's lands meest vooraanstaande geleerde in de myocardiopathie vanavond misschien zin om te koken?' 'Zou 's lands meest vooraanstaande geleerde in de myocardiopathie dat saaie artikel weg willen leggen om het te doen met 's lands meest sexy tekenlerares?'

'O, god, ja', antwoordde David steevast op de laatste vraag.

'Een transplantatie?' David verloor bijna de macht over het stuur. 'Je bedoelt dat ze het eruit willen halen?'

'Dat is niet wat ze wíllen', zei Janet en ze deed haar best om kalm te klinken. 'Maar misschien moet het er wel uit en ik neem aan dat ze het dan door iets anders willen vervangen, dus dokter Maslowcya wil dat ik grondig word nagekeken en op de lijst kom te staan.'

David bracht haar in het spitsuur met de auto van het ziekenhuis naar huis. Ze was doodop en lag bijna horizontaal – de passagiersstoel was achterover gekanteld als een tandartsstoel – omhoog te kijken naar de langskomende gebouwen en de lucht die de kleur had van melk vermengd met ijzer. Ze had zojuist een hartkatheterisatie ondergaan en dokter Maslowcya had ontdekt dat Janets ejectiefractie, het pompvermogen van haar linkerhartkamer, veertien procent was. Een normale ejectiefractie was zestig procent. Niet dat Janet goed nieuws had verwacht. Ondanks de medicijnen die ze in toenemende doses de hele winter door had genomen, was haar gezondheid sluipend achteruitgegaan, zo sluipend als dat bijvoorbeeld met het gezichtsvermogen kan gaan. Haar energie, haar vermogen om de dagelijkse routine te blijven volgen was met onmerkbare stukjes en beetjes verminderd, waar ze steeds pas na een poosje, indirect achter kwam. Op een ochtend vroeg David haar waarom ze zo lang doorbracht in de badkamer. Was dat zo? Het antwoord, hoewel ze het niet zei, was dat ze geen zin had van de wc af te komen en door te trekken. Lange rijen voor de pinautomaat en in de supermarkt, waar ze ooit gek van was geworden, waren nu draaglijk, aangenaam zelfs, vooral als ze ergens tegenaan kon leunen. Wanneer was zij, Janet Corcoran, een overtuigd traploper, begonnen in elke lift te stappen die voorhanden was?

'Wat voor een lijst?' vroeg David.

'Er is een wachtlijst voor harten.'

David keek boos door de voorruit, het leek of hij al zat te bedenken hoe ze dat obstakel konden omzeilen. 'Maar het is in principe een rampenplan, niet?'

'Zoiets.' Janet vond die indruk voorlopig exact genoeg. Waarom zijn ongerustheid groter maken? Zijn ongerustheid verergerde de hare alleen maar. 'Maar dokter Maslowcya wil me wel snel op die lijst plaatsen.'

David zwenkte links om een besluiteloze automobilist heen. 'Hoe kan het...Ik had het idee dat de medicijnen je een hele tijd aan de gang zouden houden, samen met...hoe noemen ze het? Een verandering van levensstijl?'

Janet probeerde zich te herinneren of David erbij was geweest toen dokter Maslowcya en zij de waarschijnlijkheid van een transplantatie in de toekomst hadden besproken. Vanwege verplichtingen op zijn werk had David de meeste gesprekken en bezoeken aan de kliniek gemist en hij was achteropgeraakt, ook al vroeg hij haar meestal uit. Daarbij kwam dat zijzelf over haar ziekte was gaan lezen – ze voelde zich als een aanvankelijk onwillige leerling die nu belangstelling voor de cursus begon te krijgen – terwijl 's lands meest vooraanstaande geleerde in de myocardiopathie, geschrokken door wat hij in de artikelen was tegengekomen, zich had teruggetrokken. 'Mijn hart gaat veel sneller achteruit dan ze had verwacht. "Mogelijkheden voor behandeling worden beperkter." Dat zei dokter M.' 'Geweldig.' 'Geweldig is het niet.' David zuchtte: een weglekken van lucht dat lang genoeg duurde om een ballon op te blazen. 'Het komt wel goed.' Hij klonk ontmoedigd. 'Nog een keer en dan met enthousiasme, alsjeblieft', zei Janet. David stootte een niet-begrijpende, hopeloze lach uit die haar een wee gevoel in haar maag bezorgde. 'Het komt wel...goed', zei hij op een raar zangerig toontje, alsof hij het refrein van een kinderliedje zong.

Het doel van Janets evaluatie was er zeker van te zijn dat ze geen al bestaande aandoeningen had die haar tot een slechte investering zouden maken, of dat een ziekte haar immunosuppressie zou misbruiken om een opstand in haar lichaam te organiseren die de gezondheid zou verwoesten die een nieuw hart haar zou geven. Maar de twee dagen voelden voor haar aan alsof ze door het ziekenhuispersoneel op touw waren gezet om haar zoveel angst aan te jagen dat ze gezond bleef en nooit de pech zo hebben hier terecht te komen. Een verpleegkundige voor de bloedafname prikte haar een kwartier lang met een lange naald op zoek naar een ader waarvan Janet het bestaan ernstig begon te betwijfelen, tot er bloed over de spierwitte kleding van de verpleegkundige spoot. Een opgewekte, gespierde verpleegkundige dwong haar op een steeds steilere tredmolen te lopen tot haar longen brandden. Een tandarts vulde twee gaatjes. Een gastro-enteroloog slingerde een endoscoop door haar karteldam omhoog en kronkelde vervolgens een tweede endoscoop door haar slokdarm omlaag naar haar maag. Een jonge arts maakte een vasculaire echo van de aderen in haar benen en hals. Toen Janet hem erop wees dat ze een harttransplantatie zou krijgen en dat er geen plannen waren haar aan haar benen te opereren, legde hij uit dat de aderen in haar benen goed genoeg moesten zijn om die in haar hart te vervangen, voor het geval er tijdens de operatie complicaties optraden. Dit antwoord joeg Janet de stuipen op het lijf. Met de schok van iemand die onopzettelijk een samenzwering aan het licht brengt of een code ontcijfert, zag ze de realiteit, de stoffelijkheid van waar ze haar op voorbereidden. Ze zouden zo ongeveer in haar borstkas snijden zoals zijzelf een biefstuk had aangesneden. Ze zouden haar hart eruit snijden. Ze zouden het met hun handen uit haar lichaam lichten.

Een paar dagen later keerde Janet terug naar het Parkland-Wilburn voor een afspraak met de hartchirurg, dokter Karl Ballows. Dokter Ballows had de uitslagen van de onderzoeken van Janet bekeken en ze goedgekeurd. Ze kreeg het advies geduld te hebben. Misschien dat ze een week moest wachten, misschien een jaar. Het wachten zou veel erger zijn dan de operatie, als ze het geluk zou hebben om geopereerd te worden. Het kon zijn dat ze helemaal geen hart voor haar vonden. Dokter Ballows' optreden had iets scherps en meedogenloos. In tegenstelling tot het personeel waarmee Janet tot dusver te maken had gehad, was zijn manier van doen bruusk en onbarmhartig, en hij deed geen moeite de wreedheid en onrechtvaardigheid van het leven op aarde voor haar te verbloemen. Dokter Ballows had deze wreedheid overwonnen met een kort, gedrongen lichaam, dikke armen en opdringerige eau de cologne. Zijn grijze haar was kortgeknipt. Het zou Janet niet verbaasd hebben als hij bij de commando's had gezeten. 'Een groot percentage van de mensen overlijdt terwijl ze wachten. U staat relatief hoog op de lijst, maar uw toestand is nog niet kritiek, zoals bij sommigen. Dag mevrouw. Als het meezit, zie ik u hier terug.'

Elf

Er trad een verandering op in Janets relatie met haar telefoon. Ooit was die haar saaie, voorkomende dienaar geweest; nu bezat hij het magnetisme en de macht van een minnaar. Ze verhuisde de telefoon van de woonkamer naar de slaapkamer en beloonde hem met een prominente plaats op het nachtkastje. Ze ruimde alle boeken, tijdschriften en potjes met pillen op, zodat er niets in de weg stond of lag wanneer de transplantatiecoördinator belde met nieuws over een hart. Ze had het advies gekregen het hart te vergeten, als ze kon, en zich in afleidende activiteiten te storten. Sam en zij hadden weliswaar vrij van school, zodat ze samen met Carly zoveel afleidende activiteiten konden ondernemen als ze wilden, maar Janet had geen energie. Haar hart, die zielige spierprop in haar mediastinum, had nog steeds geen zin om te pompen, ondanks de gestaag toenemende doses medicijnen. Aan het begin van de dag, wanneer ze opgeladen was door de slaap, voelde ze zich sterk, en nadat David naar zijn werk was vertrokken nam ze Carly en Sam meestal mee naar het einde van de straat, naar Wicker Park, om als het weer goed was in de speeltuin te spelen. Daarna deden ze een paar boodschappen en gingen weer naar huis om te eten. Halverwege de middag, wanneer Carly toe was aan haar middagdutje, was Janet er ook klaar voor; ze voelde zich dan afgemat en onbeholpen. Dan kwam er een oppas om op de kinderen te letten of hen ergens mee naartoe te nemen, terwijl Janet sliep. Of het probeerde. Ze lag vaak te piekeren dat ze haar kinderen tekortdeed omdat ze zo weinig energie voor hen had. Ze besloot dat ze deze zomer een hart moest krijgen. Haar vrees om te sterven werd geëvenaard, zo niet overstegen door de vrees dat ze in het najaar geen les zou kunnen geven. Ze lag op bed en bewonderde het gladde, gewelfde, vlekkeloze oppervlak van de telefoon, de zachte zandkleur. In gedachten riep ze hem toe: Bel nou voor mij! De hoorn voelde koel aan. Ze lichtte hem op en luisterde naar de kiestoon. Behoedzaam legde ze neer. Met haar wijsvinger draaide ze het gekrulde snoer tot een kronkelige knoedel. Zo nu en dan rinkelde de telefoon midden in haar overpeinzingen en had ze een korte, haperende conversatie met een telemarketeer. 'Haal me van jullie lijst af!' schreeuwde ze dan, verbolgen over de ironie.

Wanneer ze konden kwamen haar vrienden langs. Ana, Tom en Sondra, bevriende collega's van Juarez. Nina Fontenot, haar kamergenote op de universiteit, die nu hulpconservator was in het Museum voor Moderne Kunst. Lequetia Hayslett, van de basketbal op woensdagavond. De lange, feeërieke Whitney, eigenares van Whitney's Antiek op Damen Street. Een voor een klommen ze de drie verdiepingen op naar haar ziekbed, luisterden geduldig naar haar gemopper en beurden haar op met hun grappen en verhalen. Helaas konden ze zelden lang blijven. Ze hadden het druk. Ze haastten zich naar buiten, de wereld in, hun stralende, drukbezette dagen tegemoet. Janet benijdde hen. Realiseerden ze zich wel hoeveel geluk ze hadden? Eigenlijk dacht ze dat de meesten van hen dat na een uur of zo bij haar wel beseften.

Op sommige middagen kwamen de muren op Janet af en moest ze de flat uit. Ze klemde de pieper vast aan haar broekzak en daalde de lange trap af naar de straat, stapte de zon in die stoffig door de bomen filterde. De heerlijke zomer in. Blauwe lucht. Een voorname stoet wolken. Een wereld die zich niet uit het veld liet slaan door de mogelijkheid van haar vertrek. En hier stond ze dan, smoorverliefd op haar ondermaatse straatje met zijn pakhuisachtige sjofelheid, met grauwe bakstenen gebouwen met tralies voor de ramen beneden, stelletjes die wolfachtige honden uitlieten en schuin voor het trottoir geparkeerde buitenlandse auto's. Ze rook natte verf, maar kon niet ontdekken waar de lucht vandaan kwam. Ze aaide de kat die in het portiek van de videowinkel rondhing. Voor de winkel stonden drie parkeermeters met het hoofd in een rode vinyl kap gestoken die om de nek was samengebonden. De parkeermeters deden Janet denken aan gevangenen die op het punt stonden ge marteld of geëxecuteerd te worden. Er hingen kaartjes aan met een waarschuwing om van 22-6 tot en met 26-6 niet op de aangewezen plaatsen te parkeren omdat er wegwerkzaamheden waren gepland. Volgende week, dacht Janet. Geen probleem. Dat haal ik wel.

Ze putte moed uit de gedachte dat er in heel de stad, de staat en het land mensen woonden die bereid waren hun hart aan haar te doneren, die een donorcodicil hadden ondertekend. Janet probeerde ze er op straat, in de supermarkt en in het park uit te pikken. Lopend door Wabansia Street dacht ze, toen ze een vrouw in een rood minirokje en zwart topje passeerde en een jongeman die met zijn hoofd onder de opengezette motorkap van zijn Toyota stond: is zij een donor? Hij? Begerig staarde ze naar het ontblote bovenlichaam van bouwvakkers. Ze wilde dat orgaandonoren een felgroen T-shirt droegen waarop stond: KLAAR OM VOOR JOU AAN HET WERK TE GAAN! Aan de andere kant kon het ook ontmoedigend zijn om te zien hoe weinig mensen zo'n shirt aanhadden. Janet wist dat er niet veel orgaandonoren waren. Niet veel mensen waren zo moedig, genereus en vooruitziend – denkers in het groot, die de onvermijdelijkheid van de dood en de erop volgende ontbinding van het lichaam hadden geaccepteerd, evenals het treurige feit dat ze niet onmisbaar waren, dat de menselijke onderneming zonder hen zou doormodderen.

De kille lucht van de herfst kwam al vroeg in het begin van september opzetten, glipte gedurende de nacht door het openstaande raam naar binnen en greep naar Janets onbeschutte, boven op de dekens liggende lichaam. Toen het duidelijk werd dat de daling in de temperatuur geen klimatologische aberratie was, dat de koelheid die dag zou standhouden en binnenkort op alle dagen, werd Janet zich met schokkende helderheid bewust van de wegebbende tijd. Haar gezondheid ebde weg. Ze had verlof van school genomen, het was pijnlijk maar onvermijdelijk om het lesgeven los te laten. Er was niet langer enige lichamelijke inspanning van betekenis voor nodig om haar uit te putten: een kamer door lopen, een container met vier liter melk uit de koelkast tillen. Ooit had ze enorme, ambitieuze lunches voor Carly en Sam gemaakt: boterhammen met kalkoen, kwartjes appel, druiven, wortels. Nu deed ze het met diepvriesgerechten. Soms dommelde ze in terwijl Carly en Sam aan het eten waren en werd ze wakker van hun gekwebbel of het langdurige geslurp uit een beker en zag ze hun gezichten wiebelend in beeld komen. Haar kinderen waren even perplex over haar lusteloosheid als zij over hun standvastigheid: hoe hielden ze hun lijf overeind en hieven ze hun hand naar hun mond? Ze hield haar vingers voor haar gezicht en stelde zich miljoenen cellen voor die om zuurstof schreeuwden. Ze had het spul nooit fatsoenlijk gerespecteerd. Het was niet alleen maar een onzichtbare, aangenaam smaakloze traktatie die als versnapering diende voor de aardbewoners. Het weerhield haar lichaam van rotten. Het weerhield dingen van zwart worden en afsterven.

Tijdens het wekelijkse bezoek van Janet aan de polikliniek gaf dokter Maslowcya haar steeds hogere intraveneuze doses milrinone, een medicijn dat maakte dat haar hart tijdelijk harder klopte. Helaas konden de doses niet veel hoger worden. Dokter Maslowcya maakte zich ongerust dat Janet elk moment een mogelijk fatale hartritmestoornis kon krijgen. Janet ging voor twee dagen het ziekenhuis in voor een ICD – een implanteerbare cardioverter-defibrillator – die operatief onder haar sleutelbeen werd aangebracht. Het ICD, een metalen apparaatje met de omvang van een mobieltje, was verbonden met Janets hartspier en zou haar hart in het geval van een ritmestoornis met een schok terug naar normaal brengen.

De aanslag van elke nieuwe dag, de ontmoedigende teleurstelling van weer een telefoonloze nacht. Janet zei tegen David dat ze een geweer zou aanschaffen, op het dak tegenover een van de sportcentra in de buurt zou klimmen en het eerste het beste gezonde exemplaar dat de deur uit kwam zou neerschieten. ('Niet op de borst richten, hoor', zei David.) Ze keek naar de weerzender, zag dat er noodweer op komst was in het westen en hoopte vurig dat het in oostelijke richting over Illinois zou trekken. Wanneer het regende was ze extra waakzaam: ze controleerde of de telefoon het deed, vergewiste zich ervan dat haar pieper aanstond en pakte vast een weekendtas in. Ze zag het verbogen metaal en de verwrongen, bloederige lichamen voor zich. Ze had ergens gelezen dat er elke veertien minuten iemand bij een auto-ongeluk omkwam. De dreigende mogelijkheid van de dood had een kille rivaliteit in haar wakker geroepen, een onverzettelijke toewijding aan zichzelf die haar zei: jij moet leven, jouw leven komt op de eerste plaats.

Twee dagen voor Thanksgiving lag Janet op de bank onder een deken naar de weerzender te kijken – een gigantisch koufront trok over Nebraska en Iowa naar Illinois – toen ze genoeg kreeg van de kruimels waarmee het kleed was bezaaid. De volgende dag zouden de ouders van David komen en ook al waren ze van plan in een hotel te verblijven, Janet was vastbesloten dat de loft schoon moest zijn, aangezien iedereen de meeste tijd hier zou doorbrengen. Ze had David kunnen vragen om te stofzuigen, maar een paar minuten daarvoor had hij Carly betrapt toen ze een ongeoorloofd onderzoek van zijn toiletspullen uitvoerde en nu waren ze samen in de badkamer bezig scheerschuim uit haar haar te wassen. Bovendien was Janet het zat om zich hulpeloos en een belasting te voelen.

Ze ontwarde haar benen uit de deken en spande zich in om haar lichaam van de bank omhoog te krijgen. Hijgend liep ze naar de gangkast, haalde de stofzuiger eruit, rolde het snoer af en stak de stekker in het stopcontact naast het aquarium. Toen de motor met een gierend geluid aansloeg, stak David zijn hoofd met een bezorgde blik om de deur van de badkamer, maar ze wuifde hem weg.

Ze voelde zich sterk en bekwaam toen ze de korreltjes vuil in de stofzuiger zag verdwijnen. Een kiezelsteentje, dat in de zool van Carly's of Sams schoen de kamer in moest zijn gekomen, verzette zich hevig en knalde en ratelde tot het in het binnenste opgezogen was. Het handvat van de stofzuiger voelde glibberig aan. Janet draaide haar hand om en zag dat de palm glinsterde. Ze veegde hem af aan haar trainingsbroek en bedacht dat ze die zou verwisselen voor een korte broek als ze klaar was. Ze zoog onder de salontafel, met korte slagen ging ze over de vloer. Na maar een paar slagen hield ze op om uit te rusten en leunde op het handvat van de stofzuiger. Ze voelde zich duizelig en krachteloos. Haar hart ging tekeer. Ze hoestte hard, hoestte nog eens, in een poging om het ritme te herstellen. Ze riep om David, maar kwam er niet bovenuit, het geluid van de stofzuiger overstemde haar. Ze stak haar hand uit naar de aan-en-uitknop. De kamer kromp tot de omvang van een capsule. Een klap als van een kanonskogel tegen haar borst – de ICD die afging – bracht haar met een ruk tot bewustzijn, haar oren ploften en ze zag het angstige gezicht van David. Weer werd alles zwart en weer blies een kanon-schot haar oren door, sjorde haar omhoog en schudde haar wakker in het stuipachtige licht.

Twaalf

Een koufront dat over het Midwesten was getrokken had een centimeter of vijf aan sneeuw laten vallen. Bij het stuwmeer ten noorden van de stad waren de wandelpaden pokdalig van de voetafdrukken, maar verder lag over alles een zuiver wit dekbed waaruit grijszwarte bomen zich verhieven met een alle kanten op stekende wirwar van wit gemouwde takken.

Alex, Isabel en Bernice liepen dicht bij elkaar, ingepakt in jas, das en muts, sloom van het Thanksgivingdiner. Ze liepen hoog over een pad dat uitkeek over het stuwmeer, een immense oppervlakte van met sneeuw bestoven ijs. Geen jetski's, speedboten of waterskiërs zoals in de zomer. Een ijle stilte, slechts verbroken door het knerpen van hun laarzen in de sneeuw, hun puffende ademhaling en het tinkelen van Otto's penningen.

Alex pakte Isabels hand, maar de onhandige, huidloze greep van haar handschoen gaf hem geen bevrediging. Ze sloeg haar arm om zijn middel, liep een paar passen dicht tegen hem aan en legde haar hoofd even op zijn schouder. Verscheidene maanden, sinds september, hadden ze langs verschillende sporen gereisd, overdag – wanneer zij op de universiteit doceerde en werkte en hij serveerde – grotendeels zonder contact. Bovendien ging hij nu vaker dan Isabel lief was na sluitingstijd met zijn collega's uit. Ze hoorde hem uit wanneer hij naar bed kwam, maar hij was meestal te dronken om een gesprek te voeren. Dit verergerde haar boosheid. Het hielp ook niet dat hij naar bier en sigaretten stonk. 'Vind je het stoer om je lichaam vol gif te pompen?' verweet ze hem de volgende dag vanuit het laboratorium door de telefoon. 'Hoe stoer is het als je op je veertigste aan longkanker doodgaat?'

Na verscheidene ondervragingen en woordenwisselingen gaf hij toe dat hij ontevreden was. Niet met haar. Zelfs niet met zijn leven. Maar met zijn baan. Hij miste het veldwerk, de reddingsopgravingen, de hele dag buiten zijn, archeoloog zijn. Hij had genoeg van serveren, van het bedienen van studenten en professoren – mensen die gedijen in hun vak en geld verdienden door zich met hun interesses bezig te houden. Hij wist dat hij tot meer in staat was, maar niemand die in een positie verkeerde om hem aan te nemen scheen het daarmee eens te zijn.

Isabel, opgelucht dat zij het probleem niet was, leefde met hem mee, ook toen hij haar vertelde dat het in zijn verworpen toestand niet gemakkelijk was om getrouwd te zijn met een vrouw die in doceren, studeren, schrijven en onderzoeken zo'n grandioos succes was. Ze opperde dat hij misschien wat harder naar een baan moest zoeken. Alex liet zijn hoofd in zijn handen zakken en zei dat zij de frustratie van naar werk zoeken helemaal niet kende omdat ze er nooit mee te maken had gehad. 'Dat is niet waar', zei ze, en vervolgens om ruzie te vermijden: 'Het spijt me dat ik je niet meer heb gesteund. Jij steunt mij enorm.' Belast me, zei ze tegen hem. Belast me als het je afhoudt van drinken en roken en tot twee uur 's nachts wegblijven.

Dus was deze onderbreking met Thanksgiving, als een gift van de goden van de echtelijke harmonie, op precies het goede moment gekomen. In het restaurant was het rustig en Alex had een paar avonden vrij kunnen krijgen. Isabel en hij gingen naar een nieuwe animatiefilm die *The Incredibles* heette, en ze waren het erover eens dat hij ongelofelijk ingenieus en grappig was. Naderhand speelden ze pool in een van de cafés waar ze in hun begintijd vaak naartoe gingen. De volgende morgen sliepen ze uit, gingen wandelen met Otto, deden een middagdutje, waarna ze de achterstallige seks inhaalden. En dan nu dit, deze boswandeling na het Thanksgivingdiner. De sneeuw was prachtig. De bovenste takken van de bomen waren kalligrafisch gebogen als fragmenten van Chinese karakters. Otto dartelde door het bos achter eekhoorns aan en leefde zijn roofdierfantasieën uit.

'Denk je dat hij lol heeft?' vroeg Isabel naar Otto knikkend.

'Het is een wonder dat hij nog kan bewegen, zoveel kalkoen als hij op heeft.'

'Je moet mij niet aankijken', zei Bernice. 'Jij hebt hem ook gevoerd.'

'Je bediende hem', zei Alex. 'Je had net zo goed je bord op de grond kunnen zetten.'

Op weg naar huis stopten ze bij Vanguard Video. Het was er stervensdruk. Wat zouden de pelgrims hiervan hebben gevonden, overpeinsde Alex hardop, als ze hadden geweten dat op een dag in de verre toekomst miljoenen slaperige, vraatzuchtige Amerikanen de middag van Thanksgiving zouden doorbrengen met film kijken? 'Ze zouden jaloers zijn geweest', zei Isabel. Gedrieën slenterden ze door het doolhof van gangpaden. Drama konden ze wel aan, als het niet te serieus was. 'Dood, ziekte en oorlog wil ik allemaal liever vermijden', zei Bernice. Komedie was goed, als het maar niet te melig was om aan te zien. Horror was uitgesloten. Buitenlands was ook uitgesloten, ze waren al slaperig genoeg. Ze hadden iets nodig dat hen wakker hield. Alex stelde actie voor. 'Zolang er niet allemaal geweld en bloedvergieten in zit', zei Bernice.

'In welke actiefilm zit nou niet allemaal geweld en bloedvergieten?' vroeg Alex.

'In het soort dat ik wil zien', zei Bernice.

'Nou, veel succes.'

Isabel zei: 'Hou op met dat geleuter en ga zoeken.'

Een prima idee, in principe. Ze gingen uit elkaar. Isabel en Alex kwamen elkaar weer tegen bij de nieuwe films en glipten een omhelzing in. Vlakbij stond een jongetje van een jaar of drie, vier in zijn eentje de hoes te bekijken van *Playboy 2004: The Party Continues,* waarop een plaatje stond van een groep schaars geklede blondines die zich om Hugh Hefner had verzameld. Het jongetje had een donsjack aan, en op zijn hoofd een muts met een pompon erop.

'Goeie keus', fluisterde Alex tegen Isabel.

Isabel moest lachen en was tegelijk ontzet. 'Waar is zijn moeder?'

Alex en Isabel zochten Bernice op en uiteindelijk kozen ze *The Last of the Mohicans.* '"Avontuur. Hartstocht. Een woest grensgebied geteisterd door oorlog."' Bernice las de beschrijving van de intrige voor. 'Nou ja, ik neem aan dat ik wel afstand kan doen van mijn geen-oorlog-regel.'

Terwijl ze in de lange rij voor de toonbank stonden, keken ze naar *Roman Holiday* op het tv-toestel boven hun hoofd. Isabel zei tegen Alex dat Gregory Peck en Audrey Hepburn het volgens haar niet half zo leuk hadden als zij en Alex het tijdens hun reis naar Venetië eerder dat jaar hadden gehad. Een vriend van Bernice uit het kostuumatelier – Ralph, een tengere man in een zwarte spijkerbroek met een soort zilveren glans op de dijen – schoof langs hen op weg naar het binnenste van de winkel. 'Die vinden jullie vast goed', zei Ralph en hij keek naar de videoband in Isabels hand. 'Daniel Day-Lewis is een stuk. In de eerste vijf minuten trekt hij zijn hemd al uit. Je zult hem fantastisch vinden.'

'Dat vind ik nou al', zei Isabel.

'Het laatste stuk van de Mohicanen', zei Alex.

Het was het eerste begin van de winter, en de zomertijd was nog maar zo recent omgezet dat het vroege donker Alex van zijn stuk bracht toen ze de winkel uit kwamen en hij vluchtig de indruk kreeg dat er een nucleaire aanval of komeetinslag had plaatsgevonden. Maar het was slechts de mens die rommelde met de klok. De rekening voor de lange zomeravonden werd gepresenteerd. Misschien was het daarom zo prettig de koperglans in de ramen beneden te zien toen ze voor het huis van Bernice stopten. Ze waren vergeten het licht uit te doen. Toen ze de deur door liepen voelde Alex zich verwarmd en welkom geheten door de verlichte kamers en de geuren van het eten en de kaarsen die waren blijven hangen, alsof ze gasten waren die bij eerdere versies van henzelf op bezoek kwamen. In de keuken liet Alex een bak vol water lopen voor Otto, die de hele middag sneeuw had gegeten. Bernice maakte koffie. Isabel zette M&M's en chocoladekoekjes op de salontafel en stopte *The Last of the Mohicans* in de videorecorder. 'Het begint!' riep ze en ze deed de lichten uit.

Hawkeye – Daniel Day-Lewis – sprintte door de dichte, sombere wouden van koloniaal Amerika, gekleed in golvend hertenleer, zijn musket zo lang als een speer. Hij werd vergezeld door twee mannen, zijn adoptievader en zijn broer. Ze doodden een hert. Ze aten samen met een familie van blanke kolonisten. Er werd gesproken over oorlog. De kamer waarin ze zaten te eten was krap en gezellig, verlicht door het vuur dat was aangestoken tegen de gevaren van het wilde Westen, en Alex was zich bewust van zijn eigen knusse omgeving: de woonkamer van Bernice, nu blauwgroen flikkerend door het schijnsel van de televisie. Bernice zat naast Isabel op de bank, met haar benen op de salontafel van drijfhout, en naaide twee losse knopen aan een blouse van Isabel. Alex zat op de grond voor Isabel met zijn rug tegen de bank en zijn hoofd op een kussen tussen haar benen, die ze onder zijn armen had uitgestrekt, zodat haar kousenvoeten op zijn schoot lagen. Hij masseerde ze, en telkens wanneer hij ermee ophield spoorde ze hem met zacht gepor van haar tenen en hielen aan om door te gaan.

Otto was op zijn zij neergestort als een dood paard, zijn poten waren uitgestrekt en alleen de rechter voorpoot trok krampachtig.

De film die zo simpel was begonnen, met drie mannen die door een woud renden, werd gecompliceerder met nieuwe personages, oorlog, verschillende partijen, intriges en verraad. Isabel ging met haar hand door Alex' haar. Hij draaide zijn hoofd opzij, liet het achterover leunen tegen de bank en sloot zijn ogen. Een paar keer werd hij wakker van luide stemmen en geweerschoten, maar telkens dommelde hij weer in. Ten slotte wekte Isabel hem en zag hij de aftiteling op het donkere scherm langskomen. Hij wilde dat de film nog niet afgelopen was, ook al had hij niet gekeken. Hij had genoten van zijn dutje. Hij had genoten van de rust, het gevoel van veiligheid en thuis zijn, genesteld in het holachtige duister met zijn vrouw, zijn schoonmoeder en zijn hond.

Later, maanden later, toen Alex terugdacht aan *The Last of the Mohicans*, herinnerde hij zich uitsluitend de eerste scène, toen de drie Mohikanen het hert doodden. Hij herinnerde zich het gezicht van Daniel Day-Lewis nadat die de enorme bok had geveld: ernstig, plechtig, zonder een greintje opgetogenheid. De drie mannen liepen langzaam op het karkas af, met ontzag, schroom en ongemak, als drie jongens die in hun onbesuisdheid een profane daad hadden begaan waarvoor ze streng gestraft konden worden. De oudste man sprak tegen het dier, verontschuldigde zich. 'Het spijt ons dat we je hebben gedood, broeder. We eren je moed en snelheid, je kracht.' De mannen knielden voor het dier en bewonderden het. Hoewel het niet op het scherm werd getoond, kon Alex zich voorstellen dat ze de huid van het dier met hun handen verkenden, op de sterke lendenspieren drukten.

Een van de mannen snoof de dierlijke geur op.

Dertien

Ze werd wakker terwijl ze in de lucht beet, er ruwe brokken van afscheurde en die tussen haar tanden vermaalde. Als er een makkelijker manier was om het spul binnen te krijgen, dan was ze die vergeten. Een man zei tegen haar dat ze zich moest ontspannen. Hij was van top tot teen in het groen gekleed. Hij vertelde haar over het krankzinnige idee dat als ze zich ontspande, de lucht vanzelf haar mond in zou gaan. Waar was David? Ze besloot op te staan. De zwaartekracht had handen. De groene man zei *neeeeeeeeee* met een stem die de stemmen van andere mensen scheen te bevatten.

De tweede keer werd ze geleidelijk aan wakker. Ze steeg op door een onderwereld van geluiden, stemmen en aanrakingen naar een onrustige maar betrouwbare helderheid. Ze lag op een hoog, breed bed vastgebonden door een verknoopt matwerk van slangen en draden. Medicijnen drupten door infusen in allebei haar armen. Een katheter in haar rechterarm leverde bloed als een kraan. Verpleegkundigen tapten spuiten vol en liepen weg met ritselende papieren. Een stijve, doorzichtige slang stak uit een snee onder haar linkerborst. Een verpleegkundige verklaarde dat die diende om vloeistof uit haar longen te halen.

Op een bepaald moment strompelde David in beeld. Een golf van paniek bracht hem rechtstreeks naar haar bed, hij streelde haar hoofd, hield haar hand vast en fluisterde: 'Het komt wel goed', steeds opnieuw in haar oor. Janet kreeg de indruk dat hij zich nu pas realiseerde hoe ziek ze eigenlijk was. Het was een bewijs voor de ernst van haar ziekte dat ze hier was terechtgekomen, waar de verpleegkundigen in en uit renden, waar dringende stemmen in de gang klonken, waar de lucht vibreerde door het pingen van alarmsignalen en het rinkelen van telefoons. Zijn onbehagen was tastbaar. Hij kreeg er algauw spijt van dat hij zo op haar bed was afgestormd en nam afstand, alsof een van Janets slangetjes of snoeren als een tentakel zou kunnen uithalen om hem te wurgen. Hij gaf er de voorkeur aan zich af te zonderen midden in de kamer, waar hij bonkig en verstijfd bleef staan als een soort sputterende vulkanische berg, terwijl de bezorgdheid boven uit zijn hoofd dampte.

Hoe kon Janet hem uitleggen dat hij zich niet ongerust hoefde te maken, dat ze zich hier op haar gemak voelde? Ze had geboft dat ze nog leefde, dat ze patiënt was in dit kolossale medisch centrum, verzorgd door beroepskrachten, terwijl haar afgetobde lichaam werd gered door medicijnen en apparaten. Al enige tijd had ze het gevoel gehad dat de last van haar ziekte te zwaar was geworden om alleen te dragen, maar ze had zich niet gerealiseerd hoe klaar ze ervoor was geweest zichzelf uit handen te geven. Lenka Maslowcya, die sinds Janets opname voortdurend aanwezig was geweest, legde haar uit dat ze verscheidene aanvallen van ventriculaire tachycardie, een te snelle hartwerking, te verduren had gekregen, wat verslechterd was tot ventriculaire fibrillatie en acute hartstilstand. Ze zou in het Parkland-Wilburn moeten blijven tot ze een nieuw hart kreeg. Het goede nieuws was dat Janet van status 2 naar status 1 was gegaan op de kandidatenlijst voor transplantatie, wat inhield dat ze topprioriteit had: als er een hart beschikbaar kwam, zou ze als een van de eersten in aanmerking komen.

Vijf dagen lag Janet op de hartbewaking, waar ze zich koesterde in een genarcotiseerde vergetelheid. Ze wilde dat er weer in kon wegzakken toen Carly en Sam op bezoek mochten komen. Ze was dolblij hen te zien, maar ze waren angstiger en verwarder dan ze ooit waren geweest en de vrouw die hen anders in haar armen had genomen en hen dicht tegen zich aan had gehouden, was niet alleen belemmerd in haar bewegingen en versuft door de medicijnen, maar ook verantwoordelijk voor hun angst. David was te nerveus en gedesoriënteerd om hun veel steun te kunnen bieden. Integendeel, zonder dat het zijn bedoeling was reageerde hij zijn frustratie af op de kinderen, vooral op Sam, door tegen hem te snauwen dat hij bij het bed weg en met zijn vingers van de pomp af moest blijven. *Hoe vaak heb ik je niet gezegd dat je niet aan die knopjes mag komen? Hou je rustig.* David scheen niet in de gaten te hebben dat Sam simpelweg naar het geperforeerde lichaam van zijn moeder stond te staren en tot bloedens toe aan zijn lip pulkte.

Janet dankte God voor haar moeder. Nooit eerder had Janet zoveel waardering gehad voor de stevige, stoere vrouw die rondstapte op dikke enkels, haar zakken vol plattegronden van het ziekenhuis en de stad, die Carly en Sam troostte, hen door de dagen loodste, eten voor ze kookte, Sam naar school bracht, op Carly paste terwijl David aan het werk was en voor haar kleinkinderen een sfeer van normaliteit trachtte te scheppen, een gevoel dat al die enge dingen die met hun moeder gebeurden gauw voorbij zouden zijn.

Janet verhuisde van de hartbewaking naar Medische Cardiologie ernaast, waar ze zich moest installeren voor de lange wachttijd. Er waren negen andere patiënten met status 1 op de afdeling, allemaal in de eindfase van een hartkwaal, allemaal wachtend op een nieuw hart. Janets kamergenote was Nora Lomanto, een maatschappelijk werkster van achtenvijftig. Nora was klein en stevig gebouwd en zag eruit als een door de strijd geharde Romeinse centurion in haar donzige, rode badjas, terwijl ze de infuusstandaard vasthield alsof het een lans was. Haar buik was opgezwollen, haar armen zaten vol blauwe plekken, en ze bewoog zich over het vlakke, met vaste vloerbedekking beklede terrein met een beverige onzekerheid. Maar ze was een vastberaden wandelaar en ze nam het op zich om Janet de 'route' te wijzen toen die zich goed genoeg voelde voor lichaamsbeweging. Ze verlieten de afdeling Medische Cardiologie, hun onhandige, volledig gevulde infuusstandaard (Nora noemde ze kerstbomen) voor zich uit duwend en sloegen rechts af de hoofdgang van het Parkland-Wilburn in. Nora wees op de zwarte stompjes die om de drie meter uit het plafond staken en legde uit dat deze antennes signalen overbrachten van hun telemetrieboxen naar de rij monitors in de hoofdverpleegkundigenpost op de afdeling. Ze zaten aan een elektronische leiband. Ze keerden terug naar Medische Cardiologie, waar de muren gebroken wit waren en de vloerbedekking donkerblauwe pied-de-poule. Ze bleven staan om schemerige deuropeningen in te gluren, waar Nora Janet voorstelde aan hoofden die op bergen kussens heen en weer rolden en over een linoleumvlakte heen naar hen tuurden. In andere kamers troffen ze mensen die op de been waren en met hen mee wilden lopen. Sherman was een kleine, pezige man van halverwege de zestig met bloedgroep B. Zijn grijze haar was gemillimeterd tot een gladde vacht en hij had een hard, benig gezicht, het leek op iets wat je op de steel van een bijl zou kunnen steken om stenen mee kapot te slaan. Jim was ergens achter in de veertig, kaal, met een puntbaardje, hij ging gekleed in een rood basketbalshort dat tot op zijn knieën hing en een wit T-shirt dat niet helemaal over zijn volleybalronde buik reikte. Zijn benen waren melkwitte staken, maar zijn armen en schouders waren fors en hij bleek het grootste deel van zijn leven de boorinstallaties op olieplatforms in de Beringzee en de Golf van Mexico te hebben gerepareerd. Brad was een lange, potige vierentwintigjarige wiens footballcarrière op de universiteit was afgebroken door idiopathische myocardiopathie. 'Nou ben ik aanvoerder van mijn eigen kerk', vertelde hij Janet. 'Als je mee wilt doen, we getuigen elke vrijdagavond in de vergaderzaal. We zijn al met veertien gelovigen.' Phil, een stevige Afro-Amerikaan, was gekleed in een donkerblauwe badjas, een witte ziekenhuisbroek en duur ogende bruinleren pantoffels aan zijn voeten. Hij herinnerde Janet eraan dat ze elkaar een jaar eerder waren tegengekomen, tijdens haar transplantatie-evaluatie. 'Ik was die somber kijkende vent die uit de spreekkamer van Ballows kwam net toen jij er naar binnen ging.'

Ze vormden een bijzonder spektakel toen ze met de hele meute hun trainingsronde gingen maken, schuifelend door Medische Cardiologie in badjas en ziekenhuishemd, lucht inzuigend, strak voor zich uit kijkend, vastberaden, hoopvol. Als atleten die trainden voor een zwaar individueel nummer respecteerden en zorgden ze voor elkaar, terwijl ze stiekem de wetenschap koesterden dat als iemand de eindstreep niet haalde dit, hoe verschrikkelijk het ook was, betekende dat het speelveld in hun voordeel versmald zou worden.

Op een avond zaten de status-1 patiënten na het eten bij elkaar in het gezellige zitje bij lift H, voor een hoog raam dat uitkeek op het ravijn tussen twee paviljoens van elf verdiepingen. Het was stil, afgezien van het gedempte belletje van de lift en het geruis van de buispost die zo nu en dan door het plafond boven hen langs kwam. In de verte konden ze in het oosten de wolkenkrabbers, de grote donkere torens bespikkeld met licht, uit de grijzige laagbouw omhoog zien rijzen. Vanavond werden de lichten versluierd door de waaiende sneeuw. De status 1-patiënten waren opgewonden en waakzaam. Ze bespraken orgaandonoren. In het bijzonder hoe weinig mensen daadwerkelijk een donorcodicil tekenden. Volgens Jim waren er per jaar maar vijf- of zesduizend donaties na overlijden, en dat was dan gespreid over de hele Verenigde Staten. 'Er mogen dan honderden auto-ongelukken gebeuren met honderden doden, maar de kans dat een van die slachtoffers een donor is, is gering.'

'Wat we nodig hebben', zei Sherman en hij zette zijn knokige witte elleboog op de stuurring van zijn kerstboom, 'is een vrachtwagen met aanhanger die van een viaduct af dendert en een stel auto's plet – laten we zeggen vijf auto's vol O-negatieven, die allemaal snel en pijnloos het hoekje om gaan.'

'Maar we willen geen kinderen in de auto's, oké?' zei Janet, die dacht aan Carly, Sam en David, die nu op weg naar haar toe waren.

'O nee, absoluut geen kinderen', zei Jim. 'Alleen volwassenen. Gezonde, jonge volwassenen, die hun codicil hebben getekend en het leven sowieso niks vinden, die hebben besloten dat het klote is en dat ze er een eind aan willen maken.'

Nora's man, Walt, die zo mager was als een riet en gekleed ging in een bruine corduroy broek met een rode, geruite trui, had het gesprek met een soort ontstelde verbazing gevolgd. Maar nu leek zijn belangstelling gewekt. 'Ik ben bang dat die vrachtwagen van jou niet groot genoeg is, Sherm. Jullie hebben een vliegtuigongeluk nodig op de I-294 bij O'Hare. Dan pak je meteen acht of negen auto's tegelijk. Misschien meer. Je kunt er niet van uitgaan dat er een donor in elke auto zit, weet je.'

'Laten we niet met vliegtuigen beginnen', zei Phil.

'Wat vinden jullie van twee boten?' opperde Nora. 'Een paar passagierslijnboten?'

Sherman trok verlekkerd een wenkbrauw op. 'Flink wat slachtoffers.'

'Moeilijk om ze terug te vinden', zei Jim. 'Hoe ga je ze allemaal opvissen?'

'En als er nou eens een meteoor op de Super Bowl valt?' zei Nora.

Er klonk weer een lachsalvo en toen veranderde Phil, in wat voor Janets gevoel een toenaderingspoging tot Brad was, het onderwerp in football: zouden de Patriots de Super Bowl winnen? Tijdens de erop volgende discussie ging Janet het gesprek na dat ze zojuist hadden gehad en ze probeerde uit te maken wat voor soort gesprek het was geweest. Waren ze barbaars? Waren ze hebzuchtige, aasetende gieren? Het was niet louter barbaarsheid, besloot ze. Het was een praktische morbiditeit, een poging greep te krijgen op gruwelijke, tragische gebeurtenissen – auto-ongelukken, beroertes, schietpartijen vanuit rijdende auto's – die zij en haar status 1-medepatiënten nu gedwongen waren te accepteren als hun enige hoop op overleving. De zwarte humor plaveide de afdaling naar de grimmige marktplaats en diende ook als een stabiliserend fixeermiddel waarmee ze hun wanhoop, hopeloosheid en angst konden mengen. Anders zouden die emoties opborrelen tot vertwijfeling en tranen. En Janet voelde dat er een onuitgesproken regel tegen tranen bestond, tegen ieder vertoon van emotie dat de troepen kon demoraliseren.

Janet en David hadden een manier gevonden om te converseren zonder uitwisseling van verontrustende informatie. Wanneer David, 's avonds na het werk, naar het ziekenhuis kwam, vroeg hij haar voor de vorm: 'Hoe gaat het? Hoe voel je je? Is er iets belangrijks gebeurd vandaag?', maar met een vermoeidheid in zijn stem die haar liet weten dat hij een ingewikkeld antwoord niet aankon, dat hij dankbaar zou zijn voor een korte, optimistische verzekering van haar welzijn. Dus zei Janet dat het prima ging, dat ze zich goed voelde en dat er niets 'belangrijks' was gebeurd. Ze deed haar best het verontrustende of onheilspellende nieuws te verzwijgen, ook al was het moeilijk haar angst te verbloemen. De positieve kant ervan was dat ze zichzelf de belasting bespaarde David van slag te zien.

Verscheidene keren probeerde ze uit de quarantaine te breken en David eerlijk te vertellen hoe ze zich voelde, hem te laten weten hoe bang en gefrustreerd ze was, maar telkens wanneer hij onaangename onthullingen aan de horizon voelde opdoemen, verzette hij zich of klapte dicht. Hij benadrukte dat hij moe was. Hij zei met klem dat hij dorst had. Hij hield vol dat hij naar de wc moest. 'Ogenblikje,' zei hij dan, 'ik ben zo terug.' En dan ging hij de gang op naar waar de automaten stonden of naar het toilet. Wanneer hij terugkwam sneed hij een ander onderwerp aan, alsof waar hij was geweest of wat hij had gedaan toevallig net geheugenverlies had veroorzaakt. Janet vermoedde dat de reden voor zijn weerstand niet vermoeidheid, dorst of een voortdurend volle blaas was. Ze vermoedde angst. Zijn ogen hadden een kille, onwillige blik gekregen wanneer hij haar aankeek, alsof ze hem had verraden. Alsof ze gevaarlijk was. Het besef dat ze inderdaad gevaarlijk was en een bedreiging voor zijn rust, geluk en welzijn was zorgelijk. 'Kom hier', zei ze dan. 'Hou mijn hand vast. Ik bijt niet.' Het was moeilijk hem te verlokken dichtbij te komen. Hij deinsde terug alsof ze een dakloze vrouw op straat was en mogelijk besmettelijk. Wanneer ze hem wist over te halen was hij onhandig, verlamd, vreemd hulpeloos in het geven en ontvangen van troost, als een middelbareschooljongen die voor het eerst met een bloot meisje wordt geconfronteerd. Hij wist niet wat hij met zijn handen aan moest, welk deel van haar hij kon aanraken of hoe. 'Dat is gemakkelijk', zei ze en ze liet haar hoofd heen en weer rollen. 'Hier. Kun je mijn nek krabben?' Het hielp om hem iets te doen te geven. Hij richtte zich op de taak en ontspande zich. Dan herkende hij haar. Maar een echt intiem gesprek, als ze daar al op uitkwamen, was moeilijk vol te houden in een omgeving waar voortdurend een verpleeghulp tussen de gordijnen door glipte om Janets hartslag of bloeddruk op te meten, of een verpleegkundige een van haar infusen kwam vervangen, of een oprukkende groep artsen, specialisten in opleiding en medisch studenten haar bed omsingelde en een seminar van haar maakte, of waar dezelfde mensen naar de andere kant van het gordijn stommelden om Nora te bewerken. Later op de avond werd het meestal rustig op de afdeling, maar tegen die tijd waren David en Janet zo moe dat elk gesprek onsamenhangend en bits werd. Het was beter om te zwijgen, uit elkaar te gaan en op te laden voor de lange dag van morgen.

Als ze nu maar bij elkaar konden slapen. Janet had zich nooit gerealiseerd hoe belangrijk dat was. Hun slaapkamer, hun bed, dat warme nest van linnengoed waarin ze samen konden liggen onder zacht licht, ontwapend, waar ze zonder afleiding of storing konden praten of niet praten, die plek waar alle verklaringen, verontschuldigingen en verzekeringen konden worden samengebald in een blik, een aanraking, een hand op huid. Er waren nachten dat David wel bij Janet sliep in het ziekenhuis, op een stretcher tussen haar bed en het raam in. Janets moeder, die nu min of meer permanent in de flat was ingetrokken, paste op de kinderen. De sfeer in Janets kamer was nauwelijks romantisch te noemen. Het rook er naar ontsmettingsmiddelen en zweet. De muren schudden wanneer er een traumahelikopter landde op het dak zes verdiepingen boven hen. Nora hoestte slijm op in haar slaap. Janet was er ongevoelig voor geworden en ze sliep vrij goed, maar David had moeite met in slaap komen en het grootste deel van de nacht bleef hij wakker en zat hij te lezen bij gedempt licht of keek tv met een koptelefoon op. Wanneer Janet wakker werd, zat hij breeduit in een van de grote, gestoffeerde schommelstoelen met holle ogen te knipperen, een piepschuimen beker koffie balancerend op zijn knie. Merkwaardig genoeg was hij op dit uur op zijn best. 'Morgen, schatje', zei hij opgewekt. 'Je hebt gisteravond een paar fantastische reclame-uitzendingen gemist. Er wordt geweldige vooruitgang geboekt in de wereld van de buikspierversteviging. Als je iets over de laatste technologie wilt weten, moet je bij mij zijn.'

Later zou hij doodop zijn en humeuriger dan wanneer hij thuis had geslapen, maar in het stille begin van de dag leek hij blij haar te zien, verheugd dat hij haar voor zichzelf had in de rustige, afgezonderde ruimte die met gordijnen was afgeschermd van de verpleegkundigen, artsen, kinderen en schoonfamilie die hen de komende dag zouden overstromen. Zelfs Janets ziekte leek op dit vroege uur afwezig – ver weg en onoplettend – en ze speelden achter diens rug, kletsten, maakten grapjes, zapten langs de tv-zenders, staken de draak met de wondermatras, de evangelist met de wasachtige teint en de kwieke ontbijtshowpresentatoren die slijmden met hun beroemde gasten.

's Avonds laat kwam het wel voor dat Janet diep in haar geweten doordrong en vragen stelde bij wat ze aan het doen was, waar ze aan begonnen was. Was het juist om samen te spannen met al die artsen, verpleegkundigen en allerhande specialisten, die vastbesloten waren haar te ontstelen aan een dood die haar natuurlijk, hoewel vroegtijdig, was toegewezen door dezelfde overkoepelende ecologie die verantwoordelijk was voor haar geboorte, ontwikkeling en alle genoegens die ze tijdens haar leven had gesmaakt? Het zou één ding zijn geweest als ze vocht tegen tuberculose of geelzucht, waar slechts medicijnen voor nodig waren. Maar er was de dood voor nodig van een lid van haar eigen soort. Ze wilde zich dapper voelen en gerechtvaardigd in het trotseren van haar eigen sterven, maar soms voelde ze zich een vrijpostige, met de vijand heulende lafaard. Ze had een terugkerend visioen van zichzelf als een hebzuchtig kreng dat konkelde om een medepassagier van het reddingsvlot te duwen, alleen om zijn of haar fles drinkwater te bemachtigen. Zou het niet nobeler zijn om stilletjes over de rand te glippen?

Kom nou, Janet. Die houding kunnen we niet hebben. We zijn dok-
ters. De dokter in Janets hoofd sprak met het onverwoestbare optimisme van de verteller in een propagandafilm uit de Koude Oorlog.
Dit is Haïti of Oeganda niet. Dit zijn de Verenigde Staten van Ame-
rika, het land van de dapperen. Amerikaanse vindingrijkheid en on-
dernemingslust hebben dit woeste, ongetemde land gekoloniseerd, de
legers van Hitler verslagen, een man op de maan gezet. Nu gaan we
met diezelfde Amerikaanse vindingrijkheid en ondernemingslust een
nieuw hart in jouw borst plaatsen. Wacht maar eens af!

Maar Janet was trots en voelde een even Amerikaanse impuls om
geen aalmoezen aan te nemen. Ze voelde zich schuldig bij al die aandacht voor haar ziekte, terwijl er op de wereld zoveel mensen, waaronder tienduizenden kinderen, zonder enige aandacht dagelijks aan
gewone, geneesbare ziektes stierven. En wat zou er gebeuren wanneer met Amerikaanse vindingrijkheid en ondernemingslust op een
dag echt alles te bereiken was, wanneer chirurgen de intelligentie
konden vergroten door microchips te implanteren of het veroude-
ringsproces konden vertragen met stamcelinfusies? Zou Janet daar
dan voor in de rij gaan staan?

Rond april was de toestand van de status 1-patiënten als volgt: Sherman had een zware aanval van angina gekregen, en er waren drie
nitroglycerinetabletten en lidocaïne voor nodig om die te onderdrukken, wat zo pijnlijk was geweest, zelfs met morfine, dat hij had
gehuild. Jim was tijdelijk ongeschikt verklaard voor een transplantatie. Alle bloedtransfusies die hij had gekregen tijdens zijn voor-
gaande operaties – een driedubbele bypass, de plaatsing van een
steunhart, een hersteloperatie van het borstbeen – hadden zijn bloed
overbelast met antistoffen, en volgens dokter Maslowcya zou hij elk
hart dat hij kreeg meteen afstoten. Ze was plasmaferese bij hem begonnen om zijn bloed te zuiveren, maar in de tussentijd zou hij niet
in aanmerking komen voor een transplantatie. Phil had hartkloppingen gehad die zo intens waren dat hij bewusteloos raakte. Brad
werd opgeroepen en was naar de operatiezaal vertrokken om een
hart te ontvangen dat naar Sherman was gegaan als het kleiner was

geweest. Een paar dagen later keerde hij als een beroemdheid terug naar Medische Cardiologie, hij maakte schop- en dansbewegingen met zijn voeten en herontdekte de meest triviale vermogens van zijn lichaam. Zijn lach toen hij het operatiemasker omhoog schoof leek wel door champagne bewerkstelligd. Hij droeg zijn roze huid als een duur, nieuw kostuum.

Nora was overleden. Op een middag was Janet gaan wandelen met Brad, die ze benijdde om zijn hervonden gezondheid. Toen ze terugkwamen stond haar kamer vol verpleegkundigen en artsen. Janet kon haar kamergenote niet zien door de haag van groene operatiejassen die met hun rug naar haar toe gekeerd waren. De cardioloog van dienst die aan het voeteneinde van het bed stond met zijn blik op de monitor boven Nora's hoofd gericht, gaf instructies op rustige, doelbewuste toon. Verpleegkundigen rommelden met infuuspompen en -zakken en scheurden steriele pakjes met klinisch wapentuig open. Een vuist had een enorme spuit vast, de muis van de andere hand duwde hard op de zuiger. Twee verpleegkundigen hadden zich zo diep gebukt dat hun neus bijna Nora's blote rechtervoet raakte, drie handen in latex handschoenen hielden de voet vast terwijl een vierde een naald op de huid richtte. Carla Dickerson, een van de kleinste verpleegkundigen op de afdeling, leek abnormaal lang, zo besefte Janet, omdat ze op het andere uiteinde van de matras voorovergebogen over Nora's lichaam geknield zat en haar hartmassage gaf.

Toen was het voorbij. De stemmen vielen stil als neergeschoten vogels. Verpleegkundigen kwamen geschokt de kamer uit, wisten zich het zweet van het voorhoofd, maakten een losgeraakte streng haar vast in een paardenstaart, stopten de zoom van een operatiehemd in, maakten een bril schoon, hun gezicht slap en bewust uitdrukkingsloos, alsof ze wilde zeggen: dit is wat er gebeurt, ik laat me er niet door terneerdrukken. Naast elkaar wasten ze hun handen bij de wasbak. Ze omarmden elkaar en huilden. Janet voelde zich koud van ongeloof. Ze wist heel goed wat er zojuist had plaatsgevonden in die kamer, maar kon het niet accepteren of voelen: haar limbische systeem had een firewall opgetrokken. Ze keek hoe de verpleeghulp de crash cart Nora's kamer – háár kamer – uit duwde, recht op haar af. Het plateau met eerstehulpmedicijnen, boven op de crash cart, dat normaal keurig ingepakt was in blauw plastic, was opengescheurd en ontwijd. Een defibrillatorpeddel hing los aan het verslagen apparaat. De lades van de kar stonden open, het anders smetteloze oppervlak was bezaaid met lege, gele doosjes epinefrine, plastic verpakkingen voor injectiespuiten, stukken ECG-tape, een platgedrukt pakje defibrillatorgelei.

Toen Janet met Brad was gaan wandelen, twintig minuten geleden, had Nora overeind gezeten in bed, tapiocapudding etend terwijl ze naar *The Young and the Restless* keek. Nu lag ze roerloos, haar lichaam onder een wit laken gestopt, haar gezicht grauw, haar oogleden en lippen paars getint.

Een paar dagen later was Janet 's ochtends in de gymzaal oefeningen aan het doen met een halter van anderhalve kilo toen ze zich een verdachte krachteloosheid in haar bovenlichaam gewaarwerd, vergelijkbaar met de hartkloppingen die ze voor Kerstmis had gehad. Wijs geworden legde ze de halter neer en liet een verpleegkundige die bij haar in de buurt stond weten dat ze duizelig was. Binnen een paar minuten lag ze op bed, omringd door artsen die ongerust en geërgerd keken. De stethoscopen werden getrokken en allemaal wilden ze luisteren. Janets verpleegkundige diende haar een dosis amiodarone toe. Een verpleeghulp duwde de crash cart de deuropening in. Janet kreeg het warm, ze voelde zich licht in het hoofd en bang. Was dit het? Zou ze net als Nora plotseling overlijden? Toen kwam er ineens een doorbraak; haar hart dook terug naar een normaal ritme, de-doem, de-doem. Het was alsof er om haar heen een ballon leegliep, de ene zucht na de andere werd geslaakt. Iemand maakte een grapje over gewichtheffen, dat het helemaal niet goed voor de gezondheid was. Janets verpleegkundige raapte een bundel ECG-papier op van de vloer, gaf het ene uiteinde aan de cardioloog en ze strekten het als een banier uit boven Janets bed: twee meter zwart gekrabbel, de lijn steeg en daalde bijna verticaal.

'Dat zijn heel wat hartkloppingen', zei de verpleegkundige verbaasd.

Janet was ontsteld. 'Te veel?'

De cardioloog legde zijn hand op haar schouder. 'Als je het maar niet nog eens doet.'

Veertien

Bijna vijfhonderd kilometer naar het westen wandelde Alex met kordate passen het centrum van Athens in. Otto trok aan de riem. Het was donderdagmiddag half vijf. Alex' plan was Isabel tegemoet te lopen terwijl zij na het lesgeven onderweg naar huis was, de hond aan haar over te geven en vervolgens naar zijn werk in het restaurant te gaan. Isabel zou naar huis lopen met Otto en dan gaan fietsen.

Alex voelde zich optimistisch, bereid de onderworpenheid te verduren van het tafeldienen. Die morgen was hij voor zonsopgang opgestaan en in vier uur naar Omaha, Nebraska gereden voor een sollicitatiegesprek bij een bedrijf dat Enduring Ecosystems heette. Enduring Ecosystems had een contract om de constructie van twee netwerken van wegen door de indianenreservaten Rosebud en Yankton in Zuid-Dakota te beheren. Ze zochten een hoofdonderzoeker voor het project, een archeoloog met ervaring in reddingsarcheologie en cultureelerfgoedmanagement. Alex' kwalificaties waren nagenoeg perfect. Het gesprek verliep goed. Alex mocht de mensen die hem ondervroegen en hij was er vrijwel zeker van dat ze hem ook mochten. Als hij de baan kreeg, zou dat veel reistijd betekenen, maar hij zou niet hoeven verhuizen. Het salaris en de randvoorwaarden zouden prettig zijn. Er was hem beloofd dat hij de volgende week de beslissing zou horen. Alex was opgewonden. Het voelde fantastisch om weer hoop te hebben, hoe gevaarlijk dat ook was. Hij popelde om zijn opwinding met Isabel te delen. Zijn liefde voor haar was intens, het gevoel zwol aan met zijn plotse hoop, zijn geloof in de mogelijkheden van het leven.

De winkelpromenade, maar twee straten lang en een halve straat breed, streefde met zijn façade van rode baksteen, houten banken, bomen en bloembedden op nederige wijze naar de allure van een grote publieke ruimte. Mensen zaten met hun arm over de rugleuning van de bank gehaakt te praten en te lachen. Alex ontwaarde Isabel gezeten op een bank bij een hoge stenen sculptuur, bezet met doorzichtig groen glas. Ze zwaaide en lachte. Ze droeg een donkere spijkerbroek en een zwart, nauwsluitend overhemd met een buttondown kraag en brede, vierkante manchetten – Franse manchetten, noemde Bernice die. Isabels haar was samengebonden in een paardenstaart. Alex voelde een steek van jaloezie jegens haar studenten, de gelukkige studenten met biologie als hoofdvak, die zich hadden ingeschreven voor 'overzicht van landplanten' en die haar dagelijks vijftig minuten lang konden aanstaren.

'Hé, hallo', zei ze en ze hief haar gezicht voor Alex' kus.

Otto wilde bij haar op schoot klimmen, maar ze hield hem tegen en aaide zijn kop.

Alex schoof haar bruinleren tas, die zwaar was door boeken en paperassen, uit de weg en ging zitten. 'Hoe gaat het?'

'Prima. Moe. Vertel eens.'

Eerder hadden ze het telefonisch kort over Alex' sollicitatiegesprek gehad. Nu vertelde Alex het hele verhaal aan Isabel, hij beschreef het kantoor van Enduring Ecosystems, dat op een oude, opgeknapte zolderverdieping in de vleesverwerkende wijk van Omaha was gevestigd, en de mensen, die op hem een drukke maar ontspannen indruk hadden gemaakt. De sollicitatie was informeel en inspirerend geweest, een levendig gesprek waarin Alex het voor zijn gevoel goed had gedaan en de meeste vragen die hem waren gesteld had kunnen beantwoorden. 'Ik kan me niet voorstellen hoe het nog beter had kunnen gaan. Tenzij ze hadden gezegd: Alex, je zult blij zijn te horen dat de andere kandidaten zich hebben teruggetrokken uit ontzag voor jouw ervaring en intelligentie. Gefeliciteerd. Je bent het geworden.'

Isabel lachte. 'Dat zullen ze gauw genoeg zeggen.'

'Ik hoop het.'

'Wat hebben ze gezegd over het reizen? Hoe vaak zou je op en neer moeten?'

Isabel had Alex speciaal gevraagd deze kwestie tijdens de sollicitatie ter sprake te brengen, maar Alex, die het vast van plan was geweest, veranderde van gedachten toen het gesprek een aangename kruissnelheid aannam en de sfeer in de kamer hartelijk werd en hij in een inschikkelijke trance geraakte waarin hij ervan overtuigd was dat de baan krijgen zo heerlijk zou zijn dat alle ermee gepaard gaande ongemakken – zoals dagen en mogelijk weken van huis zijn – aanvaardbaar waren. 'Het onderwerp is niet echt ter sprake gekomen. Ik weet zeker dat het wel goed zit. Het waren echt redelijke lui.'

'Gaan ze Omaha naar Oost-Iowa verplaatsen, zodat je niet vier uur hoeft te rijden naar kantoor? Gaan ze de indianenstammen van Zuid-Dakota naar Cedar Rapids verhuizen, zodat je niet tien uur hoeft te rijden naar je opgraving?'

'Ik geloof dat verhuizen van de indianenstammen uitgesloten is. Dat hebben ze in het verleden al genoeg meegemaakt.'

'Alex, volgens mij wordt het logistiek onmogelijk als je de hele tijd weg bent.'

Alex vond dat Isabel, die erop had aangedrongen dat hij het zoeken naar een baan voortvarender zou aanpakken, die hem de oren had gewassen vanwege zijn passiviteit, nu geen voorwaarde mocht stellen of voorbehoud mocht maken. 'Het komt wel goed', zei hij. 'Ik zal thuis mijn steentje bijdragen.'

'Je kunt thuis je steentje niet bijdragen als je er nooit bent.'

Bijna zei Alex: hoor wie het zegt, maar hij hield zijn mond. Isabel bracht lange, volle dagen door op de campus, en wanneer ze eindelijk thuiskwam ging ze meestal meteen weer weg om een paar uur te gaan zwemmen of fietsen. Het verbijsterende was dat ze later op de avond vaak nog de energie had om te koken, schoon te maken en boodschappen te doen. Dus kon hij haar in alle eerlijkheid niet van plichtsverzuim beschuldigen. 'Ik ga toch niet in Montana werken', zei Alex. 'Ik zal er heus wel zijn.'

Isabel legde haar hoofd op zijn schouder. 'Ik zal je missen. Otto zal je missen.'

'Ze hebben me de baan nog niet aangeboden.'

'Wanneer ze dat doen, vraag dan details over het reizen, goed? Voor mij?'

'Goed. Dat beloof ik.'

'Bedankt.'

'Heb ik al gezegd wat ze betalen?' vroeg Alex met iets van opgetogenheid.

'Veertigduizend?'

'We zullen rijk zijn. Vergeleken bij nu.'

'Kalm aan, dikdoener.'

'Ik ga het allemaal aan jou spenderen.'

'Zo mag ik het horen.'

Een poosje zaten ze zwijgend bij elkaar. De avond was koel en winderig, met zo nu en dan een zweem van bloesemgeur. In het westen was de hemel bewolkt. Alex masseerde Isabels nek en krabde haar hoofd met trage, lome samentrekkingen van zijn vingers. Een magere man van middelbare leeftijd slenterde voorbij, met voorzichtige, nauwgezette hapjes at hij van een ijshoorntje. Op een bank zat een studente die intiem werd met haar mobieltje door zich eromheen te vouwen. Vlakbij speelden twee kinderen, een meisje van rond de drie en een jongetje van rond de vijf. Ze zaten elkaar achterna rond de sculptuur van een tornado, gemaakt uit een enkel stuk zilverdraad dat spiraalsgewijs uit de grond omhoog kringelde. De ouders van de kinderen zaten aan de kant en maanden hen om niet te rennen. Maar rennen deden ze, alsmaar rond, terwijl ze uitgelaten giechelden. Alex wierp een blik op Isabel om te zien of ze naar de kinderen keek. Ze keek inderdaad, maar toen ze merkte dat hij het had gezien, wendde ze haar blik af.

'Geinig, hè?' zei Alex.

'Wat?' Ze wachtte tot Alex naar de kinderen knikte. 'O, zeker. In principe.'

'En in de realiteit?' vroeg Alex veelbetekenend en hij kneep in haar dij.

Isabel zei: 'Die tornadosculptuur moet je zien als een metafoor voor wat ons leven binnen zou stormen.'

'Jij hebt geweldig DNA. Het zou zonde zijn als het verloren ging.'

'Het gaat niet verloren. Het vormt míj.'

'Ja, maar gecombineerd met mijn supergeweldige DNA zouden we een waarachtig supermens kunnen vormen. Een ook nog een geinig. Een geinig plantje, gekweekt in eigen kas.'

Isabel glimlachte met een mengeling van genegenheid en ergernis. 'Ik moet mijn proefschrift afmaken. Ik moet mijn cursuswerk afmaken. Ik moet mezelf afmaken.'

Alex schokschouderde, ontnuchterd en een beetje gekwetst.

'Het spijt me,' zei Isabel, 'maar ik heb het gevoel dat ik terug moet duwen. Je begint er steeds vaker over – wat oké is, ik wil dat je er met mij over praat – maar uit je toon blijkt duidelijk dat je ervan uitgaat dat we de vraag "of" al hebben beantwoord en dat we doorgegaan zijn naar "wanneer". Ik zit zelf nog steeds bij "of".'

Haar zorgen, wist Alex, waren de gebruikelijke. Ze wilde niet stelselmatig worden belast en uitgeput zijn, zoals de meeste moeders van kleine kinderen. Ze wist niet zeker of ze bereid was zoveel van haar tijd en energie op te offeren. Er waren zoveel andere dingen waarvan ze genoot, activiteiten en bezigheden die niets te maken hadden met kinderen, waarvoor kinderen zelfs een belemmering vormden. Werk. Onderzoek. Lesgeven. Lezen. Schrijven. Sport. Reizen. Ze maakte zich zorgen dat haar relatie met Alex eronder zou lijden. Aan de andere kant maakte ze zich ook zorgen dat haar relatie met Alex eronder zou lijden als ze géén kind kregen – als Alex ongelukkig was. Dit maakte dat Isabel weifelde om zich op het ene of het andere vast te leggen. Het probleem met haar zwijgzaamheid en onzekerheid, zo begon Alex in te zien, was dat wanneer zijn hoop aan zichzelf was overgelaten en niet werd ingetoomd door een expliciete correctie van haar kant, die aanzwol tot verwachting. Alex wilde kinderen.

Vaak wanneer hij een jongetje of meisje leuk vond en ermee praatte, leek hij zo verliefd dat het voelde als een voorproefje van de onmetelijke, krachtige liefde die hij zou ervaren en van het plezier dat ze samen zouden hebben als het zijn eigen kind was geweest.

Hij wierp een blik op de klok van de bank aan de overkant van de straat. Het was 16.56 uur.

'Verdomme', zei hij. Zijn dienst begon om vijf uur. 'Blake is zo'n gore, achterbakse klootzak', zei hij, doelend op zijn baas, de manager van het restaurant. 'Er komt een avond dat ik een bord kreeftensoep op zijn hoofd omkeer.'

Isabel gaf hem een klopje op zijn knie, alsof hij een prikkelbaar kind was. 'Wacht daar nou mee tot je je nieuwe baan hebt. En dan moet je mij beslist laten weten wanneer je het gaat doen, dan kan ik komen kijken.'

Het beviel Alex zoals ze 'je nieuwe baan' zei. Ze klonk vergenoegd, goedkeurend, trots. Hij trok haar naar zich toe en kuste haar. 'Ik hou van je', zei hij.

'Ik hou van jou', zei Isabel. 'Ik denk erover om straks langs te komen om iets te drinken.'

'Natuurlijk. Kom maar met eigen ogen kijken hoe ik vernederd word door ongeduldige eters.'

'Nog een kus, alsjeblieft.' Toen zei ze: 'Zet die grotefooienglimlach eens op.'

Alex trok een sullig, spottend gezicht – een parodie van gretig bedienend personeel. Hij bukte zich, nam de kop van Otto in beide handen en drukte een kus op zijn snuit. 'Bedankt voor de wandeling, maat. Braaf zijn op weg naar huis. Geen dode beesten van de straat opeten.' Tegen Isabel zei hij: 'Hij dook op een dode eekhoorn af toen we hierheen kwamen.'

'Kreeg hij hem te pakken?'

'Nee. Maar kijk uit als je terugloopt. Het is bij de kruising van College en Lucas Street. Aan de noordkant, een lichtblauw huis, in het gras bij de stoep.' Otto zou het zich herinneren en deze keer sneller zijn.

'We gaan wel aan de zuidkant lopen.'

'Tot ziens.' Alex slofte weg.

'Dáág', riep Isabel hem meelevend na.

Alex liep de winkelpromenade door tot aan de straat, waar het verkeer stopte voor het stoplicht. Hij keek om naar Isabel, gewoon om haar te zien en haar te laten weten dat hij aan haar dacht. Hij trok een gek, geërgerd gezicht. Ze lachte, boog zich voorover, tilde Otto's poot op en zwaaide ermee naar hem. Ze was een plaatje, zoals ze daar in haar chique, zwarte overhemd tussen de bomen en pas uitgekomen bloemen zat, met de grote,goudkleurige hond gehoorzaam aan haar voeten, terwijl ze hem allebei nakeken.

Wat zou hij gezegd hebben, wat zou hij gedaan hebben, als hij op de een of andere manier had geweten dat dit de laatste keer was dat hij Isabel in leven zag? Hij zou naar haar zijn toe gerend, hij zou zijn armen en benen om haar lichaam hebben geslagen, haar hoofd tegen zijn borst hebben geduwd in een poging haar te beschermen tegen de slagen die het koude, zwarte universum wilde uitdelen.

Maar het viel niet te weten. Er was geen waarschuwing. Je veronderstelde dat er een toekomst was.

Vijftien

Janet was in vervoering. Ze was doodsbang. Ze was overstuur, want er was nieuws over een sterfgeval.

'Niet bang zijn', zei Lenka Maslowcya en ze raakte Janets hand aan. Een minuut eerder was dokter Maslowcya de kamer binnengeglipt, ze had zacht op de deurstijl geklopt en gevraagd of er licht aan mocht. Het was donderdagavond tien uur, Janet had in het donker gelegen en geprobeerd in slaap te komen. Dokter Maslowcya deed een schemerlamp aan en ging zonder iets te zeggen naast het bed staan, ze tikte met haar vingers op de matras en glimlachte raadselachtig. Ze droeg suède laarzen, een spijkerbroek en een bordeauxrode trui. Straatkleren. Janets eerste aanwijzing.

'Ik denk dat we een hart voor je hebben', zei dokter Maslowcya. 'Heb je belangstelling?'

Janet wist uit ervaring dat de verstandigste reactie op dit bericht voorzichtig optimisme was. Vaak bleek het hart te groot, te klein of te vervet. Soms had het een slechte klep of werd bij de donor hepatitis of hiv vastgesteld. Maar er was zo weinig in deze grijze gevangenis om vreugde uit te putten en Janet was wanhopig.

Ze greep de arm van dokter Maslowcya. 'Is dit serieus?'

Dokter Maslowcya knikte. 'Het ziet er goed uit wat betreft de grootte, dus gaan we van start in de hoop dat de rest op zijn plaats valt. De komende paar uur zul je het druk krijgen. Het spijt me dat je niet aan slapen zult toekomen, maar ik kan je een narcose beloven.'

Janet wist David op zijn mobieltje te bereiken. Hij was met de kinderen een half uur eerder uit het ziekenhuis vertrokken en ze waren drie straten van huis af. 'Draai maar om', zei ze tegen hem. Hij nam het nieuws op met een uitbarsting van opwinding en bezorgdheid. Ze was blij; ze kon zich de laatste keer niet voor de geest halen dat iets wat zij had gezegd hem blij maakte. Ze hoorde hem boven het verkeersgeruis uit tegen de kinderen verkondigen: 'Hé, mama krijgt een nieuw hart!'

Angie, een kleine, aantrekkelijke, pittige verpleegkundige, stormde Janets kamer in met een gezicht dat zowel verheugd als ongerust stond. 'We hebben een berg werk te doen.'

Angie kleedde Janet uit en boende haar huid van top tot teen met een spons gedrenkt in een desinfecterend middel. Een tweede verpleegkundige, Krista, hielp met het scheren van Janets benen, kruis en borst. Vervolgens streken Angie en Krista de geschoren delen in met betadine, een antibiotische lotion waarvan Janets huid oranjebruin ging glinsteren. Angie nam bloed af om naar het microbiologisch laboratorium te zenden voor een bacteriekweek, naar het hoofdlaboratorium voor een algemeen onderzoek en een compleet bloedbeeld, en naar de bloedbank voor het juiste donorbloed. Er kwam een farmacoloog langs met een mand vol spuiten en infuuszakken. Angie gaf Janet twee pillen met een bekertje water. De pillen waren enorm en roken naar stinkdier, maar Janet wurmde ze door haar keel. De onderdrukking van haar immuunsysteem was begonnen.

Een kleine, pezige arts die zich voorstelde als dokter Bruce Taggart, cardiothoracale chirurgie, waste zijn handen bij de wasbak, deed handschoenen aan en legde de benodigde instrumenten op een tafel naast Janets bed. Tijdens de volgende paar minuten bracht hij een arteriële lijn in haar linkerarm aan. De prik was diep en het deed pijn, maar Janet was onder de indruk dat het dokter Taggart was gelukt bij de eerste poging helder slagaderlijk bloed aan te boren. Vervolgens verplaatste hij zijn aandacht naar de rechterkant van haar nek en werkte samen met dokter Maslowcya om een Swan-Ganzkatheter in Janets rechterhalsslagader in te brengen. Vlak voordat ze hieraan begonnen, hoorde Janet dokter Taggart iets tegen dokter Maslowcya opmerken over het hart dat uit Iowa kwam en dat een kwestie van fiets versus auto was geweest.

David en de kinderen arriveerden, samen met Janets moeder. Angie liet ze de kamer in en legde uit dat Janets immuunsysteem nu onderdrukt was en dat ze uiterst vatbaar voor infecties was. Ze waste haar eigen handen om de juiste techniek voor te doen; schrob de vingertoppen, schrob tussen de vingers en tot hoog op de polsen en laat het warme water van je handen in het putje lopen. Carly en Sam waren geboeid en staarden gefascineerd naar hun handen terwijl ze ermee in het schuim plonsden. David was te zeer afgeleid om op te letten. Hij was rood aangelopen en hijgde naar adem toen hij binnenkwam, zijn blik stuiterde langs de muren heen en weer. Janet overreedde hem naar het bed te komen voor een kus en wees hem een plek waar hij Angie niet in de weg stond. David ging er gehoorzaam staan, maar kon niet rustig worden; hij schommelde heen en weer en stak zijn handen afwisselend in zijn zakken en vouwde ze op zijn rug. Op een bepaald moment verloor hij zijn evenwicht en deed een grote stap om het te herstellen. Angie vroeg hem: 'Wil je een stoel?' Janet begreep dat hij iets te doen moest hebben. Ze instrueerde hem Carly bij haar in bed te tillen en de slangen weg te houden zodat Carly er niet in bleef hangen.

Carly maakte zich zorgen dat het nieuwe hart niet zoveel van haar zou houden als het hart dat haar moeder nu had. Janet verzekerde haar dat liefde van de hersenen kwam. Sam wilde mee naar de operatiezaal om te kijken hoe de chirurgen opereerden. Janet zei hem vriendelijk dat dát niet kon. Ze sloeg één arm om Sam en de andere om Carly en hield ze dicht tegen zich aan. David nam een foto van hun verstrengelde lichamen en alle kanten op stekende armen. Alle drie lachten ze breed.

Mensen die haar het beste kwamen wensen staken hun hoofd om de deur en liepen naar de wasbak om hun handen te wassen als ze dichterbij wilden komen. Verpleegkundigen en artsen, status 1-patiënten, familieleden van status 1-patiënten, verzorgers, medewerkers van de administratie, technici, medisch studenten. Een diëtiste. Een veiligheidsbeambte. Een mengelmoes van mensen die Janet de afgelopen drie maanden in het Parkland-Wilburn had leren kennen. De sfeer was gejaagd en feestelijk, er werd gegrapt en gelachen.

Drie anesthesisten omsingelden Janets bed. Ze bekeken haar schakelschema, haar arteriële lijn en Swan-Ganzkatheter. Ze volgden de slang van het infuus terug naar de pomp, krabbelden aantekeningen en nummers op schrijfblokken en op de pijpen van hun operatiebroek. De hoofdanesthesist bestookte Angie met vragen over Janets medicijnen. Hoe meer ze haar bespraken en aan haar hulpstukken rommelden, hoe afstandelijker Janet zich voelde ten opzichte van de hele procedure, alsof ze een stuk vracht was.

Het begon. Kwart over twee 's nachts. Het plafond kronkelde en verschoof. Nieuwe patronen, lampen, gezichten. Janets bed, volgeladen met medische statussen, infuuspompen, spuiten, flesjes medicijnen en een draagbare Propac-monitor, alles zorgvuldig gerangschikt rond haar armen, benen en voeten, zodat het leek op de Kon-Tiki, het volgepropte vlot van balsahout waarmee Thor Heyerdahl van Peru naar Polynesië was gevaren. De anesthesisten namen Janet mee door de hoofdgang van de afdeling, langs alle verzamelde verpleegkundigen en een paar van de nachtbrakende status 1-patiënten. 'Veel geluk, Janet! Zet 'm op, Janet! Hou je taai, meid!'

Angie en Krista wensten Janet het beste en bleven achter.

In de gang werd de snelheid verhoogd. Janets moeder volgde het bed met Sam en Carly. David liep ernaast, op gelijke hoogte met Janets hoofd, en af en toe moest hij zijn pas versnellen om het bij te houden. Janet probeerde niet te veel te denken aan zijn zorgelijke, drukkende aanwezigheid. Ze probeerde niet te denken aan infecties, bloedingen, hartstilstand, dood, de risico's van de operatie die werden opgesomd op het toestemmingsformulier dat ze een uur geleden had getekend. Toen ze naar een slaap toe raasde waarin ze over een kloof tussen het ene leven en het andere zou springen – waarbij er op een zeker moment niets in haar borstkas zou zitten, behalve de afgezaagde manchetten van haar oude hart – zag ze met ongelofelijk doordringende helderheid, dwars door de nevel van de verdoving heen, de schade die David had geleden door angst en stress gedurende het afgelopen anderhalve jaar, evenals de korst van moed die hij had aangebracht om die te verhullen. Hij zal er fragiel en pips uit. Janet stak haar hand uit naar zijn gezicht. Hij liet het zakken naar het hare. Ze ging met haar vinger langs zijn kaak. Hij bracht haar hand terug naar haar zij. 'Relax', zei hij, terwijl zijn eigen hand trilde.

'Relax jij nou maar', zei ze. 'Met mij is alles goed.'

'Ik red me wel', zei hij aarzelend, alsof hij zichzelf trachtte te overtuigen. 'Het zal fijn zijn als dit achter de rug is.'

Janet glimlachte om hem gerust te stellen. 'Zorg goed voor de kinderen, oké?' Ze bedoelde gedurende de periode van haar operatie en herstel, maar ook als ze nooit meer terugkwam.

Ze dacht aan Nora, als Nora haar hart had gekregen zou ze nu hier zijn om tegen Janet te zeggen: 'Rustig maar. Maak je geen zorgen. Het komt goed.'

Bij de deuren naar de operatiezaal kwamen Janets moeder en de kinderen naar haar toe voor een laatste kus. Sam huilde. David gaf Janet een lieve zoen op haar mond die haar deed denken aan vroeger. Toen ze verkering hadden. 'Tot gauw', zei hij.

'Tot ziens.'

En daar ging ze. Een hoek om de operatiezaal in, ze keek om en zag haar moeder en kinderen zwaaien. David leunde tegen een muur, overweldigd door angst en emotie. Janet hunkerde ernaar hem gerust te stellen. Toen de automatische deuren sidderden en dichtgingen, kwam bij haar op dat ze, in weerwil van de gangbare mythe van een tweede leven, terug zou keren naar precies hetzelfde leven – naar wat ze nu, met een vreemde, preoperatieve helderheid, herkende als dezelfde complicaties en moeilijkheden. Ze zou een sterk hart nodig hebben. Sinds haar jeugd had ze niet meer gebeden, maar ze kwam er dichtbij nu, ze sloot haar ogen en sprak zwijgend tegen wie er ook aan de touwtjes mocht trekken: Laat dit hart uit Iowa alsjeblieft van een werkpaard zijn.

Isabel lag midden in de nacht op haar rug, opengesneden van haar keel tot haar schaambeen, haar lichaam bedekt met een blauwe, steriele lap, afgezien van de trog vol weke massa waarin de handen zich bevonden. De handen kwamen uit Minneapolis, Madison, Peoria en Chicago, en ze waren hier voor de lever, de alvleesklier, de nieren en het hart. De gezichten waren gemaskerd: je kon urenlang in de zaal verblijven en nooit een mond zien. Arthur Wood had geleerd de anderen in te schatten aan de hand van hun stem, hun ogen, de behendigheid van hun handen, terwijl ze peilden, tastten en knipten in bindweefsel. In dit speciale geval stonden Arthur Wood en de leverchirurg, Matteo Inzaghi, die eerder hadden samengewerkt bij een orgaanuitname in de herfst – geen van beiden wist nog waar – in een gemoedelijke stemming tegenover elkaar, de ene bij de borstkas en de ander bij de buik, onderzoekend en palperend.

'Weinig vet aan dit meisje. Mooie lever.'

'Hart ziet er goed uit. Goede contractie.'

'Wanneer wil je afklemmen?'

Het was kwart voor drie. Arthur Wood liep naar de telefoon aan de muur en belde Chicago. Hij kreeg Karl Ballows, de chirurg die de transplantatie van Janet Corcoran zou doen, rechtstreeks aan de lijn. Wood gaf Ballows de medische geschiedenis van Isabel Howard door en beschreef de conditie van haar hart. 'We nemen het', zei Ballows.

Wood en Inzaghi besloten om kwart voor vier af te klemmen. Er was niets wat Wood nog in de weg stond: binnen een half uur zou Ballows Janet Corcoran in Chicago onder narcose op tafel hebben. Wood en zijn partner, Jim Tully, een eerstejaars cardiothoracale chirurg in opleiding die nog nooit een hartuitname had gedaan, voltooiden de eerste dissectie van Isabel Howards hart, waarbij de aorta en twee grote aderen losgemaakt werden van het omringende weefsel. Inzaghi had drie kwartier nodig voor zijn voorbereidende dissectie – de verbinding van de lever was complexer – en het hart moest op zijn plaats blijven om de organen in de buik te blijven doorbloeden. Wood en Tully gingen de zaal uit. Op de gang maakten ze een praatje met het nierteam. Nierdissectie vereiste nogal wat manipulatie van de ingewanden, wat bloedverlies en schade aan de lever veroorzaakte. Het nierteam zou moeten wachten tot de lever verwijderd was en het zou nog minstens een uur duren, zelfs wanneer het orgaan er onmiddellijk na het hart uit genomen werd. Dus hadden de leden van het nierteam een lange nacht voor de boeg. Wood en Tully wasten zich opnieuw om kwart voor vier. Inzaghi liep achter. Tully klemde de vena cava superior vlak boven de linkerboezem af. Inzaghi vroeg aan Wood: 'Waar snijden we de vci door?' Hij doelde op de vena cava inferior, de holle ader die het bloed vanuit het onderlichaam terug naar het hart voert. Inzaghi wilde dat de vci vlak bij het hart werd doorgesneden. Niet alleen omdat hij een flink deel van de vci met de lever wilde meenemen, maar ook zou na de afklemming de bloedafvoer van de nieren uit het afgesneden einde van deze ader stromen, en Inzaghi gaf er de voorkeur aan dat die in het hartzakje zou vloeien, want Wood en Tully zouden met slechts een paar keer snijden het hart in handen hebben, terwijl Inzaghi en de chirurg van de alvleesklier voor een paar lastiger insnijdingen in de buik stonden.

Wood ging ermee akkoord de vci vlak onder de rechterboezem door te snijden. Hij gaf Tully opdracht de aorta hoog op de boog af te klemmen, vlak onder de drie slagaderen die het bloed naar de hersenen vervoeren. Als zich tijdens het hele proces een moment voordeed dat Arthur Wood een zweem van twijfel voelde over de aard van wat hij aan het doen was, dan was het nu. Ze hadden zojuist de bloedtoevoer naar de hersenen van de vrouw afgesneden – niet dat de hersenen iets voelden of dachten – en nu gingen ze de bloedtoevoer naar haar lichaam afsnijden. Tully bereidde zich voor om het hart met een gekoelde cardioplegische oplossing in te spuiten en Wood instrueerde hem het te doen vlak nadat het hart was samengetrokken en zijn lading bloed had uitgestoten. Tully timede het perfect: het hart nam de verlammende oplossing op, trilde even en stopte. Een paar tellen daarvoor had het krachtig en warm tegen Woods handpalm geklopt; nu lag het stil en koud als een rauw stuk vlees. Het bloed in het lichaam van deze vrouw, dat sinds ze een embryo was voortdurend had gestroomd, zou nu blijven waar het was, tenzij het weggespoeld werd. De dagen van circulatie waren voorbij. 'Je kunt de beademing stoppen', zei Wood tegen de anesthesisten. Tully sneed de onderste holle ader door. De lever- en alvleesklierteams waren gelijktijdig aan het werk gegaan, ze irrigeerden het bloed uit hun organen, scheidden bindweefselbanden, ontleedden en sneden de complexe kluwens van aderen en slagaderen door. Ze zouden nog een paar uur bezig zijn, grotendeels bij de achterste tafel, waar ze, nadat ze de lever en de alvleesklier uit het lichaam van de donor hadden genomen, de twee organen zouden scheiden en het langdurige proces zouden beginnen van het bijsnijden en schoonmaken ervan en het preparen van de aderen en slagaderen zodat die gehecht konden worden aan de corresponderende exemplaren in de buik van de ontvanger. Wood was blij dat hij met het hart te maken had: het hart zat als het ware aan een stel tuinslangen vast. Wood en Tully waren al bijna klaar met het losmaken ervan. Terwijl een verpleegkundige bloed wegzoog dat in het hartzakje stroomde en een tweede verpleegkundige een koude zoutoplossing over de buitenkant goot om het weefsel te beschermen, haalden Tully en Wood de katheter uit de aorta en sneden de overblijvende slagaderen, aderen en het weefsel die het hart met het lichaam verbonden door. Vervolgens lichtte Wood het hart met twee handen uit de borstkas van de vrouw. Hij draaide zich snel om en na een paar behoedzame stappen over de vloer die bezaaid was met kabels, droeg hij het hart naar een tafel, waar hij het in een metalen kom plaatste. Samen met Tully bekeek hij het hart zorgvuldig om er zeker van te zijn dat ze alles hadden en verpakte het toen in een doorzichtige plastic zak vol cardioplegische oplossing, verzegelde de zak, stopte die in een andere zak en borg het geheel in een koelbox.

Toen ze de aanwezigen bedankt hadden en een korte notitie op de kaart van de vrouw hadden achtergelaten, waren ze vrij om te gaan. Niemand verwachtte dat het hartteam zou blijven hangen. Het hart kon maar vier tot zes uur overleven zonder bloedtoevoer – hoe korter de ischemische tijd hoe beter – terwijl de lever acht tot zestien uur had en de nieren twee dagen. Toch bleef Wood bij de deur staan en stuurde Tully vooruit met de koelbox. Wood vond het nooit prettig een lijk de rug toe te keren en de deur uit te rennen. Hij keek naar de blauwe jassen die op een kluitje rond de tafel stonden. De nierchirurgen rommelden in de buik, geassisteerd door verscheidene verpleegkundigen. Meer chirurgen en wervingsspecialisten hielden zich gereed voor de uitname van huid, hoornvliezen, kraakbeen en bot, pezen en aderen, lymfeknopen voor crossmatching. Voeten in schoenovertrekken van polypropyleen bewogen over de vloer. Een van de nierchirurgen stond mopperend over de donor gebogen met zijn arm tot aan de elleboog in de ingewanden, hij beschuldigde Inzaghi, die bezig was bij de achterste tafel, dat hij niet voldoende had achtergelaten van de vena cava infrahepatica, een voor niertransplantatie benodigde ader. 'Ik heb een prima manchet voor je laten zitten', zei Inzaghi, zonder van zijn werk op te kijken.

Wood leunde tegen de muur, boog zijn hoofd en sloot zijn ogen. Voor iedereen in de ruimte zag het eruit of hij een hazenslaapje deed of bijkwam van een aanval van duizeligheid; ze hadden niet kunnen vermoeden dat hij God bad dit nooit iemand van zijn eigen familie te laten overkomen. Hij zou geen team van chirurgen zo op een van zijn dochters los willen laten. Hij zou het niet kunnen aanzien. Aan de andere kant, zou hij het kunnen aanzien dat een van zijn dochters werd gecremeerd? Zou hij de ontbinding van het lichaam van een van zijn dochters kunnen aanzien als er een lamp en een camera in de kist werden geïnstalleerd? Wat hij wel of niet kon aanzien stemde misschien helemaal niet overeen met wat wel of niet ethisch of waardevol was. Het stond buiten kijf dat het een vreselijke verspilling was om al de schitterende organen in deze ruimte te verbranden of te begraven, om het hart, de lever en de nieren tot as te verpulveren of te laten rotten alleen omdat hun compagnon en leider, het brein, zinloos vernietigd was.

Maar om nu te staan filosoferen was onverantwoordelijk. Het hart moest bloed krijgen. Wood liep de gang op en zag Tully. 'Kom, we gaan', zei hij.

Vroeg in de ochtend lag ze op haar rug, haar borstbeen opengesneden, haar lichaam volledig bedekt met een steriele, blauwe lap, afgezien van de incisie tussen de poten van de ribspreider – een incisie die op een grote, bloederige open mond leek.

Bruce Taggart, een eerstejaars cardiothoracale chirurg in opleiding, had de aorta afgeklemd en stond nu klaar om de linker- en rechterboezem los te maken. Onder toezicht van Karl Ballows haakte Taggart de duim van zijn linkerhand in de linkerkamer van het hart, haakte zijn wijsvinger in de rechterkamer en tilde het hart omhoog. Hij stak zijn rechterhand eronder en knipte het tussenschot door, waardoor Janet Corcorans hart loskwam en er een rand van weefsel onder aan het hartzakje achterbleef.

De hart-longmachine – die het bloed van de patiënt opving op het moment dat het de holle aderen binnenstroomde, het van zuurstof voorzag en het via een canule in de aorta net boven de klem terugvoerde, volledig voorbijgaand aan het hart en de longen – stond te gorgelen.

Toen het was losgesneden werd het zieke hart opgetild. 'Wat een kanjer', zei Ballows en hij plaatste de gezwollen spierbundel in een dichtbij staande schaal. Hij ervoer iets van duizeligheid toen hij in Janet Corcorans lege hartzakje keek, dat kaal was afgezien van de rand tussen de oude boezems aan de achterwand (Ballows vond dat het leek op de twee helften van een in de lengte doorgesneden paprika, die met de binnenkant naar boven naast elkaar lagen), en de twee uitstekende slangen van de longslagader en de aorta, die wachtten op iets nieuws om aan vastgehecht te worden.

'We zijn klaar voor de transplantatie', kondigde Ballows aan.

Een verpleegkundige kwam met het donorhart aanlopen en overhandigde het aan Ballows, die aan Taggart liet zien hoe hij de aorta, de longslagader en de boezems moest trimmen zodat ze precies met hun corresponderende delen in het hartzakje eronder verbonden konden worden. Vervolgens pasten ze het transplantaat in de borstkas en begonnen de achterwanden van de donorboezems aan de achtergebleven rand van de oude boezems te hechten. Ballows liet het hechten grotendeels aan Taggart over. Het was pas Taggarts tweede transplantatie. Ballows onderbrak hem van tijd tot tijd om aanwijzingen te geven, terwijl Taggart de aorta's, waarbij hij grote, diepe steken in het weefsel maakte met de hechtdraad, en vervolgens de longslagaders aan elkaar zette. Ballows dacht dat Taggart zich niet scherp genoeg bewust was van het cruciale belang om op elk moment te zorgen dat alle lucht uit het hart werd gedreven. 'Het laatste wat je wilt is een embolie', zei Ballows. 'Een goeie manier om alle tijd en inspanning van mensen te verspillen.'

Op het juiste moment gaf Ballows Taggart opdracht om de klem van de aorta te halen en bloed dat door de hart longmachine vers van zuurstof was voorzien in de kransslagaderen te laten stromen en de spieren te irrigeren van het hart dat dorstig was nadat het bijna drie uur een respectabele ischemische periode, gezien de afstand die het had afgelegd – van bloed beroofd was.

'Oké, zuig het maar op', zei Ballows.

Zoals altijd kon hij een lichte ongerustheid niet onderdrukken of het transplantaat wel op gang zou komen. Soms – niet vaak, maar soms – gebeurde dat niet. Dit hart weifelde om met zijn ritme te beginnen. De oppervlaktespier trilde en rimpelde in vluchtige, ongeregelde golfjes. Het hart leek op een plastic zak vol kronkelende wormen. Ballows zei Taggart het een schok te geven en Taggart hield twee tongvormige bladen tegen de spier. De wormen hielden op met kronkelen en begonnen toen weer. Taggart schokte het hart opnieuw en opnieuw gleed het hart terug in fibrillatie. Ballows moest zichzelf erop wijzen dat het orgaan een enorme klap te verduren had gekregen, dat het zwoegde onder de gesel van inotropische medicijnen, dat het uit zijn lichaam was gesneden, in ijs was verpakt en vierhonderdvijftig kilometer per vliegtuig had afgelegd – en dat allemaal in de afgelopen tien uur. 'Voer het op tot vijftig', zei Ballows. Taggart voerde de joules op en schokte het hart voor de derde keer. Nog steeds pakte het transplantaat het ritme niet op. 'Weerbarstig', zei Taggart. 'Wacht even', zei Ballows, die nauwlettender keek en oog had voor dit soort dingen. Met een vinger die in met bloed bespikkelde witte latex was gestoken, wees Ballows naar de hartspier. 'Zie je dat?'

Taggart concentreerde zich. Ballows glimlachte achter zijn masker. Het was fantastisch om te zien: al dat trillen en rimpelen dat zich begon te organiseren tot enkelvoudige, waarneembare contracties.

DEEL III

MEI 2006

Zestien

Scholen. Stel dat klassen evenveel kinderen hebben die jij niet kon en stel dat de juf je ziet? We moeten voor alle lessen een boek maar die zijn er niet dus we delen. Ik zit op Tri-County. Het geef niet dat ik gin goei kleren heb. We hebben niet zoveel voor kleren vanwege ons busjet. Maar ons pap moet een nieuwe hond hebben voor te jagen.

Alex kantelt zijn hoofd achterover, draait het voorzichtig heen en weer en rekt zijn nek uit. Hij maakt de gesp van zijn polsbrace los, krabt aan de huid eronder, en maakt de brace steviger vast. Twee weken geleden, toen hij met zijn vriend Rob aan het bergbeklimmen was, begon hij aan een vrije klim waar hij waarschijnlijk voor vastgesjord had moeten zijn; hij gleed uit en viel twee meter omlaag op een harde rotshelling. Hij brak de val met zijn linkerpols, althans dat probeerde hij. De pols is verstuikt en gloeit wanneer hij hem buigt, hoewel de pijn met de dag minder wordt.

Maar ach, wat is zijn lijden vergeleken met dat van Aleisha Drechney? Hij kan niet anders dan bewondering opbrengen voor haar dappere, volhardende toon, de wijze waarop ze haar ontbering zonder zelfmedelijden of wanhoop beschrijft. Hij is ontroerd door haar onschuldige, taalkundige gestuntel. *We hebben niet zoveel voor kleren.*

'Heb je een winnaar?' Grier kijkt op van een opstel dat hem duidelijk verveelt.

'Niet echt', zegt Alex.

Grier reikt over de tafel heen en grist Aleisha's opstel weg. Hij kantelt zijn stoel achterover, zet zijn knie tegen de tafelrand en leest terwijl hij afkeurend met zijn tong klakt en kreunt. 'Jakkes. Gadver. Dus...wat maakt het uit dat de kinderen halfnaakt naar school gaan, zolang papa zijn jachthond maar krijgt.'

'Geef terug', zegt Alex.

'Mag ik?' Mavis, nieuwsgierig gemaakt door Griers opmerking, pakt het opstel van hem af en legt het voor zich op tafel. Haar handen zijn net onder haar kin bezig een pepermuntje uit het papiertje te halen. Ze houdt het pepermuntje voor haar mond, om het erin te kunnen stoppen als ze uitgelezen is. Dan stopt ze het in haar mond. 'Dus wat ga je haar geven?' vraagt ze aan Alex. 'Min één? Min vijf?'

'Eigenlijk dacht ik aan een twee', zegt Alex.

'Een twee? Ben je gek?' Grier bladert door de papieren voor zich op tafel, op zoek naar de correctierichtlijnen. Wanneer hij ze gevonden heeft, leest hij voor: '"Afwezigheid van focus, afwezigheid van relevante inhoud, ernstige stijlfouten", moet ik nog verdergaan?'

'Wacht even', zegt Alex, die zich onverklaarbaar helder voelt. 'Zijn de stijlfouten "zo ernstig dat de ideeën van de schrijver moeilijk, zo niet onmogelijk te begrijpen zijn"?'

'Ja', zegt Grier bruusk. 'Doe niet zo formeel. Het is de geest die ons aanstuurt, de geest van Thanatos. En zoals ik al zei, er is geen focus.'

'Zachtjes', zegt Alex en hij kijkt naar Diane Toper, die langs zweeft in een kersenrode blazer, terwijl haar hoofd, bedacht op onenigheid, heen en weer zwenkt.

'De focus van het meisje is school', fluistert Mavis, die zich bij de verdediging heeft aangesloten tegen Grier. 'Het is een verward focus, maar het is er wel. De stijlfouten vormen een ernstige belemmering voor wat ze wil uitdrukken. Dat is een twee.'

Alex leest het opstel van Aleisha Drechney nog eens. Deze keer vindt hij haar zeurderig en irritant. Denkt ze nou echt dat ze het zo slecht heeft? Hij voelt een turbulentie vanbinnen, een prikkel die gedeblokkeerd moet worden, een heftige aandrang van adrenaline om het zinloze geweld van de wereld te beantwoorden met zijn eigen zinloze geweld.

Hard op het potlood drukkend geeft hij Aleisha een één.

Grier gluurt naar het cijfer. 'Mooi. Ik dacht dat je het verleerd was.'

Mavis kijkt ook naar het cijfer. Alex is nerveus, hij wapent zich tegen een verwijt, maar Mavis zegt niets, ze kijkt hem zelfs niet aan. Nonchalant, alsof er niets is gebeurd, kauwt ze op haar pepermuntje en gaat verder met haar werk.

Zijn brievenbus zit tjokvol. Rekeningen voor water en elektriciteit, een grote, blauwe envelop vol met kortingsbonnen van Valpak. Twee aanbiedingen voor een creditkaart (3,9 % per jaar! Dubbele geldopname bonus!) en, ertussenin, een kleine, vierkante envelop met het poststempel van Chicago, het energieke handschrift, het bekende adres van de afzender: Corcoran, 2014 West Wabansia, # 4.

Alex houdt de envelop vast als een frisbee, ongeveer evenwijdig aan de grond, zijn wijsvinger op de hoek. Hij stelt zich de artistiekerige kaart erin voor, het krachtige handschrift, de dankbare, goed geordende sentimenten. Misschien komt het door het gezelschap van de andere enveloppen waarin hij is gearriveerd, maar het gewicht ervan en Alex' ongerustheid over de inhoud geeft hem het idee dat het een aanmaning is voor een rekening die hij al betaald heeft. Hij zou Janet terug moeten schrijven en haar zeggen dat ze hem niets meer moet sturen. *Haal me alsjeblieft van je verzendlijst af.* Dan kijkt hij naar zijn naam en adres voor op de envelop en denkt aan het bloed dat vanaf het hart door een ader omlaag wordt gepompt naar de hand van deze onbekende, aan vingers die een pen omklemmen, aan ogen die de woorden lezen die het brein uitkiest, allemaal aangedreven en gaande gehouden door de onverschrokken, veerkrachtige vuist van spieren voorheen van zijn meisje – nog steeds van zijn meisje, maar nu verplaatst naar elders – die klopt in een andere borstkas een paar honderd kilometer naar het oosten.

Hij klimt zachtjes de trap op, loert om het hoekje naar zijn portaal. Sinds Jaspers nachtelijke bezoek is Alex nerveus als hij het gebouw in gaat. Hij is overal nerveus. Als hij Otto uitlaat, als hij boodschappen in het winkelcentrum doet of in de stad, als hij naar de buurtsuper gaat, naar de videotheek en de bibliotheek, elke keer dat hij uit zijn auto stapt, elke keer dat hij een hoek om slaat, elke keer dat hij een deur door loopt, is Alex erop voorbereid Jasper te zien. Tot dusver heeft zijn waakzaamheid nog niet tot een signalering geleid. Godzijdank. Maar hij is niet bereid zijn dekking te laten zakken.

In de flat snuift Otto opgewonden, een Nylabone met kipsmaak bungelt uit zijn bek als een sigaar, de grote pluim van zijn staart beschrijft een brede boog. Alex is blij dat Otto zijn nieuwe Nylabones lekker vindt. Afgelopen week heeft Alex zich er eindelijk toe gezet om al Isabels oude schoenen, waar Otto een jaar lang aan gelikt en op gekauwd heeft, weg te doen. Alex was geneigd te blijven toegeven aan Otto's voorkeur voor zuiver leer, maar het kon niet goed zijn voor Otto's maag om het aanhoudend binnen te krijgen en het kon ook niet goed zijn voor Alex om elke avond thuis te komen terwijl Otto hem achter de deur opwacht met een oude sandaal van Isabel in zijn bek. 'We moeten door', zei hij tegen Otto, terwijl hij de flat doorzocht op Dansko's, Keens, Børns en Nikes, plat op de vloer om onder het meubilair te gluren en te graaien, en Otto, die dacht dat het een spelletje was, zijn kop naast Alex' hoofd duwde en met zijn poten over de vloer krabde. Alex propte alle schoenen van Isabel in twee vuilniszakken, de ene zak voor de schoenen die Otto vernield heeft en de andere voor de schoenen die nog draagbaar zijn. Toen hij de zakken naar beneden bracht, probeerde hij niet te kijken naar de neuzen, hielen en zolen die tegen het dunne, witte plastic dringen. De zak met vernielde schoenen gooide hij in de afvalcontainer. In de liefdadigheidswinkel overhandigde hij de andere zak zonder plichtplegingen aan de winkelbediende en probeerde toen hij wegreed niet te denken aan de vrouwen die de schoenen zullen kopen en dragen, en hij probeerde er ook niet aan te denken dat hij op een dag misschien zonder het te beseffen een van hen voorbij zal lopen.

Alex gooit de ongeopende kaart van Janet op de salontafel, waar hij geleidelijk aan begraven zal worden onder een neerslag van toekomstige post: rekeningen, catalogi, tijdschriften, kranten. Het antwoordapparaat flikkert. Een boodschap. Alex ademt diep door de beklemming in zijn borst heen. Hij heeft nog steeds het gevoel dat het mogelijk is dat als hij op Play drukt Isabels stem naar hem zal reiken, kleintjes en van ver, vanaf de uiteinden der aarde. *Ik zit in Phnom Penh. Ik zit in Algiers. Het is een gigantisch misverstand. Kom je me halen?*

De boodschap is van Bernice. 'Hoi, met mij. Ik belde om te vragen wat je plannen zijn. Ik dacht: misschien heb je zin om dat nieuwe Indiase restaurant te proberen waar ik over gehoord heb. Het moet heel goed zijn.'

In haar stem hoort Alex een opwekt vernisje over een hardnekkige eenzaamheid. De manier waarop ze hem aanspreekt heeft iets – een directheid, een vertrouwdheid – waardoor hij zich heel hecht met haar voelt.

'O, en tussen twee haakjes,' zegt ze, 'ik kreeg een kaart van Janet Corcoran. Blijkbaar is ze een jaar geleden uit het ziekenhuis gekomen. Toen ze het hart van Isabel had gekregen. Ze zegt dat ze pasgeleden vijf kilometer langs Lake Michigan heeft gejogd. Dat vond ik geweldig. Hoe dan ook, bel me als je niet te uitgeput bent van de jonge schrijvers in de dop.'

Tussen twee haakjes. Alsof dat volstond om de bedoelingen van Bernice te maskeren. De manier waarop ze het over Janet Corcoran heeft ergert Alex, alsof zij, Janet, een lid van de familie is, een beter dan verwacht presterende oudere nicht van wie hij onder de indruk zou moeten zijn. Hij kan niet geloven dat Bernice het niet bizar en verontrustend vindt dat Isabels organen terugkeren om tegen hen te praten. Dat maakte toch geen deel uit van Isabels plan, wel? Heeft Isabel op het donorcodicil soms een clausule ondertekend die luidde: In het geval van mijn dood sta ik de ontvangers van mijn getransplanteerde organen toe om mijn treurende echtgenoot en moeder op te sporen, hun artistiekerige kaarten te sturen en hun te vertellen waar en hoe ver ik heb gejogd?

Hij luistert een tweede keer naar de boodschap van Bernice. Alex meent een bijbedoeling in haar stem te horen wanneer ze zegt: 'Ik dacht: misschien heb je zin om dat nieuwe Indiase restaurant te proberen'. Het is niet alleen maar een uitnodiging of een suggestie, maar commentaar op hoe hij zijn tijd eventueel liever zou willen doorbrengen. Is het zijn verbeelding of heeft ze hem de afgelopen paar weken, sinds de eerste jaardag van Isabels dood, aangespoord om meer uit te gaan? Meestal nodigde ze hem uit om de avond rustig bij haar thuis door te brengen, tv te kijken of een film te huren, pizza of een afhaalmaaltijd te eten. Maar kennelijk zijn de rustige avonden bij haar thuis niet langer genoeg. Ze wil de deur uit voor een wandeling of een ritje met de auto, om te lunchen of 's avonds uit eten te gaan, om koffie te drinken of ijs te eten. Misschien vindt ze dat ze allebei vaker de deur uit zouden moeten. Misschien omdat het mei is. Omdat het weer warm en de lucht blauw is, de bomen en bloemen in bloei staan en alles tot leven komt na weer zo'n lange, sombere winter in Iowa.

Wat Bernice niet begrijpt is dat hij het huis wel uit komt, alleen niet met haar.

Hij loopt de keuken in en dumpt een schep van Otto's speciale brokken in zijn bak. Hij vult een glas met cola en ijsblokjes. Keert terug naar de woonkamer en werpt een blik op Janets kaart op de salontafel. Wat is dat toch met jaardagen? Gaat Janet hem of Bernice een kaart sturen op elke jaardag dat er iets met haar is gebeurd? Heeft Jasper expres Isabels sterfdag uitgekozen om ineens bij hem op de stoep te staan? Waarom heeft Bernice plotseling besloten dat een jaar van bier drinken en gehuurde films kijken in haar woonkamer genoeg is, in tegenstelling tot bijvoorbeeld een jaar, twee maanden, zes dagen en vijf uur? Waarom zou iemand zoveel betekenis toekennen aan een eenheid van kalendertijd die niets meer aangeeft dan driehonderdvijfenzestig omwentelingen van de planeet, een enkele omloop om de zon, die geen verband houdt met omwentelingen en banen van het ik en zeker niet met Alex' klok van verdriet?

168

Onlangs is hij weer begonnen in een boek over rouwrituelen, dat hij jaren geleden heeft bestudeerd voor het college antropologie. Bij de Yokut-indianen van Noord-Californië eet de weduwnaar na de dood van zijn vrouw zeker drie maanden lang geen vlees, hij wast geen enkel lichaamsdeel afgezien van zijn handen, hij doet niet mee aan sociale activiteiten – en daarna is het de familie van zijn vrouw die beslist wanneer er een einde komt aan de periode van rouw. Alex zal het er niet over hebben met Bernice en ook niet over het geval van de Trukese man van de Caroline-eilanden die, nadat hij zijn vrouw na een langdurige ziekte had verloren, drie maanden lang alleen in zijn huis zat te treuren en alle gezelschap meed, tot de moeder van zijn overleden vrouw hem kwam zeggen dat hij naar buiten moest en rond moest gaan lopen, anders zou hij ook ziek worden en doodgaan.

Hij is geneigd Bernice terug te bellen, hij voelt zich ertoe gedwongen en verplicht, maar hij ziet op tegen een avond met haar. De laatste tijd merkt hij dat hij haar gezelschap uit de weg gaat. Niet alleen omdat ze waarschijnlijk over Janet Corcoran zal beginnen en zal proberen hem ervan te overtuigen dat hij zich moet openstellen voor haar toenaderingspogingen. Uit zelfbehoud wil Alex zich de treurnis besparen die zich rond hem en Bernice verzamelt wanneer ze samen zijn. Soms heeft hij het gevoel dat ze ieder apart de ander aan zijn of haar verlies herinneren, waarbij ze allebei een pover substituut zijn voor de persoon die de ander verloren heeft. Ze trekken elkaar omlaag, houden elkaar onder water, als een stel voorwerpen die zouden drijven als ze niet aan elkaar vastzaten.

Dus belt hij Kelly.

'Waarom ging je nou voor de zes?' vraagt Kelly. 'De twee lag gewoon te wachten om erin gestoten te worden, hij lag zo ongeveer naast de zak tegen je te gillen: "Pak mij! Pak mij!"' Ze wuift verwoed met beide handen.

Alex neemt een troostende slok van zijn bier. 'Ik dacht dat ik de zes erin kon krijgen.'

Kelly kijkt weifelend. Ze richt de keu. De speelbal, die hard wordt geraakt, treft geen ander doel dan de stootranden en valt uiteindelijk in een hoekzak. Kelly gooit haar hoofd achterover, bolt haar wangen en blaast lucht naar het plafond.

'Had je daar iets speciaals mee op het oog?' vraagt Alex.

'Ik wil er niet over praten.'

'Het is je gelukt om het toch wel moeilijke doel te bereiken van helemaal niets te raken.'

'Nou niet brutaal worden.' Ze wijst naar de tafel – naar zijn zes en haar twee ballen. 'Weet je al hoe je dit gaat winnen?'

Kelly is grappig, slim, levendig. Ze heeft een ruige bos bruin haar en een lichte huid vol sproeten. Een klein sierknopje als een druppel kwik in haar neus. Ze is mager als een weeskind, draagt spijkerbroeken met uitlopende pijpen die strak om haar knieën zitten en kleurige T-shirts. Op een avond een paar weken geleden was Alex in het souterrain van zijn flat de was aan het doen, toen hij een rood T-shirt met een print van Elvis Costello vond dat aan de binnenkant van de wasmachine kleefde. Hij haalde het uit de trommel en hing het te drogen. Een uur later kwam hij beneden om zijn kleren in de droger te stoppen en trof daar Kelly, die Elvis Costello van de lijn haalde. Hij vertelde haar over zijn redding van het shirt. Kelly leek dankbaar dat hij haar natte, verfrommelde shirt niet simpelweg op een vouwtafel had gesmeten. Een paar dagen later kwam hij haar tegen op de trap. Haar rechteronderarm zat vol smeer; er was iets verkeerd gegaan toen ze de olie van haar auto bijvulde. Een paar dagen daarna zag hij haar op een zachte avond bij de kreek een biertje zitten drinken. Hij waagde zich naar buiten om met haar te praten. Ze woonde op de derde verdieping, aan de andere kant van het gebouw. Haar flatgenoot en zij waren er pas ingetrokken. Ze waren masterstudenten beeldhouwen. Zaterdagavond zouden ze een feestje geven. Een soort van housewarming. Had hij zin om te komen?

Het was een klein feestje met een jong publiek. Alex zag dat hij boven aan de leeftijdscurve zat. Kelly was attent. Laat op de avond dronk hij met Kelly en een paar anderen rode wijn en gaven ze een hasjpijp door. Op een gegeven moment pakte Kelly hem bij de hand en leidde hem een slaapkamer in, behangen met wandtapijten en verlicht door lampionnen, en daar voerde ze hem weer een wereld in waar hij lang afwezig was geweest: geknabbel aan lippen, tongen, tepels, zoet stuntelig gestoei waardoor ze naakt verstrengeld op het bed belandden.

De volgende dag, toen hij bij zat te komen en in gedachten verscheidene van de zalige hoogtepunten van de avond ervoor herbeleefde, stak het schuldgevoel de kop op. Zittend in de flat die hij met Isabel had gedeeld, kreeg hij het knagende gevoel dat hij haar had verraden, dat hij te snel, te terloops, te lukraak zijn leven weer had opgepakt. Hoewel hij er niet zeker van was of hij aandacht moest besteden aan dat geknaag. Zou Isabel wat hij had gedaan werkelijk afkeuren? Per slot van rekening is er een jaar verstreken sinds haar dood, en de duur van het lijden leek hem toestemming te geven. Misschien zou ze hebben gezegd: *Hé, zet 'm op. Je moet verder met je leven. Ik weet dat je van me hield. Ik weet dat je dat nog steeds doet.*

Wat hem dwarszit, wat verontrustender is, is zijn vermoeden dat Isabel kritiek op Kelly zou hebben gehad. Zelfs nu, terwijl hij Kelly gadeslaat als die op de muziek uit de jukebox om het biljart paradeert op zoek naar de beste positie voor haar stoot, waarbij ze af en toe blijft staan om van haar whisky te drinken, ziet Alex Isabels taxerende gezicht voor zich en hoort hij haar licht laatdunkende toon. *Goh. Best jong. En een beetje onnozel. Weet je zeker dat ze voor jou genoeg inhoud heeft?*

Inhoud? Dat klinkt grappig van iemand die dood is.

Ik zeg alleen maar dat ik haar niet als jouw type herkend zou hebben.

Ze is anders dan jij, dat klopt. Wat niet gemakkelijk te accepteren is. Geloof me. Het is net zoiets als moeten wennen aan een totaal ander klimaat.

Je moet haar niet met mij vergelijken. Dat is niet eerlijk tegenover haar.

Over arrogant gesproken. Bovendien heb jij haar net met jou vergeleken. Je noemde haar onnozel en met weinig inhoud.

Oooo...op je teentjes getrapt.

Laat ons nou.

Kelly heeft haar twee laatste ballen in de zak gekregen en schuift de nummer acht met een behendige, schuine stoot de zijzak in. Ze kijkt Alex aan en vooruitlopend op en spottend met zijn verbazing spert ze haar ogen open en vormt een O met haar mond. 'Goed gespeeld', zegt Alex. 'Je hebt me in de pan gehakt.'

'Nou ja, je bent gehandicapt', zegt Kelly en onderdanige sympathie voorwendend wrijft ze even over zijn bezeerde pols. 'Bergbeklimmende machohengst.'

Ze verlaten het café en wandelen naar een feest waar Kelly voor uitgenodigd is. De avond is warm, er staat geen zuchtje wind. De alomtegenwoordige stilte maakt dat het omringende donker uitgestrekt en ontvolkt aanvoelt. Als je geen licht achter de ramen zou zien, als je niet hier en daar een auto of een blaffende hond hoorde, zou je denken dat dit deel van de wereld verlaten is.

'Toen je klein was, heb je toen ooit gewenst dat je supermachten had?' vraagt Kelly. 'Als ik eraan terugdenk, heb ik heel vaak gewenst dat ik supermachten had en nagedacht over welke ik dan wilde. Ik zette ze op volgorde van voorkeur en dagdroomde over wat ik ermee zou doen.'

'Waarschijnlijk had je het gevoel dat je machteloos was', zegt Alex. 'Dat hebben veel kinderen.'

'Ik kan me niet herinneren dat ik me machteloos voelde. Jij wel?'

'Zeker wel. Ik ben geadopteerd en ik was enig kind. Mijn adoptiefouders runden een soort opvang. Die was bij ons thuis. Mensen kwamen en gingen de hele tijd. Verre verwanten, vrienden van vrienden, uitwisselingsstudenten, immigranten, willekeurige reizigers. Ze sliepen in de slaapkamers, op zolder, op de veranda. Overal stonden altijd koffers en tassen. Ik herinner me een vent die een lepel kon laten bewegen zonder hem aan te raken – echt waar – en een meisje uit Cambodja dat niet wist hoe oud ze was. Ik denk dat ik me wilde onderscheiden. Voor mijn ouders. Ik weet nog dat er een keer een vent langskwam toen ik op de middelbare school zat, we waren een beetje aan het lummelen op de achterveranda en hij vroeg aan mij: "En waar kom jij vandaan?" En ik zei iets van: "Hier. Ik woon hier. Dit is mijn huis."'

Kelly knikt bedachtzaam. 'Klinkt alsof je behoefte aan aandacht had.'

'Het is niet zo dat mijn ouders me negeerden. Er waren alleen een heleboel mensen die concurreerden om hun aandacht.'

'Ik wist niet dat je geadopteerd bent', zegt Kelly.

Op mysterieuze toon zegt Alex: 'Aah...er is veel wat je niet over mij weet.'

'Zoals?'

Alex heeft Kelly niets over Isabel verteld. Het lijkt hem nu een geschikt moment. 'Ik ben getrouwd geweest. Mijn vrouw is iets meer dan een jaar geleden overleden. Ze is overreden door een pick-up toen ze aan het fietsen was. Ze heette Isabel.'

Kelly blijft staan en staart hem aan, meelevend. 'Hoe lang was je getrouwd?'

'Bijna drie jaar. Daarvoor zijn we drie jaar samen geweest.'

'Dat is verschrikkelijk. Het spijt me heel erg.'

'Het is oké.'

Kelly grijpt zijn arm en knijpt zacht. 'Doe niet zo stoer. Eerlijk gezegd maakte je wel een beetje een verloren indruk de eerste keer dat ik je zag.'

Alex heeft even nodig om zich te schikken in haar opmerkzaamheid en het feit dat hij blijkbaar doorzichtiger is dan hij dacht. 'Vond je dat aantrekkelijk?' vraagt hij met een glimlach.

Kelly haalt haar schouders op. 'Ik denk niet dat ik zou vallen op de eerste de beste vent die er verloren uitziet.'

Na een korte stilte vraagt ze: 'Ben ik een pleister? Op de wonde?'

'In mijn hoofd had ik je niet als een soort verband bestempeld.'

Kelly lacht. 'Goed geantwoord.'

'En ik?' vraagt Alex. 'Wat ben ik voor jou?'

'Een *boy toy*. Een goedkoop speeltje.'

'Gaaf.'

'Serieus? Gezien wat je me net hebt verteld?' Kelly bekijkt hem met een mengeling van bezorgdheid en genegenheid. 'Je moet dit niet verkeerd opvatten. Maar je zou weleens een omvangrijker project kunnen zijn dan ik had verwacht.'

Zeventien

Toen in Best Buy het bericht van hogerhand kwam dat er een nieuw beleid ten aanzien van werknemerbehoud en prestatietoeslag werd ingevoerd en dat alle dienstmanagers en afdelingsmanagers, naast andere extraatjes, alle goederen tegen inkoopsprijs konden kopen, in tegenstelling tot inkoopsprijs plus vijf procent voor gewone werknemers, had Jasper het kunnen opnemen met zijn chef (de afdelingsmanager van Audio) of met een van de dienstmanagers of zelfs met de winkelmanager. Maar die onbeduidende functionarissen waren niet bepaald de grootste lichten in de constellatie van Best Buy en ze hadden de neiging de speciale melange van vaardigheden en talenten die Jasper mee naar het bedrijf bracht niet te waarderen. Dus toen hij hoorde dat Luke Payne, regiomanager voor Oost-Iowa, begin juni op een woensdagmiddag een bezoek aan de winkel zou brengen, zorgde Jasper ervoor dat hij ingeroosterd was en een strategie klaar had.

Het ongeluk wilde dat Jasper bezig was met een weifelend, nooddruftig stel dat nieuwsgierig was naar thuisbioscopen en op het punt stond om te dokken, toen hij Luke Payne, gekleed in colbert met stropdas, op zich af zag komen door Camera's en Camcorders. Jasper herkende hem van een vorig winkelbezoek. Luke werd begeleid door de winkelmanager, Steve Schultz, die het officiële uniform van blauw poloshirt met kakibroek droeg. Jasper wachtte tot de twee mannen bij Films waren gekomen en een gangpad tussen hoge stellingen met dvd's in liepen. Hij verontschuldigde zich bij zijn klanten en glipte vanaf de andere kant het gangpad in. Hij bofte; er stond maar één klant, een vrouw van middelbare leeftijd, en er waren geen andere blauwe poloshirts te bekennen.

'Meneer Payne', zei Jasper doortastend en hij stak zijn hand uit. 'Jasper Klass. Audio. Ik ben twee maanden op rij verkoper van de maand geweest. Ik wilde zeker zijn van de eer u te ontmoeten en u een privérondleiding door Audio aan te bieden, als niemand anders het doet.'

Luke Payne scheen verrast en geïmponeerd door Jaspers assertiviteit. 'Leuk je te ontmoeten', zei hij en hij schudde Jasper de hand. 'Gefeliciteerd met je verkiezing tot verkoper van de maand. Of misschien moet ik zeggen verkoper van twee maanden.'

Jasper lachte. 'Bedankt.'

Steve Schultz lachte breed, plaatste zijn hand stevig op Jaspers schouder en zei tegen Luke Payne: 'Eigenlijk was Jasper meer dan een jaar geleden twee maanden op rij verkoper van de maand. De laatste tijd is hij…' hij wierp een onzekere blik op Jasper '…zijn vaardigheden aan het bijschaven.'

Luke Payne vouwde zijn handen voor de gesp van zijn riem en knikte ernstig. 'Blij het te horen.'

'Ik wil iets onder uw aandacht brengen, meneer Payne, namens alle werknemers', zei Jasper. 'Ik heb dat WBPT-beleid eens bekeken en het is een uitstekend plan, echt uitstekend. Was u betrokken bij de opstelling ervan?'

'Zijdelings.'

Steve sprak Jasper streng toe. 'Luke en ik moeten dringend iets afhandelen en we hebben niet veel tijd. Misschien kunnen jij en ik het hier later over hebben?'

'Een ogenblikje, Steve.' Jasper stak een tot stilte manende vinger op. 'Meneer Payne, leuk ideetje om dienst- en afdelingsmanagers een inkoopsprijskorting te geven, maar de andere waardevolle personeelsleden, die een prestatietoeslag waard zijn, worden over het hoofd gezien. Wat u zou moeten doen, als u me even laat uitpraten, is die korting ook verlenen aan de topverkoper van elke afdeling. Of -verkoopster. Er is niets tegen verkoopsters. Op die manier moedigt u behoud van personeel aan en ook de verkoop. Ik zou aangemoedigd zijn. Uiteraard zou ik de korting al krijgen, gezien mijn status van topverkoper. Maar anderen zouden erdoor geïnspireerd worden.'

Luke Payne trok een wenkbrauw op, maar gaf geen commentaar.

'Luke, wat je moet begrijpen', zei Steve met stijgende ergernis. 'Jasper, je wás ooit een topverkoper, maar nu staat Christie bovenaan en ben jij zesde van de zeven fulltime verkopers. Dus vind ik het ongepast en eerlijk gezegd aanmatigend dat je om een speciale vergoeding vraagt. Laat me benadrukken, Luke, dat Jasper niet namens het personeel spreekt.'

Het koude zweet stond op Jaspers voorhoofd en zijn linkerooglid begon te trillen. 'De status van topverkoper zou permanent moeten zijn, als je hem eenmaal hebt gekregen. Lijkt je dat niet juist? En wanneer ik naar mezelf verwijs als top, bedoel ik niet alleen top in cijfers, maar ook in kwaliteiten die moeilijker te meten zijn, zoals integriteit, deskundigheid, houding, contact met de klant.'

Steve stootte een ongelovig lachje uit en keek naar Luke, alsof hij wil zeggen: sorry dat je deze lulkoek moet aanhoren. 'Waarom ga je niet aan het werk, Jasper. Je hebt je mening gegeven en ik weet zeker dat Luke er rekening mee zal houden.'

'Lach me niet uit', zei Jasper. 'Je moet niet denken dat er niet volop bedrijven zijn waar ik wel gewaardeerd word.'

'Ik lach je niet uit', zei Steve. 'Ik vraag gewoon of je weer aan het werk wilt gaan.'

'Ik weet zeker dat je hier gewaardeerd wordt, Jasper', zei Luke Payne.

Jasper keek Steve aan met een lazer-op-blik en keerde terug naar Audio. Hij was zo verstandig om geen ruzie te maken met de regiomanager. Bovendien was het zonneklaar dat Luke Payne en hij elkaars superieure intelligentie over Steve Schultz' punthoofd heen hadden herkend. Waarschijnlijk zal Luke Jasper een dezer dagen bellen om hem een baan hogerop in de voedselketen aan te bieden. In de tussentijd zal hij Steve aanpakken. Elke keer dat ze de afgelopen paar maanden hebben gebotst – wanneer Jasper er midden op de dag zonder toestemming vandoor ging, wanneer Jasper werd betrapt op het kijken naar een film op een groot HD-plasmascherm, wanneer Jasper onder invloed binnenkwam en achter in de zaak in slaap viel – was er in alle gevallen een uitstekende verklaring voor Jaspers optreden, die Steve weigerde te aanvaarden.

Mensen waren wantrouwig, dacht Jasper. Als ze hem nou maar wilden geloven en zijn versie van de waarheid aannamen. Hij neemt die wel aan. Hij vindt zichzelf overtuigend en meeslepend.

Om vijf uur gaat hij weg met een gevoel dat hij ondergewaardeerd en niet gerespecteerd wordt. Hij rijdt met zijn Vulcan de snelweg op, voert de snelheid op tot honderdveertig kilometer per uur en zigzagt zonder helm door het verkeer, terwijl de wind op zijn oogkassen drukt en als een kettingzaag in zijn oren giert. In de rechterbaan voor hem lichten de remlichten op van een kleine vrachtwagen en het lijkt of die stokstijf stil blijft staan. Jasper zwenkt de linkerbaan op, maar de ruimte die hij in beslag wil nemen wordt al bezet door een suv. De suv, die hard remt om Jasper niet te raken, schokt naar voren op het chassis en claxonneert luid. Jasper draait aan de gashendel en hij is weg, als een raket laat hij het zooitje achter zich. Zijn botten zoemen. Zijn hoofd is licht als een ballon. Je had me kunnen pakken, denkt hij, stilzwijgend de hogere macht toesprekend die beschikt over het gelazer dat nu eenmaal gebeurt. Ik heb mijn nek uitgestoken. Ik heb je een kans gegeven.

Op weg naar huis houdt hij zich aan zijn routine en rijdt langs de flat van Alex, zoekend naar zijn jeep op het parkeerterrein. Hij staat er niet.

Jasper parkeert de Vulcan een paar straten verder en loopt terug naar een bushalte vlak bij Alex' flat. De bushalte is perfect: hij heeft onbelemmerd uitzicht op het parkeerterrein en de deur van het gebouw op ongeveer vijfenveertig meter afstand en hij kan er rondhangen zonder er verdacht uit te zien. Er is zelfs een bushokje waar hij in kan gaan staan voor extra dekking. Vandaag leunt hij tegen een boom en houdt het terrein in de gaten. Terwijl hij wacht, balt en ontspant hij zijn hand en tikt met zijn duim op de kussentjes van zijn vingers. Meestal komt Alex tussen kwart over vijf en half zes thuis, hoewel hij een paar keer later was. Dan gaat hij naar binnen en komt even later naar buiten met de hond. De wandeling kan een snel ommetje rond de blok zijn of een lang, dwalend oponthoud in de stad. Het valt niet van het begin af aan te zeggen. Jasper moet overal op voorbereid zijn.

Het is een zachte, winderige middag. De oudere vrouw uit de roze drive-inwoning zit op haar knieën in de voortuin een bloembed te wieden. In de achtertuin van een ander huis hebben twee jongens hun kat in een rode melkkrat weten te krijgen, waaraan ze een touw hebben gebonden. Ze gooiden het touw over de laaghangende tak van een eik en hijsen de kat omhoog.

Wanneer de jeep van Alex aan komt rijden, verstopt Jasper zich achter een boom en kijkt toe terwijl hij alle bijzonderheden in zich opneemt. Rijdt Alex het parkeerterrein op met een normale, ontspannen snelheid of komt hij agressief aan denderen? Knalt hij het portier dicht? Sloft hij met hangende schouders als de levende doden, of loopt hij kwiek alsof hij iets heeft om naar uit te kijken? Vandaag rijdt hij langzaam het parkeerterrein op en neemt de tijd om uit te stappen. Hij kijkt mistroostig, verslagen, vermoeid. Maar goed, hij leeft, hij is wakker, hij ademt, zet de ene voet voor de andere en sjokt over de brug, gekleed in een spijkerbroek en een lichtblauw overhemd met buttondown kraag en de rode rugzak van North Face over zijn schouder. Hij slingert of waggelt niet. Hij mompelt niet binnensmonds. Er zitten geen gapende, paarse kringen onder zijn ogen, geen afstotelijke vlekken op zijn kleren, er zijn geen uiterlijke tekenen van verzwakking of verval.

Vijf minuten later verschijnt Alex met zijn hond en ze gaan op pad. Jasper volgt voorzichtig, hij blijft minstens een blok achter hen. Het is een boeiend spel om Alex niet uit het oog te verliezen en zelf niet gezien te worden. Jasper geniet van de uitdaging, hij duikt ontwijkend weg op opritten en in steegjes voor het zeldzame geval dat Alex op zijn schreden terugkeert, en houdt hem in de gaten ondanks de visuele obstakels – bomen, garages, huizen – terwijl hij hem op een evenwijdig lopend pad schaduwt. Jasper heeft hier ervaring mee, want ooit heeft hij een lange, slanke brunette met gekwelde ogen door de hele stad op de hielen gezeten. Hij bespioneerde haar in koffiehuizen, cafés, in de collegezaal waar ze lesgaf, tot ze hem op een avond betrapte toen hij op de binnenplaats voor haar raam op de begane grond stond, waarna ze de politie belde. Ze gebruikte dat lelijke woord 'stalken'. Tegen de politie hield hij vol dat hij haar had willen doordringen van zijn romantische en verliefde en niet bedreigende bedoelingen. Had hij zijn gitaar maar meegenomen en haar een serenade gebracht! De hele geschiedenis liep onaangenaam af toen hij een tweede poging deed om met haar te praten, hij wachtte bij haar auto terwijl ze bij de kapper zat, en ze liet een contactverbod tegen hem uitvaardigen. Ze bleek uit Frankrijk te komen. Ze gaf Frans. Hij kwam tot de conclusie dat als hij haar had achtervolgd in Frankrijk, waar de autoriteiten ongetwijfeld meer verlichte ideeën koesterden over liefdeskwesties, het geen probleem zou hebben opgeleverd.

Jasper volgt Alex in westelijke richting naar de stad en vervolgens een paar straten naar het zuiden naar een park. Alex laat de hond los zodat hij een eekhoorn kan opjagen, die moeiteloos een boom in vlucht, en gooit dan een tennisbal weg voor de hond, die een apporteermachine is. Jasper slaat hen gade vanachter een betonnen muurtje aan de overkant van de straat. Hij gaat nog een poging wagen bij Alex, maar de omstandigheden moeten precies goed zijn. De ontmoeting dient toevallig te lijken en in het openbaar plaats te vinden. Op die manier kan Alex Jasper niet vragen om weg te gaan. Jasper schat dat hij maar tien of vijftien minuten nodig heeft om zijn plan uit te voeren: voldoende sympathie bij Alex opwekken om ervoor te zorgen dat hij de sleutelinformatie prijsgeeft. Jasper is er zeker van dat hij het voor elkaar kan krijgen. Aan de andere kant zal Alex een harde noot om te kraken zijn. Hij is taai en veerkrachtig. Wat zal Jasper doen als hij hem niet kan breken? Bestaat er een manier om Alex te dwingen hem te vertellen wat hij wil weten? Is er iets wat Jasper als pressiemiddel kan gebruiken?

Hij heeft een visioen, een terugkerende dagdroom, waarin hij voor zijn fortuinlijke begunstigde staat, de vrouw die hij van de dood heeft gered, en zijn huid glanst door de glamour ervan, door een zelfachting die hij nooit eerder heeft ervaren. Het is een aantrekkelijke vrouw en haar blik is vol ontzag, dankbaarheid en medeleven, en ook een vleugje verwantschap. Ze kijkt diep in zijn ziel en daar ziet ze dingen waarvoor geen andere vrouw genoeg geduld of geloof bezat om ze te zien. Ze begrijpt hem. Ze kan hem helpen zoals hij haar heeft geholpen. Ze steekt haar hand uit, raakte hem aan en kust zijn gezicht. De kus is spiritueel, als een zegening. Dit is haar antwoord op zijn woordeloze bekentenis. Er opent zich een nieuw universum voor hem – een universum waarin hij herleeft, opbloeit. Herboren wordt. Hij krijgt een tweede kans.

Hij wil het Alex niet moeilijk maken. Terwijl hij kijkt hoe Alex de tennisbal weggooit voor de hond, roept en aanmoedigend in zijn handen klapt als de hond naar hem terug springt met zijn grote gele bek, voelt Jasper een merkwaardige tederheid voor deze man, de man wiens leven hij heeft beschadigd, en boven op die tederheid voelt hij genegenheid, welwillendheid en op een eigenaardige manier voelt hij zich zelfs beschermend. Toen Jasper begon aan zijn wandelingen met Alex was hij grotendeels geïnteresseerd in zijn gangen – waar hij naartoe ging, wat hij deed. Nu merkt hij dat hij let op specifieke aspecten van Alex' gedrag. De behendige manier waarop hij zijn hand in het plastic zakje steekt en het als een handschoen gebruikt om de her en der verspreide uitwerpselen van de hond op te rapen, waarna hij de handschoen omkeert tot een zakje en het met een knoop afsluit. De zachtaardigheid waarmee hij Otto's voorpoot optilt als die verstrikt is geraakt in de riem. De manier waarop hij de hondenkwijl van de tennisbal veegt door hem kordaat langs zijn bovenbeen te halen.

Hij houdt echt van die hond.

Achttien

Bernice staat in het bloembed achter haar huis en houdt de ladder stevig vast terwijl Alex het lage, glooiende dak van de afgeschermde veranda op klimt. In het dak van de veranda zitten twee ramen, waarvan er eentje lekt. Bij een iets meer dan lichte regen drupt er water in een emmer. Bernice heeft de toezegging gekregen van een dakdekker dat hij eind juni zal komen, maar dat is pas over drie weken en er is regen voorspeld. Ze wilde het Alex eigenlijk niet vragen, gezien zijn geblesseerde pols, maar toen ze het dakprobleem aansneed en vertelde wat haar tijdelijke oplossing was – naar boven klimmen en een geteerd zeildoek over het dakraam spijkeren – verzekerde hij haar dat zijn pols voldoende hersteld was voor het karwei; als hij voorzichtig was en niets optilde dat te zwaar was, dan kon hij het aan.

Nu ze Alex van de ladder het dak op ziet stappen, waarbij hij zich even bukt en twee handen op de dakspanen zet om zijn evenwicht te hervinden, vraagt Bernice zich af of hij niet te veel risico neemt. 'Wees alsjeblieft voorzichtig', zegt ze. 'Kijk uit waar je je voeten zet. Het kan daar glad zijn. Weet je zeker dat je pols in orde is? Misschien moet je die brace omdoen.'

'Het gaat best. Maak je niet ongerust.'

Bernice geeft het teerdoek door, de kopspijkers en de hamer. Alex vouwt het teerdoek open, dat stijf is en onhandelbaar en veel groter dan een van beiden had verwacht. 'Jezus. Hier zouden we het hele huis mee kunnen bedekken.' Alex vouwt het teerdoek dubbel en past het over het dakraam. 'Ik ben er nog niet zo zeker dat je dakdekker blij zou zijn met onze aanpak. Ik ben bang dat we het dak beschadigen als we spijkers door de dakspanen slaan. Kun je die emmer niet nog een week verdragen?'

'Ik ben die emmer zat', zegt Bernice, niet helemaal oprecht. In plaats van druk op hem uit te oefenen is de dakreparatie het eerste goede excuus dat ze in weken heeft gehad om tijd met hem door te brengen. De laatste tijd heeft ze het gevoel dat hij haar uit de weg gaat, haar toenaderingen afweert, op haar uitnodigingen reageert met raadselachtige excuses en uitvluchten, alsof ze iets heeft gedaan wat hem heeft ontstemd of afkeer inboezemt. Bernice geeft er de voorkeur aan om te denken dat het niet persoonlijk is, dat zijn nieuwe vriendin, Kelly, de ware reden is voor zijn onbereikbaarheid.

Ze zegt tegen Alex: 'Kijk eerst even naar het dakraam voor je begint. Gewoon of je iets ziet. Het lekt linksonder in de hoek. Daar, bij je rechtervoet.'

Alex knielt, tilt de punt van het teerdoek op en onderzoekt het dakraam. Brengt zijn hoofd er dichtbij. Tuurt. Port met zijn vingertoppen in de afdichting. 'Ik zie niets. Maar dat wil niet zeggen dat er geen lek zit.'

'O, er zit een lek, geloof me maar', zegt Bernice.

Alex gaat aan de slag met de kopspijkers. Bernice is onder de indruk van zijn behendigheid, het gemak waarmee hij om het zeildoek heen beweegt en tegelijk zijn evenwicht bewaart tegen het schuine dak, het gemak waarmee hij stapt, draait, hurkt, knielt, spijkers uit het pakje plukt en ze erin hamert met een, twee klappen van de hamer, die hij met zijn goede hand vasthoudt. Achter en boven hem schittert de zon aan een helderblauwe hemel, de bomen zijn nadrukkelijk groen, buurtgeluiden – kindergeroep, een blaffende hond, een grasmaaimachine in de verte – dringen sporadisch door. Het is niet zozeer een déjà vu, maar eerder een complexe wisselwerking tussen omgeving en geheugen waardoor Bernice in een flits een terugblik krijgt op het frisse, gave optimisme van haar jeugd, of om preciezer te zijn, toen ze een jonge vrouw was, zoals toen Isabel en Clancy in de achtertuin speelden en Todd iets aan het huis repareerde, terwijl zij bewonderend toekeek. Ze herinnert zich de jeugdige overtuiging, en is zich die ook nu vluchtig gewaar, dat puur geluk binnen haar bereik lag, daarginds net voorbij de bocht, achter de horizon. De ironie was dat de valsheid van de hoop niets afdeed aan de macht die de hoop had om te inspireren, te motiveren, om je doortastend en vastberaden te maken. Om je een gevoel van *geluk* te geven.

Alex slaat de laatste spijker erin, staat op en doet een stap achteruit naar de dakrand om zijn werk te overzien. Het teerdoek zit strak en vierkant over het dakraam, de spijkers langs de randen zijn er op regelmatige afstanden in gehamerd.

'Heel hartelijk bedankt', zegt Bernice. 'Je hebt geen idee hoe fijn het is om op de veranda te zitten en niet naar de Chinese watermarteling te hoeven luisteren.'

'Je had het ook zelf gekund', zegt Alex, die vertrouwen heeft in haar handigheid.

'Het zou mij twee of drie uur hebben gekost en waarschijnlijk zou ik nog voor het eind een doodsmak hebben gemaakt. Hoe gaat het met je pols?'

'Prima.' Alex steekt haar de hamer toe met de steel naar voren en daarna het lege pakje spijkers. Bernice dringt erop aan dat hij voorzichtig is als hij hachelijk dicht naar de dakrand stapt, zich omdraait en zich laag over de glooiing bukt als een hardloper in het startblok, met zijn vingers op de dakspanen gedrukt. Bernice grijpt de ladder met beide handen beet als hij omlaag klimt. Zodra hij laag genoeg is pakt ze hem bij zijn middel, haar duimen laag op zijn rug, om hem recht te houden en steun te geven. Alex verstijft.

'Het gaat goed', zegt ze. 'Ik heb je.'

'Dat hoeft niet. Hou de ladder maar vast.'

Dat doet ze. 'Ik heb 'm.'

Alex draait zich om en kijkt omlaag in de ruimte waarin hij moet afdalen – een nauwe doorgang, omheind door haar armen en borst. Behoedzaam klimt hij omlaag, zijn ellebogen ingetrokken, zijn lichaam plat tegen de ladder, alsof hij door de geringste misstap honderden meters omlaag zou storten. Zijn lange benen, slanke middel, magere bovenlijf en de bezwete haartjes in zijn nek schuiven voor haar langs. Wanneer Alex op de grond komt, blijft hij roerloos en vreemd verstard staan, met beide handen om de sport van de ladder geklemd. Bernice houdt nog steeds de zijkanten vast, haar armen om hem heen gestrekt, haar borst op een paar centimeter van zijn rug. Ze staan praktisch lepeltje-lepeltje. Opgelaten laat Bernice de ladder los en deinst achteruit. Alex doet een stap opzij. Ze ziet hoe hij diep ademhaalt. Ze doet hetzelfde en bedenkt hoe vreemd het is dat ze zich zowel gespaard als teleurgesteld voelt.

In de schemerige, koele keuken doorzoeken ze de ijskast naar iets te drinken. Bernice pakt net als Alex een biertje en ze nemen de flesjes mee naar de veranda om hun werk van onderen te inspecteren. Alex werpt een blik op het dakraam, waarna hij welbewust naar een rieten stoel loopt en erop neerzijgt als een man die al weken geen rust meer heeft gehad. Hij strijkt over de armleuningen. 'De echte test komt pas als het gaat regenen, neem ik aan.'

Bernice zit op een smeedijzeren stoel naast een terrastafel met een glazen blad die in vroeger tijden de plaats was van gezellige gezinsetentjes op zomeravonden. 'Als de weerman het goed heeft, zullen we niet lang hoeven wachten.'

'Zou het morgen gaan regenen?'

'Volgens mij hebben ze maandag gezegd.'

Alex knikt tevreden.

'Heb je plannen?' Op dit moment is Bernice alleen maar nieuwsgierig.

'Niets bijzonders. Kelly en ik dachten erover om naar het zwembad te gaan.'

Bernice stelt zich Alex bij het zwembad voor, liggend op zijn zij, steunend op een elleboog, armen soepel en gebruind, zijn buik licht bollend, zijn navel glinsterend. Ze heeft Kelly nog niet ontmoet, dus kan ze haar bijzonderheden niet invullen en ze slaagt er slechts in om een gezichtsloze vorm te bedenken met dwars eroverheen twee smalle stroken doorzichtige stof.

'Misschien vind je het leuk om een keer met Kelly hier te komen eten, ik zou haar graag ontmoeten', zegt Bernice.

Alex knikt flauwtjes.

'Waar houdt ze van?' vraagt Bernice.

'Ze is pseudovegetarisch. Volgens mij eet ze wel vis. Ik weet dat ze garnalen eet. Een paar avonden geleden heeft ze die nog besteld.'

Bernice knikt inschikkelijk. 'Dat is niet zo moeilijk. Dan maak ik iets met garnalen.'

Weer dat neutrale knikje, barser deze keer. Waarom heeft ze het gevoel, wanneer Alex haar met een voorzichtig taxerende blik aankijkt, dat hij een gebeurtenis voorziet die haar zal kwetsen?

'Wat?' vraagt ze. 'Waarom kijk je zo?'

'Zomaar.'

'Er is iets.'

Alex laat zijn hoofd achterovervallen alsof de pezen in zijn nek zijn geknapt. 'Denk je niet dat het pijnlijk zal zijn? Ik kan niet geloven dat je het echt leuk vindt om haar te ontmoeten, laat staan een hele avond met haar door te brengen.'

'Is ze zo onuitstaanbaar? Is ze onbeleefd? Stinkt ze?' Bernice probeert sportief te zijn. Onverschrokken. Er de lol van in te zien. De moeite waard om je vriendin aan voor te stellen. De waarheid is dat ze doodsbenauwd is. 'Laat me zelf bepalen wat ik leuk vind. Als ik dacht dat ik het niet leuk zou vinden, zou ik het niet hebben voorgesteld.'

'Ik ben bang dat het pijnlijk voor Kelly zal zijn.' Alex werpt haar een meelevende, smekende blik toe, waarmee hij hen allebei verdere gêne wil besparen. *Eten bij de ex-schoonmoeder van je nieuwe vriendje. De moeder van de overleden echtgenote van je nieuwe vriendje.*

Bernice is beledigd. 'Je bent bang dat het je relatie met haar zal schaden.'

'Zou jij dat niet zijn? Als je mij was? Denk je nou eens mijn positie in. Denk je Kelly's positie in.'

'Ik ben plooibaar en hip. Als je ergens bang voor moet zijn, dan is het dat het zal klikken tussen haar en mij en dat ze jou maar saai zal gaan vinden.'

Alex slaakt een diepe zucht. 'Ik wil er nou niet bepaald de nadruk op leggen dat ik getrouwd ben geweest. Omwille van haar.'

'Een volwassen vrouw zal je geschiedenis accepteren.'

'Dat doet ze ook, ze weet dat ik getrouwd ben geweest en ze weet dat mijn vrouw is gestorven. Maar ze is niet verplicht om mijn geschiedenis te leven. En wat belangrijker is, dat hoef ik ook niet.'

'Dus ik ben geschiedenis. Ik maak geen deel uit van je heden.'

'Natuurlijk maak je deel uit van mijn heden.'

'Doe dan niet zo spastisch over je vriendin meebrengen om te komen eten.'

'Hé, kalm aan, oké?'

Wat wil hij? Niet gevraagd worden? Wil hij dat ze zegt: zorg dat die sletterige nieuwe vriendin van je mij nooit onder ogen komt; hoe kan zij nou ooit de vergelijking doorstaan? 'We kunnen uit eten gaan. Als hier eten raar is. Ik zal een zonnebril opzetten en een gleufhoed, dan weet ze niet wie ik ben. Of ik doe net of ik de serveerster ben. Op die manier krijg ik haar in elk geval te spreken. Nee, wacht. Ik zal doen of ik je geschiedenisleraar ben. Tegen Kelly kun je zeggen dat je wilt dat ze je vroegere geschiedenisleraar ontmoet. Die deel uitmaakt van je geschiedenis.'

Hij heeft zijn gezicht in zijn handen laten zakken, hij schaamt zich of is haar beu of allebei, maar wanneer hij zijn hoofd optilt ziet Bernice tot haar genoegen dat hij lacht. Geamuseerd. Verlegen.

Later die avond, nadat ze een paar hoofdstukken in een sciencefictionroman heeft gelezen, op de bank in slaap is gevallen, met een vreselijke hoofdpijn wakker is geworden en een kom muesli heeft gegeten, zet Bernice de computer aan en kijkt of er e-mail is. Er is een boodschap van Lotta.

Gegroet, Bernice! Is het voorjaar met zijn heftige revolte van wind en kleur voorbij in Iowa? Hier zijn de meeste bomen de bloei voorbij en sluiten zich nu onwillig aan bij het groen van het gras en de struiken dat in het algemeen donkerder wordt en voorbereidingen treft voor de zomer.

Onlangs zag ik een vogel, een dikbekfuut, die zonder een rimpeling te veroorzaken onder het oppervlak van een vijver kan verdwijnen. Zo'n gladde duiker! Het is me gelukt om een paar van die sublieme duiken vast te leggen met mijn Palmcorder en ik zal je een kopie van de video sturen, de film doet de fuut zeker recht.

Met Janet gaat het goed. Het schooljaar is nu afgelopen, dus heeft ze meer vrije tijd, die ze wil doorbrengen met David en de kinderen. Onlangs is ze met Carly naar karateles gegaan en afgelopen zaterdag hebben David en zij de kinderen meegenomen naar een wedstrijd van de Chicago Cubs. David en zij zijn nog in discussie over het idee om de stad te verlaten en naar een buitenwijk te verhuizen – een idee waar Janet niet warm voor loopt, op z'n zachtst gezegd.

Dit weekend brengt David Sam naar een milieukamp in Michigan, waar hij zich zal bezighouden met de wisselvalligheden van de natuur. Ik denk dat Janet het fijn zal vinden om alleen met Carly te zijn. Het volgende weekend zetten zij en David de kinderen af bij Hotel Oma en gaan ze een paar dagen naar Door County. Dat zal een prettige onderbreking voor hen zijn.

Hoe gaat het met Alex? Ik hoop goed. Doe hem alsjeblieft de groeten van mij als je denkt dat hij daar prijs op stelt.

Tussen twee haakjes, Janet heeft gezegd dat ze erover denkt om Alex te bellen. Denk je dat dit een slecht idee is? Ik heb Janet gezegd dat ze waarschijnlijk beter kan wachten. Ik weet niet of ze mijn raad op zal volgen. Ze kan koppig zijn.

Goed, dat is het nieuws uit het noorden. Heb je trouwens ooit die Audubon-veldgids voor Noord-Amerikaanse vogels gevonden? Wilde ik gewoon even weten.

Hou vol. Zorg goed voor jezelf.
Lotta

Bernice klikt op Beantwoorden en schrijft:

Hallo daarginds! Het is warm hier en het wordt almaar war-
mer. Grappig dat Sam naar het milieukamp gaat, zoals je
schrijft. Gisteren kwam hier een jongen aan de deur namens
een soort milieugroepering en hij wilde dat ik me inschreef
voor de 'Actiedag tegen de opwarming van de aarde', waarvoor
ik op 6 juli al mijn elektrische apparaten, met inbegrip van de
airco, moet uitschakelen. En de auto moet ik ook laten staan.
Ik heb me ervoor ingeschreven. Ik zal mijn oude fiets moeten
afstoffen. O, lieve help! Het schiet me net te binnen dat Alex
op 6 juli eenendertig wordt. Daar ga je dan met je milieuover-
tuigingen. Ik zal het verbod op rijden waarschijnlijk moeten
overtreden.
Gefeliciteerd met het spotten van de dikbekfuut. Stuur me als-
jeblieft een kopie van de video. Misschien dat ik dan een dik-
bekfuut herken als ik er ooit eentje zie. Vanochtend heb ik een
mooie kardinaal gezien. Hij zat in de boom vlak voor het raam
in de studeerkamer.
Ik ben blij te horen dat het goed gaat met Janet. Ik hoop dat
David en zij een fijne vakantie hebben. Ik vind het altijd fijn om
over Janet te horen. Er is niets dat me zo heftig herinnert aan het
feit dat er twee vrouwen dood hadden kunnen zijn, maar dat het
er, dankzij Isabel, maar één is. En ook al is Isabels leven verloren
gegaan, toch is het totaal aan leven toegenomen en dat is door
toedoen van mijn dochter. Ik ben trots op haar.
Ik zou willen dat ik Alex ervan kon overtuigen om het ook zo te
zien, maar ik weet niet zeker of me dat zal lukken. Van tijd tot
tijd heb ik het over Janet, maar niet zo opdringerig als ik eerst
deed. Het onderwerp is te omstreden. Daarom zou ik Janet ad-
viseren om nog niet te bellen. Ik zou het vervelend vinden als ze
een onaardige reactie kreeg. Misschien in de toekomst?

Ik hoop dat we elkaar een keer zullen ontmoeten, Lotta. Ik zou heel graag in het echt met je praten.

Hartelijke groeten aan Janet en familie.
Bernice

Negentien

Een zachte avond halverwege juni. Alex loopt met Otto over trottoirs overschaduwd door bomen, langs huizen die tot leven komen na een lange dag leeg te hebben gestaan. Mensen rommelen in de tuin, in bloembedden en garages. Een briesje blaast iets van de hitte van overdag weg. De rechtopstaande bomen, de sierlijke bogen van de takken: vermetel vertoon van uithoudingsvermogen en gratie. De wereld die met zichzelf pronkt, vasthoudt aan zijn vermogen om te overleven. De wereld wil Alex laten zien hoe gemakkelijk de dood van een enkel mens wordt geaccepteerd, hoe gemakkelijk alles weer zijn gang gaat. Het is een schimpscheut, een uitdaging. *Kun jij dit?*

Alex wil terug schreeuwen: jij hebt geen emoties, je hebt geen geheugen. De wereld heeft geen idee hoe het is om je door het bezinksel van een voorbije tijd te slepen, je lichaam tussen de levenden door te loodsen terwijl je geest omlaag naar vroegere strata duikt, waar de geliefde beweegt en spreekt, waar flarden van gesprekken en ervaringen aan scherven liggen. Het prieel in College Park, waar Alex en Isabel op een zaterdagmiddag hun boterhammen zaten te eten toen ze werden aangesproken door een versufte, waggelende dakloze man die om kleingeld vroeg. Isabel gaf hem de helft van haar boterham. De dakloze nam er een paar happen van en vervolgens, deels uit dankbaarheid, deels om te flirten, dreunde hij alle hulpwerkwoorden op – mogen, moeten, zijn, zullen, willen – met een verbluffend vertoon van grammaticale kundigheid. Hier, dit naar alle kanten uitdijende witte huis aan College Street, met dakkapellen en lange, diepe, om het gebouw heen lopende veranda's, waarvan Isabel zei dat er binnen een stuk van Tsjechov bezig zou moeten zijn. Ze zijn een keer naar een hondenfeest geweest in die citroengele bungalow met de omheinde achtertuin, een feest waar ze voor uitgenodigd waren door een stel dat ze geregeld tegenkwamen wanneer ze Otto uitlieten. Er waren zo'n twintig tot dertig mensen en ongeveer hetzelfde aantal honden, die rondrenden en speelden. Alex en Isabel dronken margarita's uit plastic bekertjes. Otto lag breeduit als een walrus in een plastic zwembadje. Een gespierde blonde labrador die Barishnikov heette, voerde wonderbaarlijke sprongen en draaiingen uit terwijl hij een frisbee opving.

Soms is het te veel en wil Alex de hele stad desinfecteren, hele straten schoon schrobben, alle bewijs van de overledene laten verdampen. In primitieve culturen worden de bezittingen van de dode meestal weggegeven of vernietigd en de woning van de dode verbrand. Bij de Abipones van Paraguay wordt het gereedschap van een dode man verbrand, zijn paarden en vee gedood en zijn hut afgebroken. Over een Shavante-man uit Centraal-Brazilië gaat het verhaal dat hij erg ver ging in het uitwissen van de sporen van zijn overleden vrouw: hij vernietigde niet alleen haar persoonlijke bezittingen, maar liep ook het hele pad af van hun laatste trektocht samen en verbrandde alle schuilhutten die ze onderweg gebouwd hadden, zodat hij ze nooit meer zou hoeven zien.

Alex zou de persoonlijke bezittingen van Isabel – haar boeken, haar schoenen, haar Turkse kelim – nooit kunnen vernietigen. Hij probeert zich voor te stellen hoe het zou zijn om de flat waar Isabel en hij samen hebben gewoond in brand te steken. Hoe zou hij het vinden om vanaf het parkeerterrein de vlammen uit de ramen te zien slaan? En al die andere plekken dan die Isabel en hij samen hebben bezocht? Hoe zou hij het vinden als de vlammen likten aan de muren van café Apollinaire, waar ze hebben gestudeerd, vrienden zijn tegengekomen en urenlang hebben zitten kletsen? Hoe zou hij het vinden als er zwarte rook krulde uit de ramen van de New Prairie Co-op, waar ze hun biologische fruit en groeten kochten, hun vlees en vis, hun bier en wijn? Hoe zou het zijn om het prieel in College Park in de fik te steken? Het huis van het hondenfeest? Hoe zou hij zich voelen als University Books, waar ze in de doolhofachtige gangen hebben rondgehangen, door vuur werd verteerd? Zou hij ervan genieten om midden in de nacht door de winkelpromenade te sluipen met een blik benzine en een pakje lucifers, en alle bankjes waarop ze ooit hebben zitten praten in de fik te zetten?

Alex denkt niet dat een van die vuurzeeën hem soelaas zou bieden. De herinneringen voelen weliswaar vaak aan als een plaag en ze kwellen hem met het verlies, maar in zonniger tijden lijken ze zijn laatst overgebleven band met Isabel te zijn.

In de winkelpromenade zit Alex op een bank bij de reclamezuil, waar folders zijn opgehangen die het optreden van bands aankondigen, waarin flats te huur worden aangeboden en geadverteerd wordt voor kalligrafiecursussen en aromatherapie. Otto ijsbeert en draait rond bij Alex' voeten, bedacht op voorbijgangers, bereid zich te laten aaien. Zo nu en dan spitst hij zijn oren bij een hoge toon van de Peruaanse muzikanten die bij de fontein staan te spelen. De Peruanen zijn donkere, kleine, tenger gebouwde mannen die ijl vogelgezang oproepen met charango's en panfluiten. Het publiek, dat aanzwelt en afneemt door stromen voetgangers, zit met gekruiste benen op de grond en samengepropt op de banken en de muurtjes om de bloemperken. Achterin zijn staanplaatsen, hoewel de kans groot is dat je op je schouder getikt wordt en de vraag krijgt of je in de rij staat voor de koffiekar, die de voornaamste brandstofcel is voor de promenade en die vanavond wordt bemand door een mager, kordaat meisje in een geruite rok, met hoge, zwarte basketbalschoenen aan haar voeten dat met haar scherpe ellebogen schokkerig door de lucht snijdt als ze de pistons in de holtes wrikt.

Alex is hier gekomen in de hoop dat hij zich omarmd en opgenomen zal voelen, lid van de menselijke familie, maar hij voelt zich geïsoleerd en eenzaam. Kelly is voor het weekend naar Davenport gegaan om een oudere zus te bezoeken, die pas een kind heeft gekregen. Alex' vriend Rob maakt een fietstocht, en Luther, met wie Alex van tijd tot tijd op kroegentocht gaat, neemt zijn telefoon niet op.

Alex laat Otto tussen de mensen lopen, zo ver als de riem hem toestaat. Een flottielje meisjes van studentenleeftijd – zomercursisten – komt voorbij, pralend met blote, gebruinde schouders en buik, hun gezicht fluwelig van de make-up, een onzichtbaar kielzog van parfum nalatend. Een klein meisje in een wandelwagentje grijpt naar Otto, tot haar ouders haar, onnodig voorzichtig, wegduwen. Een oudere man wil Otto aaien, maar kan zijn lichaam niet in de noodzakelijke hoek buigen. Rechts van hem trekt een bekende stem zijn aandacht: 'Hé, ken ik je niet, maat?'

Alex kijkt op en ziet hem. Op een meter afstand, op Otto toelopend. Jasper. Zijn koptelefoon stoot een metalig geklik uit. Over zijn schouder hangt een paarse sporttas die gewassen moet worden of gestreken of misschien gewoon weggegooid – een enorme, gerimpelde pruim. Hij draagt een slobberig blauw T-shirt, een korte kakibroek met veel zakken en de complexe hardloopschoenen met luchtbellen in de zolen.

Alex voelt zich een sukkel, een roekeloze idioot. Hij wist dat hij het risico liep Jasper in de winkelpromenade tegen te komen – elke openbare ruimte was riskant – maar hij hoopte dat het geluk met hem zou zijn. Dit is de prijs die hij betaalt voor het beleid om Jaspers bestaan, de angst Jasper tegen het lijf te lopen, niet zijn gangen te laten bepalen.

Jasper grabbelt aan de mp3-speler, die aan zijn riem geklemd zit, tot het metalige geklik ophoudt. Hij buigt zich voorover en steekt zijn hand uit naar Otto. Otto snuffelt, doet een stap naar voren en likt. Jasper lacht. 'Hij kent me nog.'

'Hij likt overal aan', zegt Alex.

Jasper steekt zijn armen boven zijn hoofd, rekt zich uit, draait zijn bovenlijf, geeuwt, balt zijn handen tot vuisten, strekt zijn vingers, draait zijn polsen en buigt zijn handen achterover. Hij ziet eruit als iemand die net uit bed komt na een lange, diepe slaap. Langzaam, met geveinsde tegenzin die bedoeld is om de onvermijdelijkheid te verhullen van wat er staat te gebeuren, doet hij een stap naar de bank toe. 'Mag ik mezelf hier even parkeren?'

Er is iets overdrevens, mogelijk bedachts aan Jaspers achteloosheid waardoor Alex vermoedt dat deze ontmoeting niet zo toevallig is als Jasper wil doen voorkomen. 'Kun je niet ergens anders gaan zitten?'

Jasper haalt de koptelefoon van zijn hoofd alsof die er misschien de oorzaak van is dat hij het verkeerd heeft gehoord. 'Is dit jouw privébank? Ik dacht dat die banken van de gemeente waren.'

'Kom op. Er zijn vijftig andere banken om uit te kiezen.'

'Ik wil alleen even met je praten.' Jasper gaat naast Alex zitten en laat zijn sporttas van zijn schouder glijden. Hij grijpt zijn buik vast met twee handen, zakt onderuit en strekt zijn benen. Hij probeert er kalm en beheerst uit te zien, maar zijn onderlip trilt en zweetdruppeltjes staan op zijn voorhoofd.

Alex schuift naar de linkerkant van de bank, zo ver bij Jasper vandaan als maar mogelijk is, en doet zijn best geen flintertje interesse te laten blijken. Hij haalt diep adem en klemt intussen zijn tanden op elkaar, vechtend tegen zijn kwaadheid en wraakzucht.

'Ik ben gek op de promenade', zegt Jasper. 'Het is hier rustig en ontspannen, alsof je welkom bent, weet je wel? Kon het overal en altijd maar zo zijn. Geen stress. Iedereen hoort erbij.' Jasper kijkt naar Magritte, de potige Albaniër die achter de gyroskar staat en losjes van de ene naar de andere kant hopt, zijn armen voortdurend in beweging, reepjes lamsvlees van een glinsterend verticaal spit snijdend. 'Om jaloers op te zijn, niet dan? Wat een leven. Zet je karretje ergens weg en de hele dag maak je een beetje Griekse taco's. Ik maak zelf witte bonen in tomatensaus, vers. Mijn specialiteit. Je moet de goeie bonen hebben, een goeie mix van tomaten en precies de juiste dosis dragon.'

Alex kijkt naar het gezicht dat door het toeval of door het lot of God is uitgekozen om het gezicht te zijn van de man die Isabel heeft gedood, en hij probeert de link te leggen tussen wat hij ziet en Isabels vroegtijdige verwijdering uit de wereld, of er een patroon zit in de schikking van Jaspers trekken dat misschien uitsluitsel of een verklaring biedt voor de redenering, de logica, het grotere doel, de intentie erachter. Jasper zet zijn handen naar binnen gekeerd op zijn bovenbenen, tilt zijn hoofd achterover, tuurt naar de lucht. 'Wat zou jij doen als de vriendin van een hele goeie vriend je probeerde te versieren waar hij bij zat? Ik was pasgeleden uit met een gozer en zijn hitsige relatie zit almaar tegen me te stralen. Eerst dacht ik dat ze iets aan haar ogen mankeerde, weet je wel, dat deel van haar hersens, hoe heet het, de gezichtszenuw? Haar vriend is zo'n typische Amerikaanse spierbundel, dus 't is niet zo dat ik er een moreel probleem mee zou hebben. 't Is niet zo dat ik zou aarzelen, God!' Jasper grijpt, alsof hij gekweld wordt, met beide handen zijn bovenbeen, knijpt erin en laat los. 'Verleidsters! Overal verleidsters!'

Soms zou Alex willen dat Jasper beter in zijn beeld van een moordenaar paste: lang, vettig haar, spiegelende zonnebril, schunnige tatoeage, litteken op zijn lip, slordige haargroei op de kin. Een ongebreidelde slijmhoest. Het zou voor Alex zoveel gemakkelijker zijn zich van Jasper af te maken als die vulgair, smerig en weerzinwekkend was. 'Bedankt dat je dat met me wilde delen.'

'Bedankt voor het luisteren.'

'Ik luisterde niet echt.'

'Bedankt dat je daar zit met twee oren aan je hoofd.' Jaspers uitdrukking is ontmoedigd maar resoluut. Hij kijkt naar een mus die over de tegels hipt en naar een broodkruimel pikt. 'En hoe staat het met je vriendinnetje?' vraagt hij op plagerig verlekkerde toon.

Alex staart hem geschokt aan.

'Het is een schatje', zegt Jasper. 'Ik zag jullie pas nog samen in de stad. Ik zat bij Calamity Jane. Mager, kort, bruin haar? Neuspiercing. Leuk hoor. Ik hoop dat 't wat wordt.'

Alex voelt een krachtige mengeling van verbazing en verontwaardiging als reactie op Jaspers grove ongevoeligheid en tactloosheid, en hij vraagt zich af of Jasper misschien aan een soort persoonlijkheidsstoornis lijdt, waardoor hij zich niet bewust is van de grondregels en de grenzen van sociale menselijke interactie. 'Je bent echt van de pot gerukt', zegt Alex. 'Mis je een stuk van je brein? Ben je ooit ernstig aan je hoofd gewond geraakt? Of doe je dat alleen anderen aan?'

Jasper krimpt ineen alsof Alex sigarettenrook in zijn gezicht heeft geblazen. 'Ik wens je alleen maar het beste toe.'

'Hou je wensen voor jezelf.'

Jasper kijkt vluchtig naar zijn rechterhand. Het is Alex opgevallen dat die hand de afgelopen paar minuten één enkele dwangmatige handeling uitvoerde: de duim werd tegen de vingertoppen gedrukt alsof er een sms-bericht op een onzichtbare telefoon werd ingetoetst.

Jasper zegt: 'De hele dag loop ik rond en wil ik je zeggen hoezeer het me spijt, maar het is niet onder woorden te brengen. Ik wil alleen dat je weet dat ik het voel.'

'Best, hoor.'

'Je maakt het me niet gemakkelijk, hè?'

Alex dacht dat hij dat wel deed. 'Wat wil je dan dat ik zeg? "Excuses aanvaard"?'

'Waarom niet?'

'Omdat ik je er verantwoordelijk voor hou. Ik hou je verantwoordelijk voor de hele klotezooi.'

Jasper laat zijn hoofd op zijn vingertoppen zakken. Na een paar tellen haalt hij zijn handen bij zijn gezicht weg, knippert snel met zijn ogen en opent zijn mond zo wijd dat er een honkbal in zou passen. Zijn kaak klikt, een geluid alsof er een kippenbotje in tweeën knapt.

'In het ziekenhuis. Er was iets', zegt Jasper. 'Met je vrouw. Dan begint mijn nieuwsgierigheid te werken. Je moet het niet verkeerd opvatten.' Hij klopt op zijn borst. 'Boem-boem. Het hart van een ander.'

Het gestage omgevingsgemurmel van de winkelpromenade wordt plotseling luider, alsof de akoestiek drastisch wordt bijgesteld.

Jasper zegt: 'Je weet het, hè? Je zult wel iets hebben moeten tekenen.'

Alex, sprakeloos van verbijstering, voelt zich bedreigd en aangerand en weet niet hoe hij moet reageren. Hij wikkelt het losse stuk van Otto's riem strak om zijn linkerpols.

'Luister, ik hoorde jou en de moeder van je vrouw toevallig praten in de wachtkamer', zegt Jasper. 'Het spijt me, ik probeerde jullie niet af te luisteren of zo. Ik hoorde het gewoon. Ik weet niet waar het hart van je vrouw naartoe is gegaan, als je dat dwarszit.'

Het laatste komt eruit als een geruststelling, een verontschuldiging, maar hoe langer het in de lucht blijft hangen, hoe meer het aanvoelt als een vraag.

'Je wordt niet geacht iets te weten', zegt Alex. 'Ook al heb je het toevallig gehoord, dan nog zijn het jouw zaken niet. Stond je daarom ineens bij mij voor de deur? Ben je daarom nou hier? Om de weg vrij te maken voor een ondervraging? Om mij te vermurwen met zogenaamde verontschuldigingen en medeleven? Wat kan het jou schelen waar de organen van mijn vrouw naartoe zijn gegaan? Waarom interesseer jij je daarvoor?'

Jasper buigt zich voorover en tuurt naar de grond, trekt zijn schoen op de buitenrand over de tegels naar zich toe. 'Dat doe ik gewoon. Ik interesseer me voor het hart. Ik ben betrokken. Helaas, maar het is gewoon zo. Dus denk ik bij mezelf: hé, misschien is er toch iets goeds van gekomen. Niet goed voor jou,' verheldert Jasper, 'maar laten we eerlijk wezen. Ergens heeft iemand ontzettende mazzel gehad. Als die persoon het overleefd heeft.'

Natuurlijk heeft ze het overleefd, wil Alex zeggen, en voor het eerst voelt hij iets van de teleurstelling die hij te verduren had gekregen als Janet Corcoran het niet had gehaald, als Isabels plan was mislukt en hij dat op de een of andere manier te weten was gekomen. Maar dit wil hij zeker niet met Jasper bespreken. Hij zal niet prijsgeven wat hem, Bernice en Isabel toebehoort. En Janet. Het is heilig toch, of niet? Doordat het verband houdt met Isabel. Met de bedoelingen van Isabel, met haar lichaam. Het is privé. Isabel heeft niets op haar donorcodicil ondertekend dat luidde: Voel je vrij om degene die mij ombrengt alles te vertellen wat hij of zij wil weten over de uiteindelijke bestemming van mijn lichaamsdelen.

'Ik weet niet waar de organen naartoe zijn gegaan', zegt Alex tegen Jasper. 'Dat hebben ze vertrouwelijk gehouden. Wat ik prima vind. Ik wil niet weten waar ze naartoe zijn. Maar als ik het wel wist, zou ik het beslist niet aan jou vertellen.'

Jasper kijkt beduusd en teleurgesteld. 'Zou het niet gaaf zijn om het te weten? Waar haar organen naartoe zijn gegaan? Ik weet zeker dat Isabel het had willen weten.'

'Gebruik haar naam niet. *Jij* spreekt haar naam niet uit.'

Alex is het beu. Hij staat op van de bank en voert Otto mee.

'Godsamme', zegt Jasper. Hij loopt achter Alex aan en praat tegen zijn rug. 'Wacht nou even. Ga nou niet meteen door het lint.'

Alex verhoogt zijn tempo, in de hoop Jasper van zich af te schudden, maar de kruising en een verkeersstroom houden hem tegen. Jasper staat naast hem stil en wringt zich tussen Alex en het zebrapad. 'Doe nou eens rustig. We praten alleen maar. Je kunt niet ontkennen dat ik betrokken ben. Ik heb er recht op om het te weten.'

Alex beseft dat hij en Jasper op precies dezelfde plek staan als waar hij, Alex, iets meer dan een jaar geleden stond toen hij zich had omgedraaid, terug de winkelpromenade in had gekeken en Isabel voor het laatst in leven had gezien.

Alex steekt over en loopt verder over het trottoir. Jasper houdt hem bij en snauwt tegen zijn rug: 'Loop nou niet steeds van me weg. Ik word hier onderhand pisnijdig van.'

Jasper slaat Alex op zijn arm, een soort vertwijfelde graaiende klap tegen zijn biceps. 'Blijf nou staan en luister naar me.'

Alex laat Otto's riem vallen en geeft Jasper een harde, rechtshandige stomp midden in zijn gezicht, zijn knokkels raken het jukbeen, waardoor Jasper achteruit wankelt, met één hand tegen zijn oog en de andere beschermend uitgestrekt. Alex staat onvast op het trottoir, stijf van de adrenaline, inwendig opgetogen over het succes van zijn stomp, hij heeft er sinds de onderbouw op de middelbare school geen meer uitgedeeld. Jasper staat, hoewel wankel, nog steeds overeind, hij schuifelt met zijn voeten zodat ze zijn gewicht blijven dragen. Zoals hij zijn gezicht vasthoudt, zou je denken dat hij het bloed van een gesprongen slagader moet stelpen. Aarzelend laat hij zijn hand zakken, gluurt in zijn handpalm alsof het een spiegel is waarin hij de schade opneemt. Er is geen bloed te zien. Jaspers wang en oog zijn rood, maar verder ongeschonden. Hij kijkt Alex aan, vernederd en verontwaardigd.

Voel het, denkt Alex. Ook al is maar een onbeduidende minuscule fractie van de pijn die je zelf hebt toegebracht. Voel het toch maar.

Twintig

Alex en Kelly zitten in zijn woonkamer ieder op een uiteinde van de bank, met hun blote voeten naar het midden. Op de salontafel staan twee lege borden, een paar minuten geleden nog volgeschept met Singapore mein fun. Otto ligt, met een gelukskoekje in zijn buik, tevreden languit op de vloer. Op de stereo speelt Modest Mouse, een cd die Kelly heeft meegebracht en stiekem in Alex' cd-speler heeft gestopt. Toen Kelly hem na een paar nummers vroeg wat hij van de muziek vond, zei hij: 'Ik vind het best.' En Kelly wierp hem een vermanende blik toe, alsof zijn ambivalentie iets snobistisch had. Het was niet zijn bedoeling snobistisch over te komen, hij had alleen een reactie verwoord, waarvan hij zich realiseerde dat die niet geheel van hemzelf was. De reactie hoorde bij Isabel. Ze sprak ongenood in zijn hoofd, gaf haar gedachten, indrukken en meningen ten beste. Ze zat in hem. Een groot deel van haar. Besefte Kelly terwijl ze op de bank door een catalogus van REI zat te bladeren dat ze in feite met twee andere mensen in de kamer was? Dat ze in wezen verkering had met twee mensen?

'We moeten eens gaan kamperen', zegt Kelly, verlokt door bladzijde na bladzijde topkwaliteit slaapzakken en tenten. 'Dat heb ik

al zo lang niet gedaan. Ik heb een geweldige tent. Zoiets als deze.'
Ze wijst een lichtgewicht tweepersoonstent aan die Big Agnes Mad
House 2 heet. 'Ik heb ook een slaapzak.' Heb jij een slaapzak?'
'Ik heb een oude, sjofele.'
'Misschien kunnen we een nieuwe kopen. Of er eentje lenen. Hou
je van kamperen? Ik bedoel niet: laten we naar het dichtstbijzijnde
nationale park gaan, de tent opzetten en ons een stuk in de kraag
zuipen. Ik bedoel een pad zoeken en voor een paar dagen in de bossen verdwijnen. Backpacken.'
'Ik doe mee. Een paar jaar geleden zijn we met Rob, met wie ik
aan bergbeklimmen doe, en zijn vriendin naar de Ozarks geweest.
Maar dat was niet echt backpacken, alleen kamperen en wandelingen. Dagtochten.'
'Je zou het echt moeten proberen. We zouden naar het westen
moeten gaan.' Ze snuift opgewonden en grijpt zijn arm. 'Ik heb pas
een artikel gelezen in het juninummer van de *Backpacker* over on-
dergewaardeerde paden en er stond een foto bij van een fantastische
vallei vol bloemen, omringd door bergpieken, je moest twee dagen
lopen voordat je er was en ik dacht: dit moet ik zien voor ik sterf.
Het was zo mooi. Volgens mij was het in Colorado. Ongelofelijk dat
het in dit land was. En met de auto maar een paar uur hier vandaan.
Nou ja, tien of vijftien uur. Maar wel bereikbaar.'
Alex denkt aan Isabel in de Ozarks, waar ze wijdbeens, met beide
in wandelschoen gestoken voeten op een steen geplant, boven een met
zonnevlekken bespikkelde schotel water stond, haar bovenlijf ernaartoe gebogen, haar nek gestrekt om de gepolijste kiezels en de vissen,
zo roerloos dat ze bevroren en in ijs gevat leken, beter te kunnen zien.
'We doen het', zegt Kelly beslist en ze gooit de catalogus van REI
neer. 'Heb je iets eind juli? Kun je dan vrij nemen?'
'Het is maar dat je het weet, ik ben geen doorgewinterde backpacker. Ik ben nog nooit de wildernis in gelopen met alleen maar een
zak op mijn rug. Ik zou niet eens weten wat ik allemaal mee moest
nemen.'
'Dat weet ik wel. Mijn familie trok vroeger elke zomer in de vakantie de binnenlanden in, meestal in Colorado en Wyoming.'

'Ik weet niet zeker of ik vrij kan krijgen. Mijn chef zegt dat nu niemand vakantie kan opnemen.'

'Maar in juli dan?'

'Ik weet het niet. Ik moet het navragen.'

'Vraag het na.' Geestdriftig grijzend stompt Kelly hem vriendschappelijk tegen zijn schouder.

'En hoe moet het met Otto?' vraagt Alex.

'Die nemen we mee.'

'Ik weet niet zeker of hij zo'n pad aankan. Hangt ervan af hoe zwaar het is.'

'Dan zoeken we iemand die op hem past. Marta kan het doen. Marta is gek op honden.'

Alex hoort Isabel zeggen: Haar huisgenoot? Wil je Otto anderhalve week achterlaten bij de huisgenoot van je nieuwe vriendin?

'Ik laat hem niet bij zomaar iemand achter', zegt hij.

Kelly kijkt beledigd en gekwetst. 'Marta is niet zomaar iemand. Ze is mijn huisgenoot en een van mijn oudste, beste vriendinnen, en ze is ongelofelijk verantwoordelijk en betrouwbaar.'

'Kan zijn, maar ik ken haar niet.'

'Wel waar. Je hebt haar een paar keer gesproken.'

'Ik heb een keer met haar geblowd.'

'Dus...je bent bezorgd dat ze stoned als een garnaal zal worden en vergeet je hond te voeren?'

'Dat weet ik niet. Zoals ik al zei, ik ken haar niet.'

'Maar ik ken haar. En jij kent mij. Het is een keten van kennen. Een keten van vertrouwen. Vertrouw je mij?'

'Zeker. Ik zeg alleen dat ik Otto niet een week lang alleen laat met iemand die ik nauwelijks ken.'

Alex' toon is onnodig strijdlustig en heeft minder te maken met Otto's veiligheid en welzijn dan met zijn onzekerheid over op vakantie gaan met een vrouw die Isabel niet is.

Kelly bukt zich en aait zacht over Otto's kop. 'Otto, kun je je overbezorgde, hyperwaakzame eigenaar vertellen dat hij zich moet ontspannen? Kun je hem vertellen dat niemand je kwaad zal doen?'

Alex wil zich blijven verzetten, maar hij is Kelly dankbaar voor haar humor, haar geduld met zijn sloomheid en lichtgeraaktheid, voor haar enthousiasme en haar vermogen hem te motiveren. Waarom doet ze in hemelsnaam die moeite?

'O, ik ben gek op dit liedje.' Kelly springt op van de bank en zet het geluid van de stereo harder, waardoor de kamer met muziek wordt gevuld – een schrille, klaaglijke stem en een jengelende gitaar. Ze zit met gekruiste benen op de vloer naast de stereo. Haar ogen zijn dicht, ze knikt met haar hoofd en tikt licht met haar handen op haar knieën, op een manier die Alex puberaal vindt, aanstellerig en bedoeld om indruk te maken. Maar waarom zou haar enthousiasme niet oprecht zijn? Hij vindt het liedje ook mooi. Of dat vond hij, tot het gerinkel begon. Het dringt tot hem door dat het de telefoon is en hij krimpt ineen onder invloed van de vreemde maar vertrouwde reeks gevoelens van onrust, teweeggebracht door het geluid, met in dit geval voorop de angst en schaamte dat het Bernice zal zijn, die al dagenlang belt om te vragen hoe het met hem gaat en om hem en Kelly uit te nodigen voor een etentje. Hij heeft niet teruggebeld.

Kelly zet het volume zachter en werpt hem een vragende blik toe: ga je nog opnemen?

Het antwoordapparaat slaat aan. Alex heeft het een maand of twee na de dood van Isabel ingesproken en haar naam eruit weggelaten. Zijn stem klinkt broos en gebroken. Hij vraagt zich af of het geen tijd wordt om iets opgewekters te proberen.

Na de pieptoon blijft het even stil, dan klinkt er een vrouwenstem die Alex niet herkent.

'Hallo, Alex. Met Janet Corcoran. Waarschijnlijk heb je een poosje terug een kaart van me gekregen. En daarvoor misschien nog een paar kaarten en een brief. Ik bel je…' – ze aarzelt en haalt onzeker adem – '…ik bel zomaar.'

Haar stem is krachtig en stellig. Alex is verbluft. Ze heeft wel lef om zich zo op te dringen. Hij gaat half overeind zitten en zet een voet op de vloer, zijn lichaam is bewegingloos, hij wil haar horen en moet een sterke aandrang weerstaan, die hij nooit had verwacht, om de telefoon op te nemen.

'Weet je wat', zegt Janet. 'Als je zin hebt om te praten, kun je me op drie een twee, twee twee een, vier drie vijf negen bereiken. Ik zou heel graag iets van je horen. Volgens mij hebben we veel om over te praten. Goed. Jammer dat je er niet bent. Hopelijk gaat het goed met je. Onder de gegeven omstandigheden. Nog een prettige avond. Dag.'

Haar teleurstelling is onmiskenbaar en botst met Alex' gerechtvaardigde verontwaardiging, zijn vaste voornemen haar te negeren.

Kelly zet de muziek een beetje harder en begint weer met haar hoofd te knikken, om de indruk te wekken, denkt Alex, dat ze totaal niet nieuwsgierig is naar het telefoontje.

Alex pakt zijn en Kelly's lege bord van de salontafel en legt er de vieze servetjes en met curry bevlekte eetstokjes bovenop. Hij brengt de borden naar de keuken en zet alles, met inbegrip van het afval, in de gootsteen.

Wanneer hij in de kamer terugkomt, wachten Kelly's ogen hem op.

'Een oude vriendin van je?' vraagt ze.

'Nou, nee.'

'"Ik zou héél graag iets van je horen. We hebben véél om over te praten."' Ze kijkt hem insinuerend en plagerig aan.

Alex neigt ertoe te liegen, een verhaal te verzinnen, Kelly te vertellen dat Janet Corcoran Isabels zus is, met wie Isabel ten tijde van haar overlijden ruzie had. De zus, die niet bij de herdenkingsdienst kon zijn, probeert al een tijd met Alex in contact te komen, vastbesloten als ze is om de relatie met hem en haar overleden zus te herstellen. Om haar kant van het verhaal te verklaren.

Maar hij ziet het nut er niet van in. Waarom zou Kelly niet mogen weten waar hij mee te maken heeft?

'Die vrouw, Janet Corcoran, heeft het hart van mijn vrouw gekregen. Het hart van Isabel. Na haar dood. Isabel was orgaandonor.'

Kelly neemt het nieuws plechtig op. Ze zet de muziek zachter tot die amper hoorbaar is. 'Waar woont ze? Janet?'

'In Chicago.'

'En ze probeert met je in contact te komen?'

'Dit is de eerste keer dat ze belt. Meestal stuurt ze een kaart. De eerste keer stuurde ze een brief. Maar ze werkt ook via een achterdeur. Haar moeder en mijn ex-schoonmoeder sturen elkaar e-mails.'

'Bernice?'

'Ja.'

Kelly trekt haar nagel langs een naad tussen de vloerplanken. 'Dat moet akelig voor je zijn. Akelig en moeilijk.'

'Dat is het ook.'

Na even te hebben nagedacht zegt Kelly: 'Ik weet niet of ik wil dat iemand mijn organen krijgt na mijn dood. Ik ben geboren als een specifiek organisch iets en zo wil ik ook doodgaan. Ik. In zijn geheel. Met alle lichaamsdelen. Ze zijn in de baarmoeder samen gevormd. Ik wil dat ze samen in de aarde verteren. Dat heeft iets vredigs en natuurlijks.'

Alex is intuïtief defensief en verbaasd dat hij Kelly dergelijke new-agesentimenten hoort verwoorden. 'Jawel, maar de droom van sterven als jezelf, lichamelijk even puur als toen je geboren werd, nou, veel succes ermee. Je zult tig huidcellen verliezen en hersencellen en wie weet wat voor cellen nog meer – je tanden, haren, bloed, bot. Je kiezen worden gevuld en je krijgt stents in je aderen, je krijgt chemische en giftige stoffen in je lichaam, je zult lichamelijk totaal anders zijn als je doodgaat. Je zult een vervuild, gebarsten vat zijn. Je bent je hele leven in ontbinding.'

'Jasses. Dat is een vrolijke manier om het te bekijken.'

'Ik zou zeggen een realistische.'

'Dus ik ga nou om met een vent die denkt dat hij in ontbinding is.'

'Ik bén in ontbinding. Jij ook. Eigenlijk is het niet ontbinden, maar vergaan. Geleidelijk uiteenvallen.'

'Als je nou eens ophield met van rotsen te vallen en mensen in hun gezicht te stompen, dan zou je misschien wat langzamer uiteenvallen.'

'Ha, ha.'

Kelly bekijkt haar handpalmen en de binnenkant van haar armen, alsof ze onderzoekt of het vlees van haar botten loslaat. 'Volgens mij hou ik het goed vol.'

'Je bent vijfentwintig. Wacht maar tot je vijfenzestig bent.'

'Oké, wat wil je nou eigenlijk zeggen? We zijn allemaal aan het vergaan of zo, gebruik het of raak het kwijt...Wil je zeggen dat ik mijn organen zou moeten doneren? Ga je die van jouw doneren?'

Alex heeft daar nog niet uitgebreid bij stilgestaan. Wanneer hij erover nadenkt, komen er twee feiten naar voren: één, Isabel heeft duidelijk haar donorcodicil ondertekend uit edelmoedigheid en ruimhartigheid; en twee, kort daarop werd ze door een pick-up overreden. Hij weet dat het belachelijk, onlogisch en bijgelovig is, maar soms vraagt hij zich af of dat donorcodicil niet haar doodvonnis was. 'Wist ik maar wat Isabel zou willen dat ik deed. Of zij het zou aanmoedigen om een codicil te ondertekenen of dat ze zou zeggen: hé, maak je niet druk, je hebt al iets vreselijks meegemaakt, dat is genoeg voor ons allebei.'

'Was het vreselijk?'

'Haar dood?'

'Nee, dat ligt voor de hand. Dat gedoe met haar organen.'

'Het gebeurde allemaal tegelijk in dezelfde nacht. Het was één grote chaos.'

Kelly knikt naar de telefoon. 'Voel je een band met haar?'

'Dat was Isabel niet. Dat was een volslagen onbekende.'

'Niet volslágen.'

'Hou erover op.'

Kelly laat het onderwerp rusten. Ze raakt de volumeknop met een vinger aan, maar draait er niet aan. Ze heeft de aarzelende, onzekere blik van iemand die zich net heeft gerealiseerd dat er op dit feestje veel mensen zijn die ze niet kent. Verlegen maar ook ondeugend staat ze op van de vloer, slentert naar Alex en gaat schrijlings op zijn schoot zitten. Ze brengt haar gezicht dicht bij het zijne. 'Weet je, zou je voordat je nog veel verder ontbindt misschien een bepaald orgaan aan mij willen doneren...'

Ze raakt het aan door zijn spijkerbroek heen.

Alex duwt haar van zich af. Hij weet niet hoe hij zijn weerzin moet verklaren.

Kelly, ingeklemd tussen de bank en de salontafel, half zittend, half knielend op de vloer, kijkt kwaad naar hem op. 'Hé, kalm aan. Ik probeerde je alleen maar op te vrolijken.'

'Nou, dat is je niet gelukt', zegt Alex.

Een paar avonden later is Alex de afwas aan het doen en probeert hij een hardnekkige, moeilijk bereikbare vlek op de bodem van een hoog glas weg te krijgen door er een spons in te duwen en die rond te draaien met de steel van een pollepel. Hij begint vooruitgang te boeken als de telefoon gaat.

Voorzichtig zet hij het glas in de gootsteen. Het is laat om gebeld te worden. Terwijl hij zijn handen afspoelt en het water eraf slaat, vraagt hij zich af of het eindelijk Isabel is die van de uiteinden der aarde belt om te zeggen dat ze nog steeds in leven is, het was allemaal een vreselijke warboel, maar nu zit ze op het vliegveld en heeft alleen zijn creditkaartgegevens nodig zodat ze een ticket kan kopen.

Hij neemt op. 'Hallo?'

'Alex?'

De stem, van een vrouw, komt hem vaag bekend voor. 'Ja?'

'Met Janet. Janet Corcoran. Bel ik ongelegen?'

Alex wapent zich tegen een golf van irritatie. Als hij met haar had willen praten, had hij wel teruggebeld. 'Niet meer of minder dan een elk ander tijdstip.'

'Heb je er bezwaar tegen dat ik bel? In principe? Ik weet dat je dat waarschijnlijk wel hebt, maar mijn vraag is of je het tolereert.' Ze lacht nerveus, hoopvol. Wanneer hij geen antwoord geeft, zegt ze: 'Ik wil je al heel lang bellen. Sinds het afgelopen voorjaar. Maar dat zou te vroeg zijn geweest. Ze zeiden dat het beter was om ermee te wachten als ik met je in contact wilde komen. Het wordt niet gestimuleerd. Je kunt wel begrijpen waarom niet. Aan de andere kant weet ik niet hoe mensen het aankunnen om niets te weten. Je voelt je zo schuldig. Ik zal het maar gewoon zeggen, hè? Het is aanweziger dan ik gedacht had. Je kunt niet gewoon doorgaan alsof er niets aan de hand is.' Ze zwijgt, alsof ze een antwoord verwacht. 'Hoe gaat het met jou? Miserabel, natuurlijk.'

Haar vraag vereist een antwoord dat Alex niet bereid is te geven, een antwoord dat te uitvoerig en ingewikkeld is. '"Miserabel" zou ik niet zeggen.'

'Luister. Ik wil niet dat je het verkeerde idee krijgt', zegt Janet. 'Ik bel niet om van jou te horen dat het prima met je gaat, zodat ik me kan ontspannen en me niet meer druk hoef te maken. Ik dacht dat je het misschien...dat je het misschien fijn zou vinden om te praten.'

Ze klinkt alsof ze denkt dat ze hem kan helpen. Aanmatigend. 'Waarom zou ik het fijn vinden om met jou te praten?'

'Dat weet ik niet. Ik...' Zucht. 'Hoe lang woon je al in Iowa?'

Een deel van Alex wil nu meteen ophangen, voordat ze vat op hem krijgt. Maar door zijn wraakzucht heen voelt hij een zweem van fascinatie. Hij denkt: die vrouw heeft Isabels hart. Ze is niet langer abstract, een verre schrijfster van kaarten. Ze praat in zijn oor. Alex kan niet anders dan ten prooi vallen aan een vreemde, plaatsvervangende opwinding – de opwinding die Isabel zou voelen als ze hier was, als ze haar donatie op de een of andere manier had overleefd. Als Isabel hier was, zou ze de telefoon van hem weg proberen te grissen.

'Ik heb altijd in Iowa gewoond', zegt hij. 'Ik ben hier opgegroeid. Heb hier gestudeerd. Ben hier getrouwd. Alles hier.'

'Is het mooi? Athens?'

'Het gaat wel. Vandaag zag ik een dode eekhoorn op de weg liggen. Het zag eruit als een platte kluit modder. Dat is niet mooi.'

Het is een merkwaardig onderwerp, maar Janet gaat erop in. 'Op de school waar ik lesgeef, in Pilsen, woont een grote rat in een gat in de vloer achter een van pottenbakkersovens. Mijn leerlingen en ik noemen hem Big Al. Ik moet bij Big Al uit de buurt blijven omdat hij waarschijnlijk de builenpest overbrengt en mijn immuunsysteem is aangetast. Ik slik medicijnen om te zorgen dat de antistoffen in mijn lichaam mijn hart, het hart van jouw vrouw, niet aanvallen, want die zien het als iets vreemds.'

Alex wil dit lesje in wetenschap in zich opnemen, maar door de woorden 'het hart van jouw vrouw' wordt zijn geest de luchtpijp in geschoten waaruit de woorden zijn gekomen, en hij denkt: het moet daar zitten, dichtbij, omhuld door die stem.

Maar ze is opgehouden met praten.

Hij vertelt: 'Mijn hond vindt dode dingen lekker. Dode dieren. Ik moet hem in de gaten houden.'

'Wat voor hond heb je?'

'Een golden retriever.'

'Hoe heet hij?'

'Otto.'

'Otto. Dat is een mooie naam.'

Een lange stilte maakt dat Alex denkt aan al de lucht en maïsvelden tussen hen in.

'Bernice en jij hebben een behoorlijk hechte band, niet?' vraagt Janet.

'Wat bedoel je daarmee?'

'Niets. Ik heb gewoon de indruk dat jullie band hecht is. Hechter dan tussen veel mannen en hun schoonmoeder.'

Alex komt in de verleiding haar te corrigeren: ex-schoonmoeder, maar hij weet niet zeker of het juist is en vindt het niet prettig klinken, alsof Bernice ook dood is. 'Mijn band met Bernice is hechter dan die met een van mijn ouders.'

'Dat is fijn.'

'Het ligt eraan hoe je het bekijkt. De meeste mensen willen graag een goeie band met hun ouders hebben.'

'Waar wonen je ouders?'

'Council Bluffs.' Hij overweegt te vermelden dat het zijn adoptiefouders zijn, maar houdt zich in. Dat soort vertrouwelijkheid is ze niet waard. 'Waar wonen jouw ouders?'

'Milwaukee. In een buitenwijk.'

'En jij woont in Chicago?'

'Ja. In Wicker Park. Dat is in het noordwesten van de binnenstad.'

'En je bent nu thuis?'

'Jazeker', zegt Janet, alsof het voor de hand ligt. 'Je dacht toch niet dat ik nog steeds in het ziekenhuis lag, wel? Ik ben sinds vorig jaar mei thuis. Ik ga regelmatig naar de specialist voor controle, maar dat stelt niet zoveel voor. Het ergste is voorbij. Het ergste is al heel lang voorbij. Een tijdlang heb ik gedacht dat ik het ziekenhuis niet uit zou komen. Ik dacht dat ik in het ziekenhuis dood zou gaan.'

'Bof jij even', zegt Alex.

'Sorry. Dat kwam er niet goed uit.'

Alex probeert zijn bitterheid van zich af te zetten. 'Dus wanneer je zegt dat het ergste voorbij is, wat wil dat dan zeggen voor het dagelijks leven? Ben je op de been en zo? Kun je gewoon dingen doen?'

'O, ja', zegt Janet. 'Het gaat geweldig. Zonder overdrijven. Ik doe alles wat je je kunt voorstellen. In tegenstelling tot de hele dag ziek rondlummelen zoals vroeger. Ik sta vroeg op, ik ga naar mijn werk, ik sta fulltime voor de klas, ik doe meer buitenschoolse activiteiten dan ooit tevoren en tenzij het een heel erg zware dag was, ben ik 's avonds laat pas moe.' Haar toon is niet precies opschepperig, maar het klinkt alsof ze probeert zich te verkopen, hem ervan te overtuigen dat het hart aan haar goed besteed is. 'Het is nu zomer, dus de school is dicht, maar in het najaar begin ik weer met lesgeven. We zijn net voor het eerst in drie jaar op vakantie geweest, mijn man en ik. We zijn een paar dagen naar Wisconsin geweest. Voor mij was het echt heel wat. Alleen al om er de energie voor te hebben – te reizen en het de hele dag vol te houden. We hebben op het strand gewandeld, we hebben trektochten gemaakt, gefietst' – ze onderbreekt zichzelf en gaat verder op een meer bescheiden toon – 'zo klinkt het als een tweede huwelijksreis. Het punt is dat ik fysiek in staat ben zowat hetzelfde te doen als een normaal iemand.'

Alex voelt zich onpasselijk. 'Ik geloof je.'

'Het spijt me. Ik laat me meeslepen. Ik wil gewoon dat je weet hoe fantastisch het hart van je vrouw is. Hoe krachtig. Ik zou het aan haar teruggeven als ik kon. Ik heb haar dood niet gewild.'

'Zou je het terug kunnen geven? Dat zou fijn zijn.'

Wanneer hij niet lacht of het herroept, zegt ze: 'Zoiets als seppuku? Het er met een groot mes uitsnijden? Rituele zelfmoord?'

Ze wordt onderbroken door een mannenstem op de achtergrond en Alex hoort een gedempte, dringende woordenwisseling – Janet die de stem neutraliseert met een spervuur van gefluister. Een deur slaat dicht. Als ze weer aan de lijn komt, klinkt ze gespannen. 'Sorry. Waar hadden we het over?'

'Seppuku. Rituele zelfmoord. Je zou jezelf doden.'

'O, ja. Nou ja, dat levert ons geen van tweeën iets op, wel?'

'Stel dat het mijn vrouw zou terugbrengen? Zou je het dan teruggeven?'

'Het hart? En zelf doodgaan?' Ze aarzelt. 'Nee.'

Alex stond klaar om op te hangen als ze ja had gezegd.

Ze zegt: 'Ik heb lang geleden besloten om niet dood te gaan.'

'En kijk eens hoe schitterend je dat is gelukt.'

Janet lacht ongemakkelijk. 'Ik krijg de indruk dat je me de les wilt lezen. Dat zou me niet moeten verbazen, neem ik aan.'

'Het is niet gemakkelijk om met jou te praten. Met het idéé van jou.'

'Wat kan ik eraan doen?' Het is een aanbod, geen tegenzet.

Alex is plotseling doodop, alsof hij al urenlang aan de telefoon zit. 'Ik weet het niet. Ik moet morgen werken.'

'Natuurlijk. Sorry dat ik zo laat nog belde. Mag ik nog één ding zeggen voordat je ophangt? Ik wil dat je weet' – ze zwijgt en denkt na – 'ik wil dat je weet hoezeer het me spijt. En ik wil dat je weet dat ik niets hiervan licht opvat.'

Alex weet niet wat hij moet zeggen. Hij vraagt zich af hoe ze zou reageren op het nieuws dat de moordenaar van haar donor naar haar op zoek is.

'Welterusten', zegt Janet. 'Ik hoop dat je goed zult slapen.'

'Ik slaap alleen. Hopelijk slaap jij goed.'

'Nee, dat doe ik niet. Goed slapen.'

Alex aarzelt even, hoort wat ze zegt en hangt dan op. Het verbreken van de verbinding is cru en abrupt. Hij voelt een steek van wroeging. Als het klopt dat ergens in Chicago, in de borstkas van de vrouw met wie hij net heeft gesproken, het hart van Isabel gejaagd, ongemakkelijk en slapeloos is, dan heeft hij de kans om het te troosten zojuist verbruid.

Lief te hebben, bij ziekte en gezondheid, tot de dood ons scheidt.

Wat heeft de dood hen eigenlijk aangedaan?

Eenentwintig

Ze was onbezonnen geweest. Ze had overhaast gehandeld. Ze had hem opgejaagd. Waarom, zo vraagt Janet zich af, had ze in vredesnaam toegegeven aan de drang hem te bellen, terwijl het duidelijk verstandiger en constructiever was geweest om te wachten tot hij klaar was voor contact? Haar moeder had haar gewaarschuwd, een waarschuwing die oorspronkelijk van Bernice stamde. Niet dat Janet waarschuwingen nodig gehad zou moeten hebben. Alex had haar eerste brief niet beantwoord, en geen van haar kaarten. Hij had niet gereageerd op haar ingesproken bericht. Had ze de hint niet ter harte kunnen nemen?

Aan de andere kant had het gesprek ook goede momenten gehad. Alex had belangstelling getoond voor haar welzijn, of ze op de been was en rondliep, of ze gewoon dingen kon doen. Ze voelde aan dat zijn belangstelling opbokste tegen wrok, bitterheid en een gevoel van onrechtvaardigheid. Waarschijnlijk had ze haar lichamelijke vermogens er te dik op gelegd. Maar ze probeerde enkel uiting te geven aan haar verwondering over haar nieuwe leven en aan haar dankbaarheid, en Alex ervan te doordringen dat dit dankzij de edelmoedigheid van zijn vrouw was.

David zegt niets wanneer ze het bed in stapt. Hij ligt op zijn buik, zijn hoofd is van haar weggedraaid en zijn ogen zijn dicht, mogelijk slaapt hij, maar het is waarschijnlijker dat hij doet alsof. Het was duidelijk dat hij bereid was te praten toen ze daarnet aan de telefoon zat, maar als David dacht dat ze haar telefoongesprek met Alex zou onderbreken om er met hem over te kibbelen of ze wel een telefoongesprek met Alex zou moeten hebben, dan vergist David zich.

Janet veroorlooft zich wat lawaai wanneer ze zich in bed installeert, ze trekt zelfs een paar keer aan het laken dat onder Davids benen vastzit. Ze zou willen dat hij wakker werd. Er moet over de kwestie-Alex gepraat worden, net als over zo ongeveer alles. Ze vindt zichzelf naïef dat ze heeft gehoopt dat met een paar dagen vakantie in Wisconsin alle schade en de vrede hersteld zouden zijn. De restaurants aan het meer, de gestoomde vis en het koude bier (in haar geval verboden, dus dubbel zo lekker), de zonovergoten dagen van zeilen, fietsen, door straten en winkels in en uit slenteren; de gestage, bedwelmende opeenvolging van activiteiten veroorzaakte een voldaan geheugenverlies ten aanzien van hun moeilijkheden, een illusoire harmonie die de autorit naar huis niet overleefde. Misschien was het gedeeltelijk haar fout. Ze beging de vergissing in een moment van hoop ergens ten noorden van Milwaukee te vermelden dat ze erover dacht in de nabije toekomst Alex te bellen. Wanneer ze terugdenkt aan Davids gezicht, zijn harde, uit steen gehouwen profiel, en dat associeert met de stem van Alex ('Zou je het terug kunnen geven? Dat zou fijn zijn.'), vraagt ze zich af of het iets in haar is, iets waarvan ze zich niet bewust is, een aanstootgevende eigenschap of trek. Of is iedereen gewoon hypergevoelig? Ze begrijpt niet waarom David weigert zijn zegen te geven aan contact met Alex. Ze ziet niet hoe ze dit zonder David door kan zetten. Wanneer ze uiteindelijk met Alex en Bernice in levenden lijve zal afspreken, misschien hier in Chicago, misschien in Iowa, dan zou het een ramp zijn als David onbeleefd of onhoffelijk is. Hij moet erachter staan. Helemaal.

De volgende morgen staan ze bij de keukenbar koffie te drinken en naar de kinderen te kijken, die aan hun ontbijt zitten, wanneer hij met onmiskenbare afkeuring tegen haar zegt: 'Ik begrijp dat je hem hebt gebeld.'

'Dat heb je goed begrepen.' Ze komt in de verleiding alles op tafel te leggen en te zeggen: Ik begrijp dat je met een makelaar hebt gesproken – een vrouw die gisteren heeft gebeld en naar David vroeg. Janet had de makelaar willen vragen: Weet u wel dat de echtgenote er niet achter staat? Ze zou David willen vragen: Hoe waag je het om dit stiekem, in je eentje, in gang te zetten? Maar ze is bang voor het antwoord dat ze zal krijgen.

David vraagt niet hoe het gesprek is gegaan, waarschijnlijk omdat zij wil dat hij het vraagt.

'Het zal niet gemakkelijk worden', zegt ze. 'Het ging moeizaam.'

'Ik heb je toch steeds gezegd dat hij dolblij zou zijn om van je te horen.'

'Ga je hier altijd zo verkrampt over doen?'

David werpt een blik op Sam en Carly, die vlakbij ieder op een kruk cheerio's zitten te slurpen. Ze gaan op in hun eigen gesprek over de al dan niet volmaakte rondheid van de graanvlokken. David zegt: 'Het is misschien niet zo'n goed moment.'

Hij probeert de discussie te ontwijken. Helaas, of gelukkig in dit geval, zijn Sam en Carly gewend geraakt aan een zekere spanning in de gesprekken tussen hun ouders. Gesprekken waarvoor ze vroeger hun spel staakten en grote, bezorgde ogen opzetten, dringen nu amper door. Janet kan alleen maar vermoeden dat gedurende de afgelopen maanden (of is het al langer?) de grondtoon van de ouderlijke dialoog gespannen, dwingend en zelfs hatelijk is geworden. Ze vraagt zich af hoeveel schade David en zij aanrichten. Maar toch wil ze deze discussie. 'Ze letten niet op ons', zegt ze. 'Bovendien ben jij erover begonnen.'

'Het baart me zorgen.'

'Wat baart je zorgen?'

David trekt een gezicht alsof ze voorstelt een onaangename, mogelijk gevaarlijke opdracht aan te nemen. Hij kijkt op zijn horloge. Hij kijkt er veel langer op dan nodig is om de tijd vast te stellen. 'Ik kom te laat.'

'Kennelijk is het niet mijn welzijn dat je zorgen baart, anders zou je het wel goedvinden dat ik contact opneem met die man.'

Door de manier waarop David traag en weloverwogen zijn arm strekt om de koffiebeker weg te zetten lijkt het alsof hij aan een tegenstrijdige impuls weerstand biedt, misschien om de beker de keuken door te smijten. 'Het is duidelijk ook niet mijn welzijn waar jij je om bekommert, anders zou je wel ontvankelijk zijn voor het idee dat ik misschien een goede reden heb om ongerust te zijn over die kerel en zijn familie.'

'Hij heeft nauwelijks familie. Hij en zijn schoonmoeder zijn de enigen.'

'Is dat niet genoeg?'

'Wat bedoel je, genoeg?'

Janet besefte niet hoe verstijfd en gespannen David is tot de adem uit zijn mond komt als een gasbel die lang en diep heeft vastgezeten. 'Je hebt die kerel, waarschijnlijk een heel sympathieke kerel, ik zeg niet dat hij niet sympathiek is. Hij heeft zijn vrouw verloren door een vreselijk ongeluk. Hij is er ellendig aan toe. We hebben het hier over precies het soort ellende waar ik heel dicht bij in de buurt ben gekomen. En nu wil je dat ik me daar weer in stort? Om het te ervaren? Ik dacht dat het juist draaide om het niet te ervaren. Ik ben bang. Eerlijk. Ik ben bang om die kerel in de ogen te kijken. De moeder, daar wil ik niet eens aan denken. Wat moet ik zeggen tegen de moeder van die arme, dode vrouw?'

Janet, die hem heeft gedwongen open kaart te spelen, schaamt zich een beetje omdat ze dit niet heeft verwacht. Ze had onwil om te reflecteren vermoed, bescherming van zijn gezin, een soort tribale geïsoleerdheid en loyaliteit, tegenzin om het onbekende te omarmen, zelfs een vleugje mannelijke rivaliteit en jaloezie. Waarom had ze niet aan angst gedacht?

'Je hebt gelijk, het is eng', zei ze. 'Dat ontken ik niet. Ik denk dat ik vind dat we het aan hen verplicht zijn. Je weet wel, op je tanden bijten en de pijn incasseren. Zodat we ze kunnen benaderen en bedanken. De schuld voldoen. Niemand heeft ooit gezegd dat het een makkie zou zijn.'

'Precies. Het zal zwaar en lastig zijn. Waarom denk je dat die lui van de orgaanwerving zoveel moeite doen om te zorgen dat dit niet gebeurt? Waarom denk je dat er een sluier van anonimiteit overheen ligt? Blijkbaar heeft iemand dit scenario lang geleden al voorzien en waarschijnlijk meegemaakt en er lessen uit getrokken, en toen zijn er voorschriften opgesteld als beveiliging. Die jij in je eentje omzeild hebt. Dat was jóúw keuze. Waarom moeten wij er met ons allen in meegaan?'

'Omdat je er iets aan hebt overgehouden. Neem ik aan. Of zie je het zo niet?'

'Hé, wat ik eraan heb overgehouden – ik heb jóú eraan overgehouden', verheldert hij in een plichtmatige terzijde. 'Wat ik overgehouden heb, daar heb ik vooraf een hele hoop voor ingeleverd, al die maanden dat jij ziek was.'

'Vind je echt dat jij evenveel ingeleverd hebt als zij?'

David kijkt haar boos aan. Het is moeilijk en angstig geweest om te zien hoe David durfde te accepteren dat zijn optimistische verwachtingen over hun leven na de transplantatie overdreven waren – verwachtingen die ze hem vergaf, want zijn optimisme heeft hem door de lange, zware periode van wachten op een hart geholpen.

De vraag is nu: kan hij zich aanpassen? Kan hij die verwachtingen bijstellen en leren tevreden te zijn met wat ze hebben, wat in haar ogen heel veel is?

'Ik zeg niet dat we hun geen dank verschuldigd zijn', zegt David. 'Ik zeg dat we hun geen therapie verschuldigd zijn.'

'Dat lijkt me weinig genereus. Hun leven is verwoest.'

'En ga jij ze weer beter maken? Janet Corcoran, de wonderdokter?'

'Ik wil alleen met hen praten.'

'Doe maar niet alsof je er niets van verwacht.'

'Wat is er verkeerd aan om er wel wat van te verwachten?'

David veegt de muffinkruimels van zijn stropdas. 'Niets, zolang je mij mijn verwachtingen laat hebben, die ik tamelijk bescheiden vind. Ik verwacht niet rechtstreeks geconfronteerd te worden met de nabestaanden. Ik verwacht dat ik niet samen met hen op de bank hoef te zitten praten over hun overleden echtgenote en dochter. Ik verwacht dat ik niet hoef mee te maken dat zij mij aankijken en denken: hé, jij bent er goed van afgekomen, niet?'

'Niemand heeft je gevraagd om met hen te gaan zitten praten', zegt Janet zacht, en ze laat doorschemeren dat ze gekwetst is. Ze is teleurgesteld. Dit gaat niet de goede kant op.

'Wat betekent "ze kunnen benaderen"?' vraagt David haar behendig citerend. 'Wat betekent "de schuld voldoen"? Niemand heeft mij iets gevraagd. Dat is het punt nou net. Jij bent er als een kip zonder kop bovenop gesprongen en hebt het in gang gezet zonder enige poging om mij te polsen of te letten op hoe ik erover dacht. Tot voor kort deed je alsof mijn mening totaal niet meetelde.'

'Het spijt me, maar ik heb dit niet in gang gezet. Ik ben ziek geworden en ik heb een harttransplantatie ondergaan. Dat heeft alles in gang gezet.'

'Je hebt de donor opgespoord. Tegen het advies in van de mensen van de orgaanwerving. Dát heeft alles in gang gezet.'

Zou ze hardop moeten zeggen wat ze denkt, dat als ze had geweten dat deze kwestie zoveel tweedracht zou zaaien ze misschien nooit op zoek zou zijn gegaan naar haar donor? Of zou dat een leugen zijn? Haar voorhoofd voelt warm aan, alsof ze een aanval van koorts heeft. Haar hart gaat tekeer. Het is raar, maar meestal voelt ze zich niet zo beroerd, zelfs niet als ze van slag is. Zelfs niet wanneer David en zij midden in een ruzie zitten. 'Oké, dan heb ik het in gang gezet. Hou daar nou maar over op. Zou je er echt dood van gaan om een uur of zo te praten met de man en de moeder van de vrouw die mijn leven heeft gered?'

'Nee, daar zou ik niet dood van gaan', geeft David toe met een bereidwilligheid die slechts geloofwaardig kan zijn als hij heimelijk had besloten zichzelf andere opties te gunnen.

Ze moet sterk zijn. 'Dan blijf ik contact houden met Alex, als je het goedvindt.'

'Doe nou niet net of je het aan mij vraagt. Je vaardigt een beleidsverklaring uit.'

Janet haalt haar schouders op. Het is geen prettig gevoel om eigenmachtig en onbillijk te zijn, maar ze wil eerlijk zijn. 'Misschien wel.'

'Best. Zolang je maar begrijpt dat ik daar niet zo bij betrokken zal zijn.'

'Hoe kun je bij mij betrokken zijn en daar niet bij?'

Het is een goede vraag, geeft David toe door zijn schouders op te halen, en een vraag waar hij op dit uur van de ochtend, in zijn keuken, in het bijzijn van zijn kinderen, geen zin in heeft. Zijn lichaamstaal geeft aan dat de zaak verdaagd is. Hij brengt zijn koffiebeker naar de gootsteen en zet hem met een klap neer. De kinderen heffen hun hoofd op. David bekijkt de kalender op de koelkast even en slaat dan de volgekrabbelde maand juni om naar het lege blad met blokvormige dagen van juli. Hij is drie dagen te vroeg. Het is pas de achtentwintigste.

'Drink dat sap op, dan gaan we op weg', zegt hij tegen Sam en hij schudt hem bij zijn schouder. 'De trein vertrekt.'

'Treinen rijden niet op de weg', zegt Carly.

'Mijn trein wel', zegt David.

Sam haast zich om zijn sap op te drinken, zijn kom leeg te eten en zijn boekentas te pakken. David stopt papieren in zijn aktetas.

'Kom je vanavond meteen na het werk naar huis?' vraagt Janet. De laatste tijd werkt hij langer door dan gebruikelijk, soms tot laat, tot negen of tien uur.

'Ik ga naar de sportschool', zegt David.

Hij is onlangs lid geworden van een fitnessclub in de stad, waar hij soms 's avonds naartoe gaat om aan gewichtheffen en cardiotraining te doen. Een paar avonden geleden zijn Janet en de kinderen bij hem langsgegaan – Janet wilde zich ervan vergewissen dat zijn hart niet door iets van vlees en bloed sneller ging kloppen – maar daar rende hij op de loopband, terwijl hij naar de sportzender keek. Op de sportavonden komt hij pas na achten thuis, soms na negenen, en laat de kinderen over aan Janet. Op maandagavond gaat hij naar een cursus over internationale verhoudingen op de Loyola-universiteit, wat hem tot tien uur bezighoudt. Kort en goed, met zijn werk, sport en cursus lijkt het alles bij elkaar zijn bedoeling om zoveel tijd als hij kan buitenshuis door te brengen.

'Hé, geen probleem, ik handel het hier wel af', zegt Janet sarcastisch. 'Werk jij maar aan je biceps. Verander het aanzicht van de internetwetgeving. Bestudeer de internationale verhoudingen. Heb je ooit overwogen een cursus in gezinsverhoudingen te volgen?'

David blaast geërgerd lucht uit en doet zijn aktetas dicht en op slot. Sam is klaar met inpakken en organiseren, maar gaat, een onzichtbare, emotionele aanwijzing van zijn vader opvolgend, niet naar Janet voor een kus. Getweeën gaan ze de deur uit.

'Papa heeft me niet gedag gekust', klaagt Carly als ze weg zijn.

'Mij ook niet. Papa is een beetje verstrooid. Het is niet persoonlijk bedoeld. Als hij vanavond thuiskomt, zal hij je een dikke kus geven.' Carly lijkt tevreden met dit vooruitzicht. 'Welke maand is het?'

Janet loopt naar de koelkast en slaat het kalenderblad terug. 'Het is juni. Juni heeft dertig dagen, geen achtentwintig. Er is maar één maand met achtentwintig dagen. Weet je welke maand dat is?'

Carly denkt even na. Ze weet het niet.

'Februari', vertelt Janet haar. 'Dat is maar goed ook, want we willen zo veel mogelijk maanden met heel veel dagen. Welke malloot wil er nou dagen uit de maand weghalen?'

'Wat is een wonderdokter?'

Janet voelt zich duizelig, alsof er helium in haar hoofd zit, ze buigt zich voorover, zet haar ellebogen op de bar en laat haar wangen rusten in haar handen. 'Wonderdokters bestaan niet. Niet in mijn opvatting. Beter worden is hard werken.'

Carly houdt haar hand tegen Janets voorhoofd. 'Je bent warm.'

'O ja?' Janet raakt haar ook haar voorhoofd aan. 'Ik kan het niet voelen. De hele keuken voelt heet aan.' Ze legt haar hand op haar borst en voelt haar hart voortrazen, uit het ritme gebroken. Ze gaat zitten en haalt diep en regelmatig adem. Dit gebeurt de laatste tijd steeds. De plotse koortsaanvallen en onverwachte ritmestoornissen. Niet normaal.

'Is papa een malloot?' vraagt Carly.

'Néé', zegt Janet nadrukkelijk en murw. 'Papa is geen malloot. Papa...' Bijna zegt ze: Papa wil dat alles gemakkelijk gaat. Maar ze moet op haar tellen passen. Hij zal het terug horen. 'Papa wil dat alles weer gewoon is.'

'Ik wil ook dat alles weer gewoon is. En ik wil plezier maken.'

'Natuurlijk wil je dat.' Janet vecht om haar ademhaling regelmatig te houden en onderdrukt een neiging tot paniek als haar hart naar een onvoorspelbare eindstreep toe raast. Ze neemt Carly's haar tussen haar vingers en strijkt de lokken achter het kleine, ingewikkeld gelobde, radargevoelige oortje. Het kan zijn dat ze niet meer meemaakt dat dit meisje naar de middelbare school gaat. Hoe prop je een leven met je dochter in vijf of tien jaar? Ze voelt een urgentie, een heftig ongeduld jegens alles wat haar kan weerhouden dit te bereiken, terwijl ze tegelijk met ongelofelijke opluchting merkt dat haar hart langzamer gaat kloppen en terugkeert naar het normale ritme. 'Wij gaan plezier maken', zegt ze tegen Carly, want ze beseft dat ze te onachtzaam en te serieus is geweest, dat ze te veel aandacht aan Alex en Bernice heeft besteed en niet genoeg aan haar eigen kinderen. Als ze haar voorhoofd afveegt is haar handpalm nat van het zweet. Ze droogt hem aan een handdoek. 'We gaan heel veel plezier maken. Dat komt nu op de eerste plaats. Vanaf nu is het leven een feest. Akkoord?'

'Akkoord', zegt Carly enthousiast.

Gelukkig vraagt Carly niet hoe Janet dit denkt waar te maken, hoe ze haar aandacht eerlijk en gelijkmatig denkt te verdelen, hoe ze zoveel verantwoordelijkheid en loyaliteit denkt aan te kunnen. Hoe ze gezond denkt te blijven.

Gelukkig vraagt Carly niet of papa ook op het feest komt.

Tweeëntwintig

Wanneer Bernice Alex een verjaarsetentje aanbiedt in een restaurant van zijn keuze, kiest hij het populaire en drukke Los Rancheros. De bediening, de gastvrouw en barkeeper, de koks in de keuken die zichtbaar zijn door een ronde doorgang in de muur, zijn allemaal leden of beschermelingen van een uitgebreide, luidruchtige Mexicaanse familie. Ze maken grappen, ze plagen elkaar en katten elkaar af in het Spaans, terwijl ze de klanten zo hartelijk behandelen en zo snel bedienen dat die er te midden van de mariachi en waanzin zo zelfgenoegzaam bij zitten als kerkgangers.

Bernice bestelt enchilada's met kip – ze zou aan de tomatensaus alleen al genoeg hebben – en Alex runderfajita's. Hun margarita's worden geserveerd in glazen zo groot als een soepkom. Bernice brengt een toost uit op de eenendertigste verjaardag van Alex. 'Op een vredig tweeëndertigste jaar', zegt ze. 'Geen krankzinnige stalkers meer. Geen gestomp van krankzinnige stalkers meer. Ook al verdienen ze het.'

'Op de uitvinders van tequila', zegt Alex en hij heft zijn glas.

'Geen ruzie meer gehad met die mafkees?' vraagt Bernice, doelend op Jasper.

Alex schudt zijn hoofd.

Bernice heft haar glas. 'Op de hoop dat hij vroeg of laat de bak in draait.'

'Daar gaan we voor.'

Ze nemen grote slokken uit wat aanvoelt als meer dan de gebruikelijke behoefte. Bernice' hart bonst. Het maakte haar van streek toen ze hoorde over Alex' confrontaties met Jasper – de eerste bij zijn flat op de jaardag van Isabels overlijden, de tweede in de winkelpromenade. Ze was ontsteld over de stomp die Alex hem had gegeven. Ze was blij dat Jasper niet teruggestompt had, dat Alex ongedeerd was. Aan de andere kant begreep ze waarom Alex zijn kalmte had verloren. Jasper had hem lastiggevallen en uitgedaagd. Bernice zou Jasper ook een klap hebben verkocht. Ze had het bijna gedaan in de nacht van het ongeluk, in het ziekenhuis. Hij leek verbijsterd toen hij hoorde dat Isabel zou sterven, alsof hij had verwacht dat ze gewoon zou opstaan en doorlopen na door een pick-up te zijn overreden. Wankelend, onvast op zijn benen door drank of shock – Bernice wist niet zeker welke van de twee het was – putte hij zich overvloedig uit in onbegrijpelijke verontschuldigingen die Bernice razend maakten. Ze kon niet geloven dat hij zo brutaal was om haar op dat moment te benaderen.

Vanavond ziet Alex er goed uit, in een korte kakibroek en een lang, elegant, lindegroen guayabera-overhemd met vier zakken en verticaal borduursel. Bernice is benieuwd of hij voor later met Kelly heeft afgesproken of dat hij het mooie overhemd voor haar heeft aangetrokken. *Hij ziet er goed uit, hè, schat?* merkt Bernice op tegen Isabel, die ze voor dit feestje uitgenodigd heeft. *Hij ziet er gezond uit. Vind je niet? Het gaat goed met hem, schatje. Ik weet dat hij je nog steeds mist, maar het gaat goed met hem. Ik mis je ook. Ja, ik hou het vol. Wij allebei. We doen ons best om te doen alsof het leven zonder jou niet zwaar klote is.*

'Dus hoe voel je je nu?' vraagt Bernice. 'Anders? Ouder? Wijzer? Voel je je spieren al achteruitgaan? Het begin van seniliteit?'

Hoewel ze hem voor de grap bestookt met die vragen omdat het zijn verjaardag is, had ze ze ook in ernst kunnen stellen, vanwege het feit dat ze hem al een paar weken niet heeft gezien.

Alex zakt voorover, kromt zijn schouders en wiebelt met zijn hoofd alsof hij dement is.

'Vertel eens wat meer over je gesprek met Janet', vraagt Bernice.

'Waar hebben jullie het over gehad?'

Alex haalt afwijzend zijn schouders op. 'Over van alles. Ze vertelde hoe het met haar ging, ik vertelde hoe het met mij ging. Een elementaire uitwisseling van informatie.'

Bernice doet haar best haar frustratie over zijn terughoudendheid niet te tonen. Ze was geschrokken van het nieuws, dat ze een paar dagen geleden via e-mail van Lotta had vernomen, dat Janet het advies van Bernice had genegeerd en Alex had gebeld. Had Janet alles verknoeid door vroegtijdig een zet te doen? In paniek had Bernice Alex gebeld en onhandig afgetast wat er was gebeurd. Hij was kortaf en ontwijkend, maar ze slaagde erin te weten te komen dat noch hij noch Janet de ander compleet had afgewezen. Wat een positief resultaat was. Wat vooruitgang was. Bernice zou tevreden moeten zijn, maar ze wil meer weten. Ze heeft Janet nog nooit gesproken en ze zit tegenover iemand aan tafel die dat wel heeft gedaan.

'Wat is het voor iemand?' vraagt Bernice, een luchtig nieuwsgierige toon aanslaand. 'Is ze aardig? Vriendelijk? Grappig? Boeiend?'

'We zijn niet samen uit geweest', zegt Alex. 'We hebben elkaar misschien tien minuten, meer niet, aan de telefoon gesproken. Ja, ze was aardig. Ze was vriendelijk. Aardig en vriendelijk om te krijgen wat ze wilde hebben. Ze was ook zelfingenomen. En aanmatigend.'

'Zelfingenomen?'

'Dat zou ik wel zeggen. Ze vertelde me hoe geweldig het met haar gaat, hoe actief ze lichamelijk is en zo.'

'Ik weet zeker dat ze niet zelfingenomen wilde zijn.'

'Hoe weet je dat zo zeker? Ken je haar? Heb je haar ooit gesproken?'

Bernice voelt een trilling van angst. Stel dat na alles waarop ze heeft gehoopt, na de hele uitwisseling van e-mails en vertrouwelijkheden met Lotta, alle kaarten en brieven van de Corcorans en de kaarten die Bernice hun in goed vertrouwen, misschien blind vertrouwen, heeft teruggestuurd, stel dat na dat alles Alex gelijk blijkt

223

te hebben, dat het geen rancune of bitterheid van hem is maar dat hij gewoon gelijk heeft, dat Janet zelfingenomen, aanmatigend en God weet wat nog meer is. Een trut. Het scenario is te verontrustend om over na te denken. 'Ik weet zeker dat ze zo niet wilde overkomen. Ik weet zeker dat ze je het niet wilde inpeperen. Waarom zou ze dat doen? Zelfs als ze berekenend en manipulerend is, dan is het nog een waardeloze strategie. Zo bereikt ze niets bij jou.'

'Ik vroeg haar of ze het hart terug zou geven. Als het Isabel weer levend zou maken.'

'O, Alex, nee toch.'

'Ze zei van niet.'

'Niet? Ze zou het hart niet teruggeven?'

'Ja. Ik moet zeggen dat ik haar daarom respecteerde.'

Bernice moet even verwerken wat dit over Janet zegt. 'Ze was eerlijk tegen je. Ze wil leven. Wie wil dat nou niet?'

'Ze mag zoveel leven als ze wil. Als ze mij maar met rust laat. Ik wil dat ze mij laat leven.'

Bernice zwijgt en staat stil bij zijn houding, die niet geheel onterecht is. 'Het moet moeilijk zijn geweest voor Janet om je te bellen. Om zich voor te stellen. Zich bloot te geven. Denk je eens in. Je moet behoorlijk dapper zijn om de man van je orgaandonor te bellen. Veel ontvangers zouden die moeite niet nemen. Ze zouden het plichtmatige, anonieme bedankbriefje schrijven via de organisatie voor orgaanwerving en het daarbij laten. En verdergaan met hun leven.'

Alex pakt een tortillachip uit het rode plastic mandje en schept er gefrituurde bonen en rijst mee op van zijn bord. 'Volgens mij zou het moeilijker voor haar zijn om niet te bellen. Het zou pas echt nobel zijn als ze ons met rust liet. Maar ze voelt zich schuldig en kan niet verder met haar leven, en nou wil ze dat wij haar zeggen dat alles goed is, dat het goed met ons gaat, we zijn wel verdrietig dat Isabel is gestorven, maar blij dat er iets positiefs uit voortgekomen is, je hebt onze zegen. Hetzelfde geldt voor Jasper Klass. Hij is op hetzelfde uit. Het is egoïstisch. Snap je dat dan niet? Wij worden verondersteld aan handoplegging te doen. We worden verondersteld te vergeven en te genezen. Ik ben niet bereid te vergeven en te genezen. Ik heb er geen zin en ik kan het niet. En het is mijn verantwoordelijkheid niet. Ik ben hun niets schuldig. Het is eerder andersom.'

'Nou, misschien achtervolgt Janet je daarom. Ons. Om ons te geven wat ze ons schuldig is. Wat ons toekomt. Ik weet niet wat Jasper ons wil geven. Hij mag ons best met rust laten. Daar heb ik niets op tegen.'

'Wat Janet me schuldig is, is een gebaar van waardering, wat ze me heeft gegeven, en rust. Wat ze me niet geeft.'

'Dus...het stelt voor jou allemaal niet zoveel voor dat Isabels hart, haar hárt, nog leeft en in het lichaam van die vrouw klopt? Als ik jou zo hoor, zou ik gemakkelijk de indruk krijgen dat Janet een van Isabels tenen heeft gekregen. Of misschien een knieschijf.'

Alex zakt onderuit op zijn stoel, laat zijn hoofd naar één kant vallen, onder vuur genomen zendt hij een stil noodsignaal uit door het restaurant. 'Is dit zo'n tent waar het personeel in het Spaans "Er is er een jarig" komt zingen? Mij misschien een grote strooien sombrero opzet? Dat zou ik nou wel zien zitten.'

Bernice schaamt zich dat ze de feeststemming voor Alex' verjaardag zo snel heeft bedorven. 'Sorry. Ik zal proberen gezelliger te zijn.'

'Ja. Vooruit, gezelligheidsmens', zegt hij, alsof hij haar berispt.

Suggereert hij nu dat hij geen gezelligheid van haar verwacht? Ze kan niet kiezen of ze opgelucht of beledigd moet zijn. Ze is zich bewust van de gesprekken om haar heen, het gestage gemurmel van woorden en gelach, het alomtegenwoordige gebabbel dat mensen verbindt, dat mensen vertegenwoordigt en bepaalt, stelletjes die over tafel naar elkaar toe zijn gebogen, gezinnen die bij elkaar zijn gekropen in een box, kinderen, en ze heeft het gevoel dat ze er langzaam van wordt afgesneden, niet meer op de juiste golflengte zit.

'En hoe gaat het met Kelly?' Bernice legt het enthousiasme zo dik op haar vraag dat het klinkt of ze aangeschoten is. 'Leer ik die mysterieuze prinses nog een keer kennen, of niet?'

Alex wordt nors van ergernis. 'Het gaat goed met haar. We hebben het heel leuk. We doen van alles. Ze is cool. Het is relaxed. Het is niet serieus. We zijn van plan te gaan backpacken. In het westen. In Colorado.'

Het kost Bernice moeite zijn beschrijving te duiden. Een taalprobleem. Wat betekent 'we hebben het heel leuk'? We hebben veel seks? En wat betekent 'van alles'? Hou op, zegt ze tegen zichzelf. Hij vertelt haar dat het goed gaat tussen hem en Kelly. 'Colorado? Dat is ver weg. Wanneer gaan jullie? Voor hoe lang?'

'Een week of zo. Kelly las over een pad dat gaaf zou moeten zijn. Er is een veld waar ze helemaal opgewonden over is. Het wordt een soort queeste naar een veld. We gaan er met de auto naartoe, wandelen een paar dagen en wandelen dan weer terug. Het is gek, maar toen ze het voorstelde kon ik er niet echt warm voor lopen; volgens mij staat mijn enthousiasme in het algemeen op een laag pitje. Maar nu begin ik me er echt op te verheugen. Ik heb echt het gevoel dat ik er eens tussenuit moet.'

'Dat verdien je ook. Ik ben blij voor je.' Bernice zou ook wel naar Colorado willen rijden. Ze stelt zich voor dat ze met Alex bij een kampvuur zit, de vlammen flakkeren en vonken schieten de donkere lucht in die omringd is door verbluffende, met sneeuw bedekte bergtoppen.

'Je hoeft niet blij te zijn voor mij', zegt Alex, met een opmerkzaamheid die haar verrast en waar ze dankbaar voor is. Is ze zo doorzichtig? 'Ik wíl wel dat je blij bent voor mij, maar ik snap dat het gecompliceerd is voor jou. Voor mij is het ook gecompliceerd.'

Bernice veegt zout van de rand van haar glas met haar vinger en likt eraan. 'O ja?'

Alex kijkt haar bevreemd aan. 'Wat bedoel je?'

'Ik weet het niet. Jij hebt je vriendin en dat is geweldig en jullie gaan backpacken in Colorado, geweldig. Je hebt een leven, je gaat ervoor, je grijpt je kans, geweldig. Wat is er gecompliceerd?'

Alex lijkt onzeker over wat ze precies zegt en bovendien over waarom ze het zegt. 'Jij zegt altijd dat ik de deur uit moet en dingen moet ondernemen. Dan moet je me niet op mijn kop geven als ik het daadwerkelijk doe.'

Bernice veronderstelt dat haar een zekere hypocrisie verweten kan worden. 'Wat vind je van de jaarmarkt?' vraagt ze, in de hoop dat een verandering van omgeving haar zal opbeuren. 'Zullen we het vee gaan bekijken? Funnelcake eten?'

De jaarmarkt is al een week aan de gang op het evenemententerrein buiten de stad, en eerder hebben Alex en zij de mogelijkheid besproken erheen te gaan. Alex kijkt op zijn horloge. Het is kwart over negen. Hij kijkt Bernice weifelend aan en zegt verontschuldigend en ook als waarschuwing vooraf: 'Ik heb om tien uur met Kelly afgesproken.'

Ze vindt het niet prettig, deze kiesheid, dit lopen op eieren, zoals hij zich hyperbewust is van haar breekbaarheid. 'Best', zegt ze zo inschikkelijk als ze kan. 'Een andere keer dan.'

'Hé', berispt Alex haar zachtmoedig en hij pakt haar hand over de tafel heen. 'Dit was echt heel fijn. Bedankt.'

Dat was het inderdaad, denkt Bernice. 'Geen dank. Ik heb thuis een cadeautje voor je. Een aardigheidje. En ook taart. Kom morgen maar langs, als je zin hebt. Of een andere keer.'

'Doe ik', zegt Alex.

Kelly zit schrijlings boven op Alex, ze is naakt afgezien van het zilveren kettinkje met de amberhanger dat hij haar nooit heeft zien afdoen, haar armen zijn gestrekt met haar handen op zijn borst, haar vingers gekromd, zijn handen omvatten en strelen haar borsten, knijpen zacht in de tepels, haar hals en wangen zijn rood, haar bovenlip is aan één kant opgetrokken als in een grauw, haar ogen zijn gesloten en aderen kloppen in de oogleden, een lok haar kleeft bezweet aan haar voorhoofd en de rest zwaait naar voren, naar voren, naar voren met elke aanval van haar heupen, die Alex tegemoetkomt met zulke woeste stuwingen dat hij zeker het plafond zou raken als haar gewicht hem niet had tegengehouden, hij voelt zich zo diep en groot in haar dat hij zeker weet dat zijn eikel tot net onder haar navel reikt, waardoor hij zich verbeeldt dat hij verder in haar groeit, samensmelt met haar ruggengraat en dat verrukking door de romp en zenuwvertakkingen naar elke cel uitstraalt. Hij houdt zijn ogen gericht op Kelly's gezicht, want wanneer hij zijn ogen sluit verdwijnt Kelly van de voorgrond en de exclusiviteit die haar toekomt, en dan verschijnt het gezicht van Bernice, Bernice met haar glad gebeeldhouwde armen en blote borsten. Vlug doet Alex zijn ogen open, opgewonden en beschaamd, voor een herbevestiging van Kelly en hij komt klaar met kostelijke stoten. Hij doet zijn best om op Kelly te wachten, die dichtbij en paniekerig is, maar ten slotte komt, met een hysterische lach-krijs, dat is haar geluid, terwijl haar lippen zich terugtrekken van haar tanden.

Ze liggen naast elkaar op hun rug bij te komen. Wanneer Alex naar haar kijkt, knijpt ze een onzichtbare sigaret tussen haar vingers, brengt die naar haar mond en zuigt eraan in stilzwijgende, postextatische overgave. 'Wat zat er in die margarita's? Je was ontzagwekkend.'

Alex kijkt haar met een wezenloos lachje aan. 'Wek ik normaal geen ontzag?'

'Nou nee. Sorry, hoor. Maar niet zo. Ik klaag niet. Ik ga je vanaf nu de hele tijd mee naar Los Rancheros nemen.'

Hij staart omhoog naar het plafond, waar een stelsel van plaksterretjes vaag gloeit in het schemerdonker. Ze zaten er al toen Isabel en hij hier kwamen wonen, erop geplakt door een kind of misschien door een grillige volwassene. Soms deden Isabel en hij de leeslampjes bij hun bed uit na het lezen en dan schenen de sterren met een paarlemoeren licht, en als ze toevallig op hun rug naar boven lagen te kijken, zei Isabel: 'Zijn de sterren vanavond niet prachtig?' Het grappige was dat ze dat inderdaad waren.

'Denk je aan haar?' vraagt Kelly. 'Aan Isabel?'

Uit haar toon spreekt medeleven en bezorgdheid, maar de regelmaat waarmee ze deze vraag stelt, zegt hem dat er ergernis, misschien zelfs jaloezie achter zit.

'Dat mag best, hoor', zegt ze.

'O ja?' vraagt Alex. 'Ik zou het niet tof vinden als jij nu aan iemand anders denkt. Een voormalig vriendje of zo.'

Kelly kijkt hem bevreemd aan. 'Isabel was je vrouw. En ze is dood. Ze is niet zomaar een voormalig vriendje. Bij wijze van spreken.'

'Dat is waar', zegt Alex. 'Word je ongeduldig?'

'Met jou? Omdat je aan haar denkt?' Kelly neemt het in overweging. 'Nee.'

Alex weet niet zeker of hij haar gelooft. 'Ik weet niet hoe lang het zal duren. Om eroverheen te komen.'

'Ik weet niet of je er ooit overheen zult komen.'

'Je weet wat ik bedoel.'

'Nee, eigenlijk niet.' Kelly draait zich op haar zij om hem aan te kijken en steunt op haar elleboog. 'Hoe wil je hier doorheen komen? Heb je een strategie? Heb je een plan? Heb je ooit overwogen om in therapie te gaan? Om er met iemand over te kunnen praten?'

Alex is verrast door het spervuur van vragen. 'Ik praat met Bernice.'

'Je ziet Bernice bijna nooit.'

'Ik praat met jou.'

'We praten er bijna nooit over. En als we erover praten, dan... Laten we wel wezen, ik ben geen therapeut.'

'Wat wil je daarmee zeggen?'

'Ik wil dat je de hulp krijgt die je nodig hebt.'

'Heb ik hulp nodig?'

'Je maakt een zware tijd door.'

'Ik heb jou toch.'

Kelly lacht beschroomd. 'Dat zet mij helemaal niet onder druk, hoor.'

'Er is geen druk', zegt Alex met klem.

Kelly kijkt hem aan met een soort van liefdevolle wrevel. 'Er zou geen druk zijn als ik niet om je gaf. Maar dat doe ik wel. Dus.'

Alex, dankbaar voor haar bezorgdheid, strijkt met zijn hand over haar haar. 'Je bedoelt dat het je boven het hoofd groeit.'

Kelly denkt even na. 'Jij? Misschien. Het leven in het algemeen? Dat is jou veel verder boven het hoofd gegroeid.'

Drieëntwintig

Een zware dag bij US Exam stimuleert Alex om Otto een beet-je meer dan zijn gewone, saaie wandeling te gunnen en hij rijdt met de hond naar het buurtpark, waar hij hem los laat rondren-nen op een groot veld, zodat hij eekhoorns de bossen in kan jagen, aan hertenurine kan snuffelen en met andere honden kan stoei-en. Wanneer ze thuiskomen vindt Alex een nummer van het tijd-schrift *Backpacker* dat Kelly onder zijn deur door heeft geschoven, het is het nummer waarin ze oorspronkelijk de foto's van het af-gelegen, paradijselijke veld in Colorado heeft gezien. Alex gaat op de bank zitten, slaat het tijdschrift open bij het artikel en begint te lezen, maar hij wordt algauw afgeleid door de foto van het veld, dat inderdaad buitengewoon en verbazingwekkend is: een vlak, ogenschijnlijk eindeloos uitzicht van bloemen omringd door stei-le, hoge bergen waarvan de grijze, geribde toppen de wolken door-boren.

Wanneer de telefoon gaat, wijkt hij af van zijn beleid om het ant-woordapparaat aan te laten slaan en neemt zelf de hoorn op omdat hij verwacht dat het Kelly is, die op haar werk is en zal willen weten of hij het tijdschrift heeft gevonden. *Ziet dat veld er niet gaaf uit?* Zeker wel, wil hij haar zeggen. Hij popelt om erheen te gaan.

'Alex.' Bernice ademt dramatisch uit, dankbaar, alsof ze geen adem heeft kunnen halen tot ze hem had bereikt. 'Hallo.'

Alex probeert zijn teleurstelling te verhullen. 'Hallo. Wat is er aan de hand?'

'Niet veel. Met jou?'

Alex hoort aan haar stem dat dit niet zomaar een telefoontje is. 'Wat is er gebeurd?'

'O, Alex, ik weet het niet. Het spijt me. Ik weet dat je dit niet wilt horen, maar ik heb zojuist schokkend nieuws gekregen over Janet.'

Irritatie en angst beklemmen Alex' borst.

'Ik luister.'

'Ze ligt in het ziekenhuis. Ze stoot Isabels hart af. Ik heb pas een e-mail van Lotta gekregen. Janet is zaterdagavond opgenomen. Ze ligt al vier dagen in het ziekenhuis.'

Ze stoot Isabels hart af. Alex ziet Janet voor zich met haar handen afwerend uitgestoken terwijl een ongelovige arts haar het bloederige orgaan aanbiedt.

'Afstoten? Hoezo, wil ze het niet dan?'

'Natuurlijk wil ze het. Haar antistoffen stoten het af. Ze vallen het aan. Het hart wordt aangevallen. Zo heeft Lotta het uitgelegd.' De toon van Bernice is kordaat en ongeduldig.

'Oké, wacht even. We weten dat Lotta de naam heeft te overdrijven. Weet je zeker dat dit serieus is? Ik heb Janet pas nog aan de lijn gehad, dat was een week, twee weken geleden. Het ging prima met haar. Het ging geweldig. Ze deed zich voor als de gezondste, fitste vrouw ter wereld. Ik ging er bijna van over mijn nek.'

'Alex, ik zou heel graag willen dat je Lotta's e-mail leest. Ik heb hem uitgeprint. Kan ik hem komen brengen?'

'Komen bréngen?'

'Alsjeblieft.'

'Eerlijk, Bernice, ik wil hem niet lezen.'

'Ik vraag niet om haar terug te schrijven. Ik heb alleen een second opinion nodig.'

Alex beseft dat het moeilijk zal worden te genieten van de rest van de avond nu hij weet dat hij Bernice heeft afgewezen en dat ze niet alleen ontdaan is, maar ontdaan om hem.

'Oké. Best.'

Binnen tien minuten staat ze voor de deur, gejaagd en licht hijgend, maar duidelijk opgelucht hem te zien, met in de ene hand haar sleutels en in de andere een opgevouwen stuk papier. Ze draagt een roodbruine korte sportbroek, een zwart T-shirt met voorop THE METROPOLITAN OPERA in witte letters en aan haar voeten heeft ze lindegroene teenslippers met lieveheersbeestjes op de bandjes. Ze vouwt het stuk papier open en geeft het aan Alex. 'Zeg gewoon wat je ervan vindt', zegt ze.

Hoi Bernice,

Hoe gaat het met je? Goed, hoop ik. Gisteren las ik iets in de krant over de Actiedag tegen de opwarming van de aarde en dacht aan jouw toezegging van $20. Het doet me goed dat er nog meer milieubewuste burgers zijn. Heb je wat overgehouden voor een verjaarscadeau voor Alex? Ik meen me te herinneren dat zijn verjaardag op de 6de was. Hopelijk was het een fijne dag (voor zover mogelijk…).

Ik wil je niet aan het schrikken maken, maar ik vind dat je moet weten dat Janet zaterdagavond opgenomen is in het ziekenhuis na een paar dagen van lichte koorts en hartritmestoornissen. De dokter zegt dat ze een episode van afstoting had – haar antistoffen vallen het hart aan en stoten het af – en hoewel dit vaak gebeurt in het eerste jaar na de transplantatie is het daarna niet meer zo gewoon. De positieve kant is dat ze haar behandelen met anti-afstotingsmedicijnen en ons verzekeren dat ze binnenkort weer thuis zal zijn. Dus is er geen reden voor paniek. Dit is niet de eerste keer dat Janet in het ziekenhuis is beland voor het een of het ander. Ze gaat er goed mee om – naar het ziekenhuis gaan is voor haar hetzelfde als naar de supermarkt gaan – maar Bud en ik zijn ernaartoe gereden om David te steunen en hem met de kinderen te helpen.

*Ik schrijf dit op mijn nieuwe laptop in de koffiekamer van het
ziekenhuis, waar ik verbinding heb. Binnenkort zullen we niet
eens meer computers nodig hebben, we gaan gewoon internet op
en e-mailen rechtstreeks vanuit ons brein!*

Zorg goed voor jezelf. Ik hou je op de hoogte.
Lotta

Alex knikt oordeelkundig. 'De focus is goed, de inhoud relevant, de
ideeën zijn goed geordend, uitstekende beheersing zinsopbouw en
woordkeuze, geen stijlfouten. Ik geef haar een vijf.'
'Ha ha. Nou even serieus. Wat vind je ervan?'
'Ze wil je niet aan het schrikken maken. Kijk, hier staat het.' Hij
wijst de zin aan en vervolgens een andere. '"De dokter"...bla, bla,
bla..."ons verzekeren dat ze binnenkort weer thuis zal zijn". Er is
geen reden voor paniek. Janet gaat er goed mee om. Ze heeft al eerder in het ziekenhuis gelegen.' Hij kijkt Bernice aan met een gezicht alsof hij zich gebruikt voelt. 'Waar maakten we ons ook alweer
druk om?'

Bernice zit naast hem op de bank en buigt zich voorover om de e-
mail te lezen. Hij overweegt die aan haar te geven maar laat die toch
op zijn schoot liggen, want hij vindt haar nabijheid niet onprettig.
Met een onzeker gezicht leest ze de boodschap nogmaals. Haar onderlip hangt enigszins, waardoor de vlezige, vochtige binnenkant is
te zien. 'Hoe zit het met die afstotingsepisodes die niet gewoon zijn
na het eerste jaar? En dit: "de positieve kant is..." Een positieve kant
houdt ook een negatieve kant in, niet?'

Het doet Alex deugd te zien dat de ontsteltenis en schrik van Bernice nu ingetoomd zijn tot nieuwsgierigheid, een kinderlijke gretigheid om samen met hem het geheim, de dringende boodschap die
alleen voor hen relevant is, te ontrafelen.

'Natuurlijk, de gebruikelijke negatieve kant is dat alles compleet
in elkaar kan storten', zegt Alex. 'Maar daar ziet het niet naar uit.
Volgens mij analyseren we te veel. We analyseren te veel en reageren
te sterk.' Hij schiet het papier weg met zijn middelvinger en duim

alsof hij een insect verjaagt. 'Volgens mij hoeven we ons hier niet druk om te maken.'

'Nou, oké, dan is dit mijn volgende vraag.' Bernice trekt zich van hem terug en kijkt hem recht aan. 'Waar zouden we ons wel druk om moeten maken? Zou je je druk maken als het Janet slechter ging? Zou je je druk maken als Janet op het randje van de dood zweefde? Stel dat Janet overlijdt? Zou dat een rimpeling teweegbrengen in je vijver?'

'Waarom zit je me zo op mijn nek?'

'Ik kan niet geloven dat je het zo licht opvat.'

'Ik kan niet geloven dat je er zo zwaar aan tilt.'

Bernice haalt diep en gelijkmatig adem. 'Ik denk erover om ernaartoe te rijden.'

De mededeling overrompelt Alex; hij ervaart het psychische equivalent van op een snel bewegende lopende band stappen waarvan hij zich de aanwezigheid niet bewust was. Bernice kijkt hem strak en resoluut aan, haar uitdaging is onmiskenbaar.

'Ik niet', zegt Alex, half een lach onderdrukkend die het idee van haar vergezellen bespottelijk maakt. 'Ik níét', herhaalt hij. Zijn redenen zijn te complex om uit te leggen, maar de voornaamste ervan is een voorgevoel, een zeer reële angst dat met Bernice op bezoek gaan bij Janet en haar familie hem terug zijn eigen nachtmerrie van hevig verdriet en felle pijn in zal sleuren. 'Ga jij maar als je wilt. Ik snap dat het belangrijk is voor jou. Zolang je maar snapt dat het niet belangrijk hoeft te zijn voor mij. Het is volkomen acceptabel als wij verschillende manieren hebben om hiermee om te gaan.'

Bernice kijkt beteuterd. 'O ja? Een deel van me wil dat het zo is. Een ander deel van me wil zeggen dat je gevoelloos bent.'

'Weet je, als dit jouw poging is tot subtiele diplomatieke overreding, dan is het een mislukking.'

'Met diplomatieke overreding kom ik nergens.' Bernice vouwt Lotta's e-mail dubbel, weer dubbel en vervolgens in kleinere vierkantjes. 'Ik ben ook bang, hoor. Ik denk niet dat het één grote gezellige boel zal zijn of dat Isabel in een straal van licht uit Janet zal schieten. Ik verwacht dat het moeilijk, onaangenaam en deprimerend zal zijn.'

'Ik ook. Daarom ga ik niet.'

'En de moeite waard, hoop ik.'

'Dat hoop ik ook. Maar als Isabel er in een straal van licht uit schiet, bel me dan.'

Bernice kijkt hem kwaad aan. Voorlopig lijkt ze zich te schikken in de nederlaag, ze stopt het papier in haar zak, schuift naar de rand van de bank, friemelt met haar autosleutels en maakt zich op om te vertrekken. Dan kijkt ze boos naar de andere kant van de kamer. 'Waarom bewaar je dat?' vraagt ze en ze knikt naar de Turkse kelim aan de muur. 'Dat kleed. Waarom stal je het zo opvallend uit in je woonkamer dat je het elke dag ziet?'

Alex trekt een vermoeid, twijfelend gezicht, vastbesloten om waar ze ook op uit is te weerstaan.

'Omdat het van Isabel was', zegt Bernice. 'Niet? Het was van haar. Het was belangrijk voor haar. Dus koester je het.'

'Ja. Dat klopt. En?'

Bernice' toon is scherp. 'Het is van wol.'

Het was nota bene in Venetië en ze kwamen uit een straatje in San Polo toen ze de Turk en zijn koopwaar in het oog kregen. Ze waren sinds drie dagen in de stad, hadden eindeloos gewandeld, musea en paleizen bezocht, espresso gedronken en luie middagdutjes gedaan gevolgd door seks, avondeten en avondwandelingen langs de kanalen. Het was maart, maar ze hadden geboft met het weer, dat zonnig en zacht was. Het was de eerste keer dat Alex en Isabel sinds hun huwelijksreis, een week in St. John, samen op vakantie gingen, dus hadden ze besloten zich te buiten te gaan. Het was de eerste keer dat Alex in Europa was, en de eerste keer dat Isabel in Italië was (ze was in het jaar van haar eindexamen op schoolreis naar Parijs geweest). Ze stonden op de Rialto-brug en keken naar de gondeliers die in hun gestreepte shirt voor hun gondel heen en weer beenden en in hun mobieltje praatten. Ze zagen een priester in zwart gewaad een balletje trappen met een stel jongetjes voor een kerk van zeventienhonderd jaar oud. Ze kwamen te vroeg voor het eten aan bij een restaurant waarover ze in de reisgids hadden gelezen, en hadden het voorrecht – hoofdzakelijk het voorrecht van Isabel – om de voltallige staf, een tiental jonge Italiaanse mannen met gebeeldhouwde kaken en weelderig zwart haar, samen aan een lange tafel te zien zitten terwijl ze spaghetti naar binnen schrokten als broers in een groot boerengezin. Isabel trok Alex mee een supermarkt in, waar ze gang na gang vol verbluffende, onontcijferbare etiketten zagen en opgingen in een spelletje van raden wat er in de stijlvolle doosjes en ranke pakken zat. 'Hé, Iz, volgens mij is dit yoghurt', zei Alex op een gegeven moment opgewonden, alsof hij een zeldzame archeologische vondst had gedaan.

Ze waren geïnteresseerd in de geschiedenis van de stad en lazen veel in de reisgids. Alex vond het ongelofelijk dat de oude Venetianen dennenhouten pijlers – lange, houten palen – dicht opeengepakt in de klei op de bodem van de lagune hadden gedreven en er vervolgens met baksteen en steen bovenop hadden gebouwd. En het was er allemaal nog, het stond nog overeind, al was het ternauwernood. Veel van de gebouwen waren ernstig vervallen. Op het steen, marmer en baksteen, net boven de waterlijn, waren horizontale stroken aanslag en vuil te zien. De kleuren van die stroken waren merkwaardig mooi, teer en gevarieerd getint in lichtblauw, groen en rood. 'Waarschijnlijk algen en zoutkristallen', zei Isabel. 'Ik weet het niet. Gips? Gifstoffen?' Ze was gefascineerd door het dagelijks leven van de stad: boten in alle maten, vormen en kleuren pendelden door de kanalen op en neer en vervulden de functies die auto's en vrachtwagens in de betonnen straten van de rest van de wereld vervulden: vuilnis ophalen, post bezorgen, goederen vervoeren. Er waren bussen, taxi's, ambulances en politie- en brandweerboten. Ze zagen hoe een enorme rode bank in plastic gewikkeld per boot werd bezorgd. Het waren de Venetiaanse equivalenten van pick-uptrucks met twee of drie mannen erin, loodgieters, elektriciens of een soort bouwvakkers, met hun gereedschap en uitrusting, thermosfles en sigaretten. Wanneer Alex erover nadacht was het vanzelfsprekend, hoe anders kon deze stad functioneren, maar het was verbazingwekkend om te zien.

Zo dwaalden ze vol verwondering rond, keken omhoog naar gebouwen, telden de stenen leeuwen en waagden zich nog meer musea in. Ze laadden zich op met macchiati en tiramisu en begaven zich weer op weg het doolhof in; 's middags laat kwamen ze uit het straatje in San Polo op het plein uit waar een magere man met een donkere huid, gekleed in een rood-zwart AC Milan-shirt, naar voorbijgangers stond te wenken. Voor hem op de straatstenen was een stuk doorzichtig plastic ter grootte van een dubbele garage uitgespreid en op het plastic lagen wat op het eerste gezicht Perzische kleden leken. Alex zou er recht langs gelopen zijn, met kleden hield hij zich niet bezig, maar Isabel slenterde ernaartoe. Dus liep Alex algauw achter haar aan door de smalle gangetjes tussen de kleden en bewonderde de subtiele, zachte kleuren blauw, groen en rood en de geometrische patronen. De man begroette hen in het Duits, ging toen over op Engels en legde uit dat de kleden uit Turkije kwamen. Ze werden kelims genoemd en waren met de hand geweven in een afgelegen provincie. 'Ik kom zelf uit Erzincan', verklaarde de man trots en hij schreef het woord voor Isabel op een stukje papier, en hoewel ze geen van beiden enig idee hadden waar Erzincan lag, knikten ze goedkeurend. Alex was bezorgd dat de man hen oplichtte en dat de kleden machinaal gemaakt waren op nog geen tachtig kilometer afstand van de plek waar ze op dat moment stonden. Isabel dacht dat het ingewikkelde weefpatroon, de rijkheid van de kleuren en de scherpte van het dessin bewezen dat de kelims echt waren. Ze voelde zich tot één exemplaar in het bijzonder aangetrokken, het was ongeveer een halve meter breed en een meter lang, het dessin in het midden was een pistachegroene ruit met een mozaïek van bloemen en zandloperfiguren. De man, met wie Isabel dikke vrienden werd, legde uit dat kelims werden gebruikt als kleed, bidmatje en zelfs als wikkeldoek voor baby's. Isabel vroeg Alex: 'Wat vind je? We zouden het op kunnen hangen.' Alex was van mening dat in plaats van het equivalent van driehonderd dollar betalen voor een met de hand geweven Turks kleed dat naar alle waarschijnlijkheid noch met de hand geweven noch Turks was, ze hun geld zouden moeten spenderen aan iets Venetiaans, zoals een carnavalsmasker, een antieke landkaart of iets van Muranoglas. Maar hij zei het niet. Of het kleed nu echt was of niet, Isabel was er verliefd op en het aanschaffen zou haar gelukkig maken.

'Laten we wat euro's stukslaan', zei hij.

Ze lachte, maar vervolgens betrok haar gezicht. 'Is het stom om helemaal naar Italië te gaan en thuis te komen met een Turks kleed?'

'Het is niet zomaar een kleed. Het is een kunstwerk. Bovendien', zei Alex en hij sloeg een professorale toon aan, 'was Venetië het centrum van een maritiem rijk met oude handelsconnecties met het Oosten. We doen iets wezenlijks Venetiaans door Turkse goederen te kopen.'

'Je zit te veel met je neus in die reisgids.'

'Het zit allemaal hierin', zei Alex en hij tikte met zijn wijsvinger tegen zijn hoofd.

'Betalen we contant of zetten we het op de creditkaart?'

'De oude Venetianen hadden geen creditkaarten.'

Isabel sloeg haar ogen ten hemel en gaf de man vier briefjes van honderd euro. De man rolde de kelim zorgvuldig op, plakte hem stevig vast met tape en overhandigde hem aan Isabel. 'Een plezierig verblijf', zei hij.

'*Grazie*', zei Isabel. En toen tegen Alex: 'Hoorde je dat? Ik spreek het zowat vloeiend.'

Ze liepen verder over het plein, keken naar het zachte avondlicht op de gebouwen, hoorden het geroep van kinderen die rond een fontein speelden en Alex voelde zich onmetelijk dankbaar voor zijn geluk en verrukt over zijn leven. Hij bleef staan en sloeg zijn armen om Isabel heen, trok zich toen terug, nam haar hoofd in zijn beide handen, kneep zachtjes met duim en wijsvinger in haar oorlelletjes en kuste haar tweemaal.

'Ik neem je mee terug naar het hotel,' zei Isabel, 'en ik kleed je helemaal uit en wikkel je in onze nieuwe kelim. Net als de oude Venetianen deden.'

'Ik wil wedden dat het kriebelt.'

'O, nee hoor', zei Isabel met klem. 'Die man zei dat ze zacht genoeg waren voor baby's. En jij bent mijn baby.'

De avond na Alex' gesprek met Bernice rijdt hij, gekweld door haar teleurstelling en haar beschuldiging dat hij gevoelloos en afstandelijk is, naar de snelweg, voegt in en zet koers naar het oosten. Na twee afritten verlaat hij de snelweg en steekt zuidwaarts door naar Rural Route 7, een smalle tweebaansweg die licht rijzend en dalend in zuidwestelijke richting naar de rand van Athens loopt. De maïs staat hoog en de auto rolt als een balletje in een flipperkast tussen de obstakels door. Boerderijen staan van de weg af aan het einde van een lange oprit, weilanden zijn bespikkeld met koeien, in ravijnen mokken eiken en wilgen.

Hij rijdt de heuvel op en vertraagt zijn snelheid als hij de top nadert. Hij ziet Isabel naast zich fietsen, vechtend tegen de helling, laag gehurkt op de fiets, haar hoofd omlaag, in foetushouding over het frame gebogen. Hij kan het vooruitzicht dat dit beeld wordt vergruisd niet verdragen, elk moment nu, op de heuveltop, dus wist hij het uit, zich er zijdelings van bewust dat het hem moeite kostte haar gezicht in te vullen.

Op de heuveltop stopt hij en zet de motor uit. Insectengeluiden komen door de open raampjes naar binnen.

Hij gooit het portier open en stapt uit. Sluit het portier zacht, op zijn hoede voor harde schokgeluiden. Hij loopt naar de voorkant van de auto en gaat aan de rand van de greppel staan. Een mot, wit als sneeuw, dwarrelt en slingert boven de sojabonen. In de verte liggen akkers vol maïs, richels met een rij bomen, boerderijen, meer akkers, stralend groen. Hij vraagt zich af hoe dit land er over honderd of duizend jaar zal uitzien, of er tegen die tijd nog iets zal zijn en wat dan. Een verschroeide woestijn. Een nucleaire woestenij. Over het verleden is meer zekerheid: tien- of twintigduizend jaar geleden had hij hier nu in een berkenbos gestaan. Het zou koud zijn en hij was een jager-verzamelaar gehuld in dierenhuiden geweest. Wat zou hij hebben gedaan op deze plek, waar een vrouw op een dag vermorzeld zou worden door een mechanisch beest? Had hij een maal genuttigd? Een dier gedood? Waarschijnlijk zou hier hij slechts langs getrokken zijn.

Bernice had gelijk gehad, die avond tijdens het eten op de jaardag van Isabels dood. Staand aan de kant van de weg, halverwege het proterozoïcum en de onvermijdelijke verassing van de aarde, met aan weerskanten van hem vijfhonderd miljoen jaren en talloze miljoenen mensen, vindt Alex het bemoedigend te bedenken hoe ongelofelijk veel geluk hij heeft gehad dat hij Isabel niet volkomen is misgelopen.

Hij klimt omlaag in de greppel. Krekels vluchten voor zijn voetstappen uit, ze gooien zich de lucht in en grabbelen naar steun op lange, wankele grasprieten. Alle krassende insecten klinken alsof ze onzichtbaar rondom hem boven in de lucht zitten. Bij zijn voeten groeien her en der bossen rode en gele bloemen, klaver en mottenkruid. Hier ergens is haar lichaam terechtgekomen, waar precies zal hij nooit weten. De eerste keer dat hij hier was, heeft hij een snelle opgraving verricht en een piepklein paarlemoeren scherfje van een wielreflector blootgelegd en een zwart dopje van een versnellingshendel. Hij heeft nog steeds de gewoonte de grond af te speuren naar aanwijzingen, naar iets wat aan de aandacht is ontsnapt of sindsdien is opgedoken; een teken, een boodschap.

Hij heft zijn hoofd op en luistert naar haar stem, stilt zijn gedachten om haar uitstraling op te vangen, deze keer is hij strenger in zijn poging onderscheid te maken tussen de stem van zijn geest, die haar leven inblaast, en een reële, externe stem. Hij doet zijn ogen dicht. Kan ze hem bereiken? Kan ze hem aanraken? Een koele bries strijkt langs de linkerkant van zijn lichaam, vult zijn oor. Eerder werd hij gek van de resolute stilte van deze plek. Dan deed hij zijn ogen dicht en zag hij haar gezicht, volledig, levensecht, maar als hij zijn ogen opende zag hij niets, een lege ruimte. Het was alsof hij leegbloedde. Hij wilde zich op de grond oprollen en wachten tot de zon was opgebrand.

Vandaag lijkt het of hij die intensiteit niet kan bereiken. De pijn is niet zo schrijnend als eerst. Het voltage is gezakt. Een deel van hem wil niet dat de pijn verdwijnt, wil dat die eeuwig vers en verzengend is. Als de pijn afneemt, is dat dan geen teken dat zijn fysieke en emotionele gehechtheid ook afnemen? Een teken dat hij het begint los te laten?

Hij vraagt zich af wat Isabel zou willen dat hij deed, wat ze zou zeggen als ze tegen hem kon spreken.

Dat is een domme vraag. Ik wil dat je gelukkig bent.

Dan zou hij de afname moeten verwelkomen, toch? Geen weerstand bieden noch het tegengaan, ongeacht hoezeer liefde, herinneringen en weemoed – en Bernice en Janet – hem van het tegenovergestelde trachten te overtuigen.

Vierentwintig

Op het podium zingt een dikke, gedrongen vrouw in een strak, rood topje dat haar middenrif bloot laat 'Dust My Broom'. Haar stem is schel en vermetel en ze is vastberaden om het lied met geestdrift en bluf te verkopen. De begeleidende band is eersteklas, allemaal getalenteerde muzikanten, en ze laten swingende jazz horen, maar het lukt Jasper, die toehoort vanuit het publiek, niet om in de muziek op te gaan. Het geluid is rauw, een gesnerp van knarsende gitaren en een aanhoudend gebonk van de drums, waarvan de klankstructuur en hoogte een geluid van het ongeluk nabootsen; de scherpe tik van een losgeraakt fietsonderdeel tegen zijn voorruit.

Het is maandagavond, de avond van de bluesjamsessie in Calamity Jane, waar de rook langs het lage plafond kruipt, de boxen bekleed zijn met goedkoop zwart vinyl en je maar beter uit de buurt kunt blijven van de vloerbedekking. Het zit er tjokvol muzikanten en hun fans. Jasper zit in een box met drie andere gitaristen, gekleed in zijn witte smokingoverhemd met plisséfront, een zwarte 501-spijkerbroek en cowboylaarzen met slangenhuidprint, hij drinkt een halve liter Amstel malt terwijl hij zijn beurt op het podium afwacht.

Toen zijn vriend Paolo hem op het laatste moment belde om hem uit te nodigen voor de bluesjamsessie en hem een lift aan te bieden, heeft Jasper ja gezegd. Hoe had hij kunnen weigeren? Hij had net een van de ergste dagen van zijn leven achter de rug. Het voordeel ervan was dat hij de volgende dag – of elke andere dag – niet meer terug naar zijn werk hoefde. Althans, niet bij Best Buy.

De laatste tijd heeft hij niet veel gitaar gespeeld, en ook niet goed, maar Paolo zei dat hij terug het paard op moest klimmen. Paolo was een van die vreemde lui die om de een of andere reden nooit genoeg kregen van Jasper en die steeds maar terug bleven komen. Hij was zelf een geducht gitarist. Toch, onderuitgezakt in de box met Paolo en de anderen, luisterend naar het tumult op het podium, ontmoedigd, onzeker en verward, akelige dingen denkend over Steve Schultz, de winkelmanager van Best Buy, de kleinburgerlijke klootzak die hem vandaag heeft ontslagen...Gezien die toestand vraagt Jasper zich af of het niet verstandiger is op een andere avond terug op het paard te klimmen. Hij betwijfelt of hij goed zal spelen. Zijn zelfvertrouwen is ongekend laag. Hij geniet zelfs niet van het geklets over techniek, wat meestal zijn favoriete onderdeel is van de bluesjamsessieavonden. Het kost hem moeite het gesprek te volgen. Hij staart naar de bewegende lippen van zijn metgezellen zonder de betekenis van de woorden op te pikken.

'Het zal niet lang duren voordat een technicus bij Fender of Marshall de halfgeleidercode kraakt. Ze hoeven alleen maar de digitale sampling in kleinere beelden op te splitsen. Dan is de buizenversterker verleden tijd.'

'Mensen zullen altijd buizenversterkers blijven kopen. Het is die manie voor vintage. Ze willen dat oude, zuivere geluid en zelfs als je het met halfgeleiders kunt krijgen, waarom zou je niet een paar dollar extra betalen om het op de oude manier te krijgen?'

Jasper sluit zijn ogen en masseert zijn kaak, die gespannen en pijnlijk is. Het is lastig om zich druk te maken over de vervanging van buizen- door transistorversterkers. De vraag waarop hij graag een antwoord zou willen is: waarom overkomt mij dit altijd? Elke keer dat hij werk vindt, elke keer dat hij met een vrouw uitgaat, elke keer dat hij aan een serieuze onderneming begint, lijkt het of hij aanvankelijk wordt gewaardeerd en vertrouwd door de mensen om hem heen. Maar vroeg of laat zet de erosie in. Mensen gaan hem anders behandelen, met wantrouwen en argwaan, alsof hij buiten zijn medeweten is belasterd door een derde. Het merkwaardige is dat hoe meer de mensen om hem heen hem wantrouwen of minachten, hoe meer hij het gevoel heeft dat ze hem niet waard zijn – zijn tijd en inspanning niet waard. Tegen die tijd is de situatie meestal verkloot. Dus denkt hij bij zichzelf: waarom niet met een knal uitdoven? Waarom niet iets aan de puinhoop overhouden?

'Hij heeft geen hoofdvolume. Hij heeft een bovenblad met vijf knoppen met grafische balans, pull pots, extra voetswitch en een voorwaartse koppelingscontrole in de uitvoerfase waardoor je tussen twee 6v6's of vier EL84's kunt omzetten.'

Dikbuik en co. zijn klaar met 'Dust My Broom' en gaan over op 'Stormy Monday', dat ze teder en melodieus uitvoeren, met lieflijke regenstroompjes van de gitaar. Jasper staat op uit de box en zoekt zich een weg naar een afgeschermde hoek van de ruimte die vol ligt met gitaarkoffers. Hij pakt zijn koffer, knipt de veersloten open en tilt het deksel op. Hij houdt van het smetteloze wit van zijn Stratocaster, de ijswitte slagplaat. Het is een Jimmie Vaughan Signature Tex-Mex en het ontwerp weerspiegelt Jimmies voorkeur voor eenvoud en een traditionele stijl van spelen. De Stratocaster is Jaspers kostbaarste bezit. Hij is de gitaar dankbaar voor zijn trouw en voor het feit dat hij heel is gebleven en de chaos van zijn leven heeft doorstaan. Voorzichtig legt hij de gitaar op zijn knieën, sluit het stemapparaat aan en stemt elke snaar zorgvuldig.

Dikbuik en co. ronden 'Stormy Monday' af en verlaten het podium. Hij kronkelt zich met zijn gitaar door de menigte en klimt het podium op. Hij steekt de plug in een versterker en krabbelt wat om het geluid te controleren. Evan, op drums, en Nausherwann, de enige Pakistaanse basgitarist die Jasper ooit is tegengekomen, warmen zich op. Paolo, als altijd gekleed in een vettig ogende spijkerbroek en een rafelig T-shirt, waarvan de korte mouwen gespierde bovenarmen bloot laten, tokkelt snelle loopjes op zijn rode, rozenhouten Telecaster.

Lou, zang en harp, wil 'Messin' with the Kid' doen en ze zetten het in, gaaf en soepel. Jasper vindt een G9-dingetje rond de tiende fret dat de hoofdriff versiert zonder die te overschaduwen. Paolo neemt de eerste solo voor zijn rekening. Hij klimt omhoog naar een kristalheldere, afwijkend aangehouden piek, breekt hem radicaal en glijdt als ijs van een dak een korte improvisatie in die van de ene kant naar de andere slingert en sluit af met een thema van vijf noten dat sneller en intenser wordt en eindigt in een duizelingwekkende vrille. Het publiek gooit met juichkreten alsof het boeketten zijn.

Jaspers beurt. Hij grijpt een noot en knijpt er hard in. Hij voelt zich niet in staat tot creativiteit en klikt uit zijn geheugen bestanden riffs open, het ene na het andere, en rijgt ze met een gevoel van warrige onbeholpenheid aan elkaar. Frases malen door zijn hoofd, maar de meeste stellen niets voor en de weinige die hij probeert te herhalen op de frethals verpest hij. Het is beschamend dat zijn handen deze onsamenhangende, klaaglijke jammerklanken ontlokken aan een instrument dat hij al sinds zijn veertiende bespeelt. Hij doet een poging tot een trillerachtig ding hoog op de E-snaar, maar zijn nu bevende vingers haspelen en klonteren. De band is bereid hem zoveel cycli van acht maten te gunnen als hij nodig heeft om op gang te komen, maar hij wil de nachtmerrie achter zich hebben. Het lukt hem om het twee keer acht maten vol te houden, wat een eeuwigheid lijkt te duren, en kapt er dan mee.

Zijn gezicht gloeit van schaamte. Vanuit het publiek kijken zijn collega-muzikanten hem jolig zelfvoldaan aan, ze ruiken bloed. Een paar van hun meegekomen vriendinnetjes glimlachen geestdriftig en meelevend naar hem – het soort glimlach waarmee moeders hun peuters belonen omdat ze het toneel op zijn gekomen verkleed als groente. Jasper keert zijn gezicht naar de schijnwerpers en voelt de hitte op zijn oogballen en het zweet in zijn mondhoeken. Hij sluit zijn ogen en bedenkt wat een opluchting het zou zijn om te verbranden in een alles verzengend vuur, zijn lichaam, zijn angsten, blunders, mislukkingen en schaamte in de as gelegd, vergaan tot een hoopje stof.

Zodra de set afgelopen is, sluit hij zijn gitaar als een ongehoorzaam huisdier op in de koffer en zet koers naar de bar. Hij vindt een lege kruk en bestelt een rum-cola. Hij kampt met een beeld van zichzelf als iemand die voortdurend pech heeft, steevast belazerd wordt en de dupe is van de ene onrechtvaardigheid na de andere. Heeft hij echt verdiend wat hij vandaag toebedeeld kreeg? Heeft hij echt 'een grens overschreden', zoals Steve het noemde? Heeft hij het er echt naar gemaakt om beschreven te worden als iemand die 'overal schijt aan heeft' en die 'stom' en 'onverantwoordelijk' is? Hoewel de overtreding waarvoor Jasper in het kantoor van Steve Schultz was ontboden en ontslagen werd – vijf dvd's in zijn sporttas stoppen en ermee de personeelsingang uit lopen – hem de das om heeft gedaan, had Jasper, behalve ongeloof en een hem besluipend déjà vu, het gevoel dat Steve Schultz alleen maar de laatste spreekbuis was voor een veel omvangrijkere, meer belastende beschuldiging van eerloosheid.

De rum smaakt goddelijk, de cola zit maar in de weg. Jaspers volgende bestelling is pure rum. Onder de bar, zonder dat hij zich er aanvankelijk van bewust is, drukt hij de top van zijn rechterduim tegen de kussentjes van de vingers ernaast, tikkend op een fantoommobieltje. Met een schok van paniek herinnert hij zich hoe het toestel ineens uit zijn greep gleed en wegsprong als een kikker. Is hij de enige ter wereld die een nummer heeft ingetoetst achter het stuur? Echt niet. Hij belde Angela Koretsky om de plannen te bevestigen die ze voor later die avond hadden – plannen die uiteindelijk niet zijn doorgegaan. Als hij het over moest doen, zou hij het telefoontje aan Angela natuurlijk uitgesteld hebben, zijn plannen voor die avond zelfs hebben afgelast en thuis in bed onder de dekens zijn gekropen zodat hij met geen mogelijkheid iemand iets kon aandoen. Hij had drie of vier cijfers ingetikt toen het toestel wegglipte en op de vloer viel. Hij had de weg voor zich gecontroleerd – niemand – en had toen omlaag gekeken en met zijn rechterarm tussen zijn benen door gegrabbeld. Toen hij weer overeind kwam met het toestel, zag hij de vrouw op de fiets voor zich opdoemen.

Vergeet niet, houdt Jasper zijn aanklagers voor, dat ze midden op de weg reed. Zij was ook roekeloos.

Bravo, trut. Weet je wel hoeveel levens je hebt verkloot naast dat van jezelf?

Hij stelt zich een vrouw voor, een onbekende, die hier aan de bar naast hem komt zitten. Ze werpt hem een veelbetekenende, meevoelende blik toe. Haar gezichtsuitdrukking is welwillend, koesterend, stralend van ondefinieerbare belofte. Zonder het te vragen weet hij wie ze is. Je moet jezelf de schuld niet geven, zegt ze en ze legt haar hand op de zijne. Het had iedereen kunnen overkomen. Je hebt gewoon pech gehad.

Vervolgens: Je hebt mijn leven gered.

Jasper bestelt nog een rum, heft het glas voor zijn gezicht en zegt tegen haar: Je moet mij nog niet opgeven. Ik heb jou ook nog niet opgegeven. De blauwe plek onder zijn oog, waar Alex hem heeft gestompt, doet pijn – een aandenken aan Jaspers verknalde onderneming. Waarom heeft hij zich zo in de kaart laten kijken en heeft hij niet eerst het vertrouwen van Alex gewonnen voordat hij over het hart begon? In plaats daarvan heeft hij Alex lastiggevallen, zelfs toen het zonneklaar was dat Alex geen zin meer had om te praten. En toen ging Alex over de rooie.

Idioot, berispt Jasper zichzelf, en hij drukt met zijn vinger op de blauwe plek om de pijn met opzet te verergeren. Goed gedaan, hoor. Wat ga je nou doen?

Je verontschuldigingen aanbieden? Smeken? Kruipen?

Jasper heeft de hond overwogen. Hij zou Alex op een van zijn wandelingen kunnen volgen, wachten tot Alex de hond buiten de New Prairie Co-op vastlegt voordat hij zelf naar binnen gaat, wat Jasper hem heeft zien doen. Dan zou Jasper erop kunnen duiken, de hond losmaken en hem meenemen. Alex opbellen en tegen hem zeggen: Ik heb je hond. Ik denk dat je misschien vergeten bent om hem vast te maken buiten de Co-op. Ik denk dat ik hem maar naar het asiel breng en ze zeg dat ik dacht dat het een zwerfhond was, tenzij...jij me vertelt wie het hart heeft gekregen. Nu onmiddellijk. Als je tenminste je hond terug wilt.

Dat zou Jasper nooit kunnen. Hij houdt van honden. Hij houdt van Alex' hond. En honden hebben hem nooit gekleineerd of kwaad gedaan, terwijl mensen, mensen wel. Zoveel.

Paolo komt even langs en laat hem weten dat hij zich niet druk moet maken, hij heeft niet zo slecht gespeeld, volgende keer beter. Jasper is dankbaar en hunkert naar meer troost, maar Paolo wordt aangesproken door een bewonderaarster, hij draait zich om en zweeft in haar gravitatieveld achter haar aan.

Jasper schuift van de kruk af, haalt zijn gitaar op en glipt de achterdeur uit het steegje in. De lucht is warm. De slingerende stoep maakt lopen netelig. Hij moet oppassen dat hij niet tegen andere mensen op botst. Zijn gitaarkoffer is zwaar en onhandig, het ding draait en duikt en belast zijn pols. Hoe verder hij van het centrum af raakt, hoe meer de nacht overheerst in het duister, het gebladerte en de schuivende, ademende schaduwen. Jasper dwaalt van de stoep af een gazon op, en waggelt terug. Hij loopt vijf straten verder, steekt een drukke weg over en legt nog eens vijf straten af. Het is een radicaal idee, een afwijking van de koers, maar geniaal in zijn soort. Jasper zet er de pas in. Hij slaat Clark Street in. Het derde of vierde huis, als hij het zich goed herinnert. Hier: hoog en van bruine baksteen. Hij staart door de bomen en verkent het gebouw. Boven brandt licht achter een raam met dichte gordijnen. Beneden brandt een zwak licht. Hij loopt over het pad, klimt de veranda op en blijft onvast staan met zijn hand op de leuning. Hij zoekt naar de bel en vindt die in de krul aan het uiteinde van een tinnen hagedissenstaart. Hij drukt erop en hoort binnen een zoemer overgaan. Hij hijgt van angst en inspanning.

Het verandalicht gaat aan en Bernice Howard opent de deur zo'n halve meter, een ruimte creërend die groot genoeg is om volledig zichtbaar te zijn voor Jasper. Ze draagt een wit T-shirt dat los over een spijkerbroek met opgerolde pijpen hangt. Ze is blootsvoets. De intensiteit waarmee ze de deurknop blijft vasthouden wekt de indruk alsof haar schrik en de volmaakte roerloosheid van haar lichaam het gevolg zijn van elektriciteit die door haar arm schiet.

'Goeie genade', zegt ze.

'Kunnen we even praten?' Tot Jaspers ontsteltenis komt zijn stem er week uit.

Bernice kijkt alsof hij heeft gezegd: mag ik je huis platbranden? 'Er is niets om over te praten.'

Haar vingers beven. Is ze bang van hem? Hij is perplex en beledigd. 'Ik vind van wel', zegt Jasper. 'Luister nou even naar me.'

Hij schommelt naar voren alsof zijn aangeschotenheid hem de baas is en stapt haar huis in, waarbij zijn gitaarkoffer vooruit zwaait als een stormram, hoewel hij niets raakt. Geschrokken slaakt Bernice een gilletje, ze laat de deur los, deinst achteruit tegen de piano en heft haar handen beschermend voor zich omhoog.

'Ik wil alleen maar praten', stelt Jasper haar gerust.

Met een snelle beweging steekt Bernice haar hand naar achteren en grijpt een smeedijzeren schemerlamp, die ze naar de rand van de piano schuift met het snoer erachteraan slepend.

'Hé, kalm aan.' Jasper zet zijn gitaarkoffer neer als gebaar van vrede en laat zijn lege, ongevaarlijke handen zien.

Bernice' vingers omklemmen en ontspannen om de voet van de lamp. 'Ik wil dat je weggaat. Eruit.'

'Ik heb het geprobeerd met Alex. Hij is eigengereid. En hij stompt behoorlijk hard.' Jasper knipoogt naar haar met zijn gewonde oog. 'Ik wil alleen maar zeggen...het zeggen maakt het minder waard, of zoiets. Maar het spijt me. Zwak, hè?'

'Hoe erg spijt het je als je nuchter bent?'

'Het is moeilijker te uiten, dan.'

'Je uit het door op maandagavond om half twaalf dronken bij mij aan de deur te komen?'

Jasper zou ontkennen dat hij dronken was als hij de woorden zonder brabbelen kon uitspreken. Bovendien voelt hij zich niet helemaal beschaamd. Hij ervaart een zeker wrokkig genoegen door te voldoen aan het verkeerde beeld dat deze vrouw van hem heeft.

'Onderschat nooit de motiverende kracht van alcohol', zegt hij.

Bernice ziet er beroerd uit. 'Mijn buren zitten op hun voorveranda. Als ik één keer hard schreeuw komen ze eraan. Dan bellen we de politie.'

'Waarom bied je me geen andere keuze?'

'Ga terug de veranda op.'

Jasper doet een stap naar haar toe. 'Je ziet het helemaal verkeerd. Je denkt dat ik een alcoholist ben. Je denkt dat ik straalbezopen over de weg slingerde. Dat was niet zo. Dít is straalbezopen', zegt hij en hij wijst naar zijn gezicht. ''t is maar dat je het verschil weet. Dit is vijf of zes glazen. Die avond had ik er maar één op en ik had eerst nog gegeten. Misschien reed ik te hard, oké. Acht kilometer te hard. Vertel me nou niet dat jij nooit acht kilometer te hard hebt gereden. O, nee, jij niet. Jij bent de heilige geest. Wil je weten waarom je nog nooit iemand hebt doodgereden? Geluk. Stom geluk.'

Het gezicht van Bernice verzuurt. 'Dus moet ik jou nou zien als arme, zielige stumper? Zo te horen heb je jezelf al van alle verantwoordelijkheid ontheven.'

'Denk je soms dat ik hier zou zijn als ik me van mijn verant...' Het woord weerstaat de articulatie. 'Van mijn verantwoordelijkheid had ontheven?'

'Waarom voel je je dan verantwoordelijk, als het alleen maar pech was?'

'Goeie vraag. Heel goeie vraag. Zij reed met haar fiets midden op de weg. Heb je haar nooit verteld dat ze niet midden op de weg moest fietsen? Wat is het eerste dat een ouder een kind leert als ze op de fiets stapt?'

Bernice' gezicht vertrekt smartelijk. Ze laat de lamp los en zet haar hand op de rand van de piano om haar gewicht te ondersteunen terwijl ze naar één kant overhelt.

'Het was winderig', zegt hij op troostende toon. 'Met windstoten. Alles waaide over de weg.'

'Misschien had ze helemaal niet moeten gaan fietsen', zegt Bernice.

Jasper haalt zijn schouders op. 'Het is jouw schuld niet. Ik zei maar wat. Waar ik eigenlijk over wilde praten, ik dacht dat je me misschien kon laten weten', Jasper tikt met zijn hand op zijn borst, 'wie het heeft gekregen. Het hart van je dochter.'

Bernice kijkt verbijsterd en ontzet. Het lijkt of ze niet in staat is iets te zeggen.

'Ik wil graag goed nieuws', zegt Jasper.

'Je wilt iets van de eer opeisen', zegt Bernice, haar stem dun van afkeer.

'Helemaal niet', zegt Jasper.

'En toch beweer je dat het een ongeluk was.'

'Dat was het ook.'

Bernice lacht laatdunkend. 'Dan kun je de eer niet opeisen.'

'Ik wil haar alleen ontmoeten.'

'Ontmoeten? Alsof Janet…' Ze onderbreekt zichzelf en vervolgt dan omzichtiger: 'Waarom denk je dat deze persoon jou zou willen ontmoeten?'

Verbluft en opgewonden staart Jasper naar de ruimte net naast het hoofd van Bernice.

Ze ziet zijn gebrek aan reactie valselijk aan voor onbegrip. 'Die persoon wilde zelf met ons in contact komen. Blijkbaar vond ze dat er heilzame aspecten aan zaten. Waarom zou ze met jou in contact willen komen? Wat zou ze daar aan hebben?'

Toevallig heeft Jasper, op momenten van grotere helderheid, uitvoerig over deze vraag nagedacht. Het is duidelijk dat die vrouw, Janet, de ontvangster van het hart, niet staat te springen om hem te bedanken. Hem openlijk dankbaarheid betonen omdat hij op zo'n gunstig tijdstip korte metten heeft gemaakt met een orgaandonor zou oneerbiedig zijn. Aan de andere kant moet die dankbaarheid er wel zijn. Heimelijk. Maar niet gemakkelijk om daar gebruik van te maken. Niemand wil een moordenaar in de armen sluiten. Voor de gemoedsrust van die vrouw zal het essentieel zijn om te blijven geloven dat ze heeft geprofiteerd van het soort toevallige dood dat honderd keer per dag voorkomt en dat ze die dood steriel en op een afstand kan houden. Jasper dreigt de dood dichtbij te brengen en haar te laten zien hoe afschuwelijk die was. Hij snapt waarom Alex en Bernice haar voor hem willen afschermen, echt waar. Aan de andere kant is het eigenlijk niet meer dan doen alsof. Ze doen alsof het netjes en proper was.

Maar dit kon hij nu met geen mogelijkheid allemaal uitleggen. 'Hoor eens, ik ben hier niet *het* slachtoffer van, maar ik ben wel *een* slachtoffer. Je kunt je leven verliezen zonder dat je doodgaat.'

Bernice lijkt even met stomheid geslagen, alsof hij een gevoelige snaar heeft geraakt. 'Nou, welkom bij de club.'

'Dank je', zegt Jasper en hij wordt plotseling duizelig en wiebelig. 'Ik heb erop gewacht om zoiets te horen. Maar een lid van de club, leden van de club...' Hij verliest zijn evenwicht, helt naar één kant, steekt blindelings zijn hand uit en raakt de kap van een Tiffany-schemerlamp. Door zijn gewicht valt de lamp om, maar hij vangt hem op. Hem recht zetten is ingewikkeld, dus legt hij hem neer. 'Niets aan de hand', verzekert hij Bernice. 'Dus. Hoe dan ook. Hebben clubleden niet bepaalde voorrechten? Zoals contact met bepaalde sterren?'

Bernice' bovenlichaam buigt zich naar hem toe. 'En nou eruit. Eruit, of ik begin keihard te schreeuwen.'

Jasper is het zat om steeds te horen dat hij eruit moet. Hij doet een uitval naar Bernice. 'Vertel me wie het is! Ik ben dit gezeik zat!'

Bernice deinst achteruit tegen de muur en houdt haar handen beschermend voor zich. Na de situatie even te hebben ingeschat zegt ze: 'Janet. Janet Corcoran. Ze woont in Chicago. Zo. Is dat genoeg?'

Jasper hapt naar adem, houdt zich voor om niet hebberig te worden. Zelfs door de nevel van zijn beschonkenheid heen voelt hij dat hij zijn zin te ver heeft doorgedreven. 'Ja. Bedankt.'

Hij pakt zijn gitaar en stommelt de deur uit.

Hij is nog maar een paar minuten thuis, net lang genoeg om zijn gitaar weg te zetten, een biertje uit de koelkast te pakken en de woorden 'Janet Corcoran, Chicago' op een stukje papier te schrijven, als er op de deur wordt geklopt. Door het raam ziet Jasper een lange, pezige man met kort bruin haar. Hij draagt een donkerblauw uniform. Jasper vangt een glimp op van het schildvormige insigne op zijn mouw. Een politieagent. Jasper probeert nuchter te worden en doet open.

De agent stapt naar voren in de deuropening. 'Jasper Klass?'

Jasper ziet een tweede agent achter de eerste staan.

'Bent u Jasper Klass?' vraagt de eerste agent.

'Willen jullie naar binnen? Dan moet je een bevelschrift hebben.'

De eerste agent rolt met zijn ogen alsof Jasper onnodig dramatisch doet. 'Was u zojuist in het huis van Bernice Howard in Clark Street?'

'We hebben alleen maar gepraat', zegt Jasper. 'We hadden een gesprek. We kennen elkaar.'

'Goed, kom maar mee dan.' De agent haalt een stel handboeien van zijn riem, pakt Jasper bij zijn schouder, draait hem om en doet hem de handboeien om. Het metaal knelt om zijn polsen. Jasper zegt: 'Hé, wat... verdomme?' De tweede agent grijpt Jasper bij zijn andere schouder en zegt: 'U hebt het recht om te zwijgen.' Hij is zo dichtbij dat Jasper zijn adem ruikt, die fris is met een muntgeur als van Listerine. 'Alles wat u zegt kan en zal tegen u worden gebruikt voor de rechtbank.'

'Waarvoor word ik gearresteerd?' vraagt Jasper. 'Wat is de aanklacht?'

'Hebt u geen oren?' gispt de tweede agent. 'Alles wat u zégt kan en zal tegen u worden gebruikt.'

De eerste agent, die Jasper de deur uit leidt, zegt: 'Huisvredebreuk, enkelvoudige aanranding, openbare dronkenschap en alles wat ik verder nog kan bedenken.'

'Ik wil een advocaat', zegt Jasper.

'Heel verstandig', zegt de agent.

Alex wordt net als hij in slaap is gevallen gewekt door de telefoon. Hij neemt op. 'Hallo?'

'Jasper is hier net geweest en heeft me bedreigd.' Bernice klinkt opgefokt en buiten adem.

'Wát?'

'Jasper. Hij is bij mij binnengevallen en heeft me bedreigd. Ik was zo bang, Alex.'

'Jezus. Is het goed met je? Ik kom eraan.'

'Alles is goed. De politie is net weg. Ze gaan naar Jasper toe om hem te arresteren.'

'Mooi zo. Maar ik kom eraan. Geef me vijf minuten.'

Ze vervolgen het gesprek in de woonkamer van Bernice. Ze is boos en overstuur. Ze zit op het pianokrukje ijswater te drinken en voor zich uit te staren. Alex heeft lang nodig om zichzelf ervan te verzekeren dat het goed is met Bernice en dat Jasper haar niets heeft aangedaan.

'Waarom heb je dit voor je gehouden?' vraagt Bernice. 'Dat Jasper wist van het hart?'

'Ik wilde je niet van streek maken.'

Bernice lacht. 'Nou, ik moet zeggen dat het me meer van streek maakte toen hij hier om half twaalf 's avonds dronken opdook, mijn huis binnendrong en eiste dat ik hem vertelde waar het hart van mijn dochter was.'

'Ik kon geen goede reden bedenken waarom je het moest weten – een reden die zwaarder woog dan de onrust die het zou veroorzaken als je het zou weten. Ik hoopte ook dat hij het zou vergeten of afgeleid zou worden door iets anders.'

'Nou, hij is het niet vergeten.'

Alex is razend op Jasper – razend genoeg om hem nog eens een klap te verkopen, harder deze keer en met een waarschuwing erbij: blijf bij Bernice uit de buurt. Hij heeft een gevoel van nalatigheid, alsof hij heeft verzuimd haar te beschermen, haar in gevaar heeft gebracht door dit niet te voorzien en het te voorkomen.

'Dus wanneer kwam je erachter dat hij ervan wist?' vraagt Bernice. 'Hoe is hij erachter gekomen?'

'Hij heeft ons er in de wachtkamer over horen praten. Dat Isabel orgaandonor was. Dat beweert hij tenminste.'

Bernice blijft even stil. 'Ik herinner me niet dat ik in de wachtkamer met iemand gesproken heb. Daar niet over. Met wie praatte ik dan? Met jou?'

'Dat moet wel. Wie was er anders bij?'

'Met wie anders zou ik het over iets dergelijks hebben gehad?'

Alex zet zijn stekels op. Suggereert ze nu dat het zijn fout is omdat hij deelnam aan een discussie die toevallig is afgeluisterd? 'Hoor eens, het doet er niet toe hoe hij het heeft gehoord. Hij heeft het gehoord. Hij weet ervan. Maar hij weet niet wie Janet is of waar ze woont.'

'Eigenlijk wel', zegt Bernice. 'Dat heb ik hem verteld. Ik dacht dat hij me zou aanvallen. Het was net of ik beroofd werd. Ik gaf hem gewoon mijn portemonnee.'

'Nou ja, het geeft niet', zegt Alex. 'Je hebt juist gehandeld.'

'Het geeft wel', zegt Bernice. 'Het is niet juist dat hij het weet. Weet je wat hij van plan is? Om Janet te zoeken.'

'Ik ben benieuwd hoe ze daarop zal reageren.'

'Ze zal hem zeggen dat ze geen enkel contact met hem wil. Uit respect voor ons.'

'Je klinkt nogal overtuigd.'

'Wat? Denk je dat ze die vent met open armen zal ontvangen?'

Alex probeert te bedenken hoe hij zijn punt kan maken zonder cynisch over te komen, wat hij is, of oneerbiedig jegens Isabel, wat hij niet is. 'Het is niet zo dat Jasper iets heeft gedaan wat Janet schade berokkent. Integendeel. Laten we wel wezen, als Jasper er niet was geweest, zou ze dood zijn.'

'Als Isabel er niet was geweest. Ze zou dood zijn als Isabel er niet was geweest.'

'Oké. Maar vanuit Jaspers standpunt is hij degene die het allemaal in gang heeft gezet. En als Janet eerlijk wil zijn...'

'Isabel heeft alles in gang gezet. Door dat donorcodicil te ondertekenen.'

Alex besluit op te houden met bekvechten. Hij pakt het lege waterglas van Bernice en loopt naar de keuken om het bij te vullen.

'En trouwens,' zegt Bernice wanneer hij terug is, 'omdat ik aanneem dat je me niet zult vragen of ik heb gehoord hoe het met Janet gaat, zal ik het je vertellen. Ik heb het gehoord. Ze ligt nog in het ziekenhuis. Ze vecht nog steeds tegen die afstotingsepisode.'

'Het spijt me dat te horen. Ik hoop dat ze beter wordt.'

Bernice' stilzwijgen druipt van de afkeuring. 'Weet je, misschien zou ik Jasper moeten bellen en hem vertellen dat Janet in het ziekenhuis ligt. Waarschijnlijk zou ik een bezorgder reactie krijgen.'

'Een gesprek met een maniak, dat zou je krijgen. Luister, zelfs als hij weet wie Janet is, ze is niet thuis. Misschien zal hij haar in het ziekenhuis niet kunnen vinden.'

Bernice kijkt hem aan alsof hij de dingen nu omdraait. 'Waarom kan het je überhaupt iets schelen?'

'Wat?'

255

'Kan het je echt wat schelen of Jasper Janet vindt? Haar opspoort? Met haar praat? Misschien zelfs een soort relatie met haar heeft?'

'Zeker, zeker kan het me schelen.'

'Ik geloof je. Vertel me nou eens waarom. Vertel me waarom het je wat uitmaakt.'

Alex doorziet haar truc, haar slimme, retorische schaakmat. 'Goeie vraag.'

Vijfentwintig

Het luxueuze, elegant gemeubileerde kantoor van Blanck, Kowal & McVeigh is een tegengif en toevluchtsoord geworden voor de rampspoed en mistroostigheid van Davids privéleven. Tijdens het afgelopen jaar overtrof naar kantoor gaan op een gegeven moment naar huis gaan als Davids favoriete tijdstip van de dag. Hij stort zich op zijn werk. Hij denkt daadwerkelijk, terwijl hij in zijn papieren rommelt en documenten leest: ik stort me op mijn werk. Zijn huidige zaken omvatten de verdediging van een echtpaar uit Chicago dat door een aanklager uit Alabama wordt beschuldigd van het telefonisch verzenden van seksueel onzedelijke beelden, die zijn binnengehaald door een federale inspecteur uit Birmingham – hier spelen kwesties van jurisdictie mee – en de verdediging van een beheerder van een online bulletinboard uit Winnetka, die wordt beschuldigd van het online verspreiden van auteursrechtelijk beschermde software.

David is er trots op dat hij medewerker is van een kantoor dat zich als een van de eerste richt op wetgeving omtrent informatietechnologie. Hij geniet van het chaotische, nog niet in kaart gebrachte gebied van de internethandel: de bescherming van software, contentlicenties, elektronische uitwisseling van gegevens, netwerk- en gegevensbeveiliging – een terrein waar de enige wet vaak de afwezigheid van wetgeving is. Hij en zijn collega-juristen maken al doende de wet. Ze ontwerpen de wet in samenwerking met justitie. Het is een geweldige kans en een geweldige verantwoordelijkheid.

David staat op de nominatie om toe te treden tot de maatschap. Nog een paar jaar, als hij er tijd en moeite in stopt. Als hij niet overstelpt wordt door zijn privéleven.

Helaas is zijn privéleven één groot moeras – een modderpoel die rond zijn enkels opkwam op de dag dat bij Janet de diagnose gedilateerde myocardiopathie werd gesteld – en hij voelt er zich in toenemende mate in wegzakken. Hij geloofde dat het nieuwe hart de oplossing zou zijn, de wonderbaarlijke genezing, de hand die werd uitgestoken om hen uit het slijk te trekken. Het was zeker zo aangekondigd. Vaag herinnert David zich wel een paar artsen die waarschuwden dat het leven met een getransplanteerd hart voor Janet even zwaar zou zijn, ook al was het op een andere manier als het leven met een ziek hart, maar David kon dat maar moeilijk geloven; het was alsof ze hem ervan probeerden te overtuigen dat het leven met een miljoen dollar op de bank even zwaar zou zijn, ook al was het op een andere manier, als het leven met duizend dollar. Heimelijk raakte hij ervan overtuigd dat het nieuwe hart Janet zou genezen, hun huwelijk weer gezond en hun leven beter zou maken.

Zo is het niet gelopen. Janet is nog steeds ziek. Weliswaar niet zo ziek als ze eerst was, maar voor hem, en voor haar, vereist leven met het nieuwe hart evenveel inspanning en veroorzaakt het evenveel zorgelijkheid als leven met het oude hart. Het leven bestaat uit een niet-aflatende reeks afspraken op de polikliniek, nachtelijke bezoeken aan de spoedeisende hulp, ziekenhuisopnames, biopsies. Ontstekingen – van de luchtwegen, de neusholte, de keel – slaan voortdurend toe. Zelfs wanneer Janet niet ziek is, is ze ziek, heeft ze last van misselijkheid, hoofdpijn en trillingen, bijwerkingen van de medicijnen. David is getrouwd met een vrouw die zich zelden langer dan een paar uur achter elkaar goed voelt. Ze is bevattelijk voor een plotse, slopende uitputting. Haar menstruatie komt veelvuldig en onvoorspelbaar en kan overvloedige bloedingen veroorzaken. Ze heeft onstuimige, achtbaanachtige stemmingswisselingen, het ene ogenblik is ze uitgelaten, het volgende moedeloos. Ze steekt enorm veel energie in het overtuigen van haar familie, vrienden en collega's dat ze onversaagd, koelbloedig en normaal is – in staat alles te doen wat gezonde mensen doen – maar wordt vervolgens kwaad op diezelfde mensen omdat ze niet begrijpen hoe zwaar en ellendig haar leven is. Deze bange, afgunstige, foeterende Janet vertrouwt hem alles toe, maar hij voelt zich niet vrij om haar in vertrouwen te nemen. Hij wil haar angst niet verergeren met de zijne, dus houdt hij die verborgen. En daarbij vindt hij dat hij geen recht heeft op angst. Hoe kan hij dat hebben wanneer hij relatief gezond is, iets waar Janet hem graag aan mag herinneren. In de toekomst wordt ze, naast de gebruikelijke ziektes en besmettingen, geconfronteerd met de zeer reële mogelijkheden van kanker, nierfalen, diabetes en vasculopathie – een aandoening van de kransslagaders die onvermijdelijk optreedt bij getransplanteerde harten. En ten slotte de dood. Ze zou weliswaar pas over vijf of tien jaar kunnen overlijden, maar het kan ook morgen gebeuren. Zoals Janet het ziet is haar uitstel verleend. Hoewel David dit begrijpt, en blij is voor haar, wordt hij ook vervuld van afgrijzen bij het vooruitzicht dat hij de ellende van de afgelopen drie jaar, de ergste van zijn leven, weer opnieuw moet doormaken wanneer ze achteruitgaat.

Gaat ze nu achteruit? Is dit het begin van het einde? Afgelopen week werd hij gebeld door dokter Maslowcya, die hem vertelde dat, hoewel Janet veel te verduren had gekregen door de afstotingsepisode, de kans groot was dat ze er goed doorheen zou komen en dat dergelijke episodes in de toekomst minder waarschijnlijk zouden zijn. David voelde een steek van schuld bij de woorden 'veel te verduren'. Sinds ze iets langer dan een week geleden is opgenomen, heeft hij haar maar tweemaal bezocht en zaterdag heeft hij haar aan de telefoon gehad. Het is nu dinsdag. Hij is amper thuis geweest. Janets ouders logeren in de flat en zorgen voor de kinderen. Gisteravond was hij hun gezelschap beu en heeft hij geslapen in een eenkamerflat in de buurt, die hij onlangs stiekem heeft gehuurd, maar niet voor clandestiene doeleinden, tenzij de behoefte aan een wijkplaats clandestien genoemd kan worden. Wanneer hij daar in de kleine, spartaanse kamer op de eenpersoonsmatras naar de tv ligt te kijken of te dutten, met zijn telefoon uit, voelt hij dat de zorgelijkheid verdwijnt. Hij beseft dat het flatje huren een stap in een bepaalde richting is. Maar de stap voelt noodzakelijk voor zijn gezondheid en welzijn en hij doet zijn best er niet te veel analyse op los te laten.

Als de avond valt en de wijzers op zijn antieke bureauklok voorbij de zes naar de zeven toe bewegen, voelt David een angstige spanning in zijn maag. Hij haast zich om de boel af te sluiten. Hij legt documenten op een stapel, savet bestanden op zijn computer en stuurt nog snel wat essentiële e-mails. Hij gaat vanhier rechtstreeks naar Janet in het ziekenhuis. Hij heeft er bitter weinig zin in, maar de groeiende afstand tot zijn gezin vereist een verklaring.

Hij pakt zijn tas, doet het licht uit en loopt de gang door naar de liften. Hij blijft even staan om een jonge advocaat die hem bijstaat in de Winnetka-zaak gedag te zeggen. Ze is achtentwintig, afgestudeerd aan Yale, briljant, energiek en, er valt niet aan te ontkomen, aantrekkelijk, hoewel David vooral geniet van haar gezelschap en hun luchtige conversatie. Een dag of wat geleden vroeg ze hem of hij zin had te gaan squashen. Hij wilde wel, maar heeft het niet gedaan, omdat hij vond dat er een grens werd overschreden wanneer hij met een vrouwelijke ondergeschikte zou gaan sporten terwijl zijn vrouw in het ziekenhuis ligt.

Door de draaideur loopt hij de straat op het rumoerige centrum in, waar drommen mensen door de zachte lucht benen naar treinen, bussen, taxi's en auto's, die hen veilig thuis zullen afleveren. David haalt zijn groene Subaru Forester uit de garage en zet door het drukke verkeer koers naar het westen. Bij het Parkland-Wilburn vindt hij een plaats op de begane grond van de parkeergarage en steekt over naar de hoofdingang. De pogingen van de architecten en interieurontwerpers van het ziekenhuis, die stijlelementen leenden van gebouwen met een opgewektere associatie – hotels, musea, luchthaventerminals – om de onuitgesproken dreiging van het gebouw te verhullen en bezoekers ervan af te leiden, zijn aan David niet besteed. Mij hou je niet voor de gek, denkt David als hij langs de verlichte fontein loopt, de fleurige foyer in met zijn roomkleurige muren, suikerzoete kunstwerken, aardbeikleurige vloerbedekking, de glinsterende cadeauwinkel en rijen paarse stoelen geflankeerd door grote, robuuste planten. Sinds hij hier bijna drie jaar geleden met Janet kwam is dit gebouw zelf een aandoening geworden, waarvan David de symptomen voelt zodra hij er binnenkomt: angst, onverklaarbare vermoeidheid, maagkrampen en een beklemd gevoel hoog op zijn borst.

Hij neemt de lift naar de derde verdieping en loopt langs het atrium, het lachpaleis waar mensen samenkomen om naar hun eigen spiegelbeeld en dat van anderen te kijken. Hij gaat de afdeling Medische Cardiologie op en hoort meteen een levendig 'Hé, hallo!' van een bekende verpleegkundige, die naar hem zwaait met een doorzichtige plastic zak waarin hij een opgerold, agressief ogend instrument ziet zitten. David voelt zich betrapt en knikt schaapachtig. Hij loopt langs een oude man wiens hoest klinkt alsof er een wc wordt doorgetrokken. In een van de kamers zit een vrouw van zeventig-en-nog-wat op de rand van haar bed, haar hoofd gebogen, haar melkwitte, geaderde benen bungelen net boven de vloer. Het lijkt of ze in gedachten verzonken is, ze schommelt met een voet alsof ze haar tenen door een ondiepe bak met warm water haalt, tot David zich realiseert dat de arme vrouw niet overeind kan komen, ze krijgt die voet niet op de grond. Net op dat ogenblik komt er een oudere man achter het gordijn vandaan die de vrouw op de been helpt. Hij is een van de verzorgers, een van de plichtsgetrouwe, onvermoeibare, eindeloos geduldige echtgenoten die hun zieke vrouw vergezellen naar de talloze afspraken op de polikliniek, uren doorbrengen met tijdschriften doorbladeren in wachtkamers, langdurig waken bij het ziekbed, mannen die zich even grondig wijden aan het dienen van hun zieke vrouw als monniken zich wijden aan het dienen van God. Petje af, denkt David. Hij meent het oprecht. Dit zijn geen gewone mannen. Hij kan het weten, zelf is hij zo niet.

Janet zit rechtop in bed en drinkt water met een rietje uit een kartonnen bekertje, haar haar is samengepakt tegen twee opgestapelde kussen. Hij heeft altijd gevonden dat ze uitzonderlijk haar heeft: rood, gekruld, weelderig – de haren van een Ierse prinses. Een net zo rode wenkbrauw wordt nieuwsgierig opgetrokken als hij binnenkomt. Haar wangen zijn grauw, het is alsof haar huid langzaam in klei verandert. Haar lichaam zit tot aan de taille onder de lakens verstopt. Ze laat het bekertje langzaam in haar schoot zakken en hoewel haar ogen zijn gezicht verkennen, ziet hij dat haar aandacht uitsluitend gericht is op de onzekere afdaling van haar arm.

'Kijk eens aan. Hoe heet jij ook alweer?' vraagt ze.

Hij wil haar kussen, aanraken, uit dat bed tillen en haar uit de wirwar van infusen bevrijden en wegdragen. Tegelijkertijd zou hij aan de andere kant van het universum willen zijn, of in een ander universum, waar hij haar nooit heeft ontmoet of gekend – nooit deze vreselijke, pijnlijke band heeft gevormd met een wezen dat zo bemind en zo vergankelijk is.

'Hoe gaat het?' vraagt hij.

'Gaat wel. En met jou?'

Theatraal blaast hij lucht uit. 'Druk.'

'Fijn dat je tijd vrij hebt gemaakt van je drukke rooster.'

David posteert zich bij het raam en kijkt uit op een loodrechte gevel van beton en glas.

'Is er iets interessants te zien?' vraagt Janet.

'Dit is een vreselijk uitzicht. Kunnen ze je niet verplaatsen? Een andere kamer geven?'

'Ben je daarom hier? Om er zeker van te zijn dat ik een mooi uitzicht heb?'

'Het is maar een vraag.'

Janet tilt het bekertje uit haar schoot omhoog, strekt haar arm en zet het beverig op het tafeltje naast het bed. Ze brengt haar arm terug, het infuusslangetje, dat David op een echte, uit haar huid hangende ader vindt lijken, behoedzaam meetrekkend. Ze steekt haar hand onder de lakens en omhoog onder haar nachthemd, dat met haar pols meekomt, waardoor haar buik met het litteken van de keizersnede zichtbaar wordt, en erboven, tussen haar borsten omhooglopend, het grotere exemplaar van de transplantatie. Ze wordt door het leven aan het mes geregen, denkt David.

'Kun je iets voor me doen?' vraagt ze, met haar arm in een rare hoek onder haar nachthemd. Ze probeert te krabben, maar kan niet bij de jeukerige plek komen. Ze wijst hem een tube hydrocortisone aan en vervolgens een vlekkerige uitslag net onder haar sleutelbeen. Hij smeert er crème op en tracht zijn gezichtsveld te beperken, zodat het de snee ter grootte van een nietje in haar hals niet omvat, of de witte siliconen slang die uit een snee net onder haar rechterbiceps steekt. De doorzichtige infuuspleister die op deze snee zit is fijn gerimpeld als de huid van een oude vrouw. Wat een begeerte koesterde hij vroeger voor dit lijf, deze ooit magnifieke expansie van vlees – hij wilde er met al zijn zenuwen op neer regenen. Eerst kwam de seks, daaruit kwam al het andere voort, en die seks vormde altijd het gemakkelijkste, betrouwbaarste onderdeel van hun relatie, een gemeenschappelijke taal wanneer alle andere communicatie faalde. Helaas hebben ze hem al in tijden niet gesproken.

Hij is klaar met het insmeren van haar uitslag en omdat hij haar gezicht dichtbij is en hij het een ogenblik lang mooi vindt, strijkt hij haar licht over haar wang.

'Waar zat je?' vraagt ze wrevelig en bezorgd. 'Mama zei dat je gisteravond niet thuisgekomen bent.'

'Ik heb op kantoor geslapen.'

Janet kijkt hem onderzoekend aan. 'Op die bank? Dat zal lekker gelegen hebben.'

'Verrassend rustig.'

'Ben je van plan dat vaker te doen?'

'Wanneer ik er behoefte aan heb.'

Janet kijkt hem kwaad aan. 'Je zat me op mijn nek omdat ik niet met je had overlegd over het opsporen van Alex en Bernice, omdat ik niet je officiële toestemming had gevraagd, maar jij hebt nooit met mij overlegd over lid worden van die sportschool, laat staan er drie avonden per week naartoe gaan, of die cursus volgen – je hebt je gewoon ingeschreven en bent gegaan. En nu slaap je 's nachts ergens anders zonder het mij te vertellen. Wat is het volgende? Houseparty's die de hele nacht duren? Reisjes naar de Caribische Eilanden?'

'Tjonge, dat klinkt leuk', zegt David.

'Je hebt me ook niet verteld dat je contact hebt opgenomen met een makelaar. Daar weet ik van. Ze belde een keer toen jij er niet was. Ik neem aan dat je de toekomst van het gezin in je eentje meende te kunnen plannen.'

'Dat ging over iets anders', zegt David. Die makelaar had geblunderd, ze had hem niet thuis mogen bellen. Hij was overgestapt op een andere, die het flatje in de stad voor hem had gevonden.

'Wat "anders"?' vraagt Janet. 'David, wat is er aan de hand? Je bent nog nooit een nacht van huis gebleven zonder mij te bellen.'

'Het was elf uur. Ik wilde je niet wakker maken.'

'Dus heb je mijn moeder wakker gemaakt?'

'Die was nog op. Ze was Sam aan het voorlezen.'

'Waarschijnlijk omdat hij niet kon slapen. Omdat hij niet weet waar zijn ouders uithangen. Jij had hem voor moeten lezen, David.'

'Je moet mij niet van verwaarlozing beschuldigen. Jij bent er zelf ook nauwelijks voor hen.'

'Ik ben ziek.'

'Ik ben ongelukkig.'

Janet frommelt het laken bijeen in een prop en masseert die alsof het de nek van een jong hondje is. Haar blik is bedachtzaam en vol angst. 'Ik weet het.'

'Ik kan zo niet doorgaan. Met jou en je ziekte leven. Ik geef toe dat ik de uitdaging niet aankan. Ik ben er niet tegen opgewassen.'

'Jawel, dat ben je wel', zegt Janet, maar niet overtuigend.

David is zich er al enige tijd van bewust dat hij noch aan haar noch aan zijn eigen normen voldoet. 'Dank je, maar dat ben ik niet.'

'Je zou het kunnen zijn als je harder je best deed.'

'Ik ben het zat om mijn best te doen.'

Gekwetst en in de war laat Janet haar hoofd tegen het kussen vallen, rolt het opzij en kijkt naar de deur alsof ze op iemand wacht – een vroegere, meer betrokken versie van haar man misschien.

'Ik wil een ander leven', zegt David.

'Ja, dat snap ik', snauwt Janet.

Ik heb een keuze. Jij niet. Jij zit vast. Ik niet. Maar dat vindt David te wreed om hardop te zeggen. Hij zegt: 'Je bent anders. Anders dan vroeger.'

'Uiteraard. Ik heb een enorme beproeving doorstaan, een ingrijpende transformatie ondergaan. Hoe kan ik niet anders zijn geworden? Ik was bijna dood. Om de paar maanden ga ik bijna dood. Ik moet anders zijn om te overleven.'

'Dat begrijp ik. Je bent taaier, sterker, gerichter en gedrevener. Je bent ook halsstarriger. En minder flexibel.'

'Hetzelfde zou ik over jou kunnen beweren.'

David haalt zijn schouders op. 'Misschien wel.'

'Ik ben wie ik ben', zegt Janet.

'Ik ook.' David haalt diep adem en ademt langzaam uit. 'Ik heb een flat gehuurd in de stad. Vlak bij mijn kantoor. Het is maar een eenkamerflat. Daar zal ik wat vaker zijn. Waarschijnlijk ga ik over een paar dagen naar huis om wat van mijn spullen op te halen.'

'Wat zeg je nou? Zeg je nou dat je bij me weggaat?'

'Nee', antwoordt hij, hoewel het juister zou zijn als hij zei: Dat weet ik nog niet, of: Misschien wel, ja. 'Ik zeg wat ik zojuist zei. Ik heb een flat gehuurd. Daar zal ik wat vaker zijn. Voorlopig is dat alles.'

Janets gezicht wordt rood en tranen springen haar in de ogen. Ze licht de zoom van het laken met beide handen op en drukt die tegen haar gezicht, om haar ogen te drogen en zich achter te verbergen. Dan duwt ze beide handen met de palm naar buiten voor zich uit alsof ze een aanvaller afweert. Haar ogen zijn stijf dichtgeknepen, haar mond trekt in de hoek. 'Ik kan dit nu niet aan. Ik lig godverdomme in het ziekenhuis omdat ik een afstotingsepisode heb, David. Ik heb steun nodig. Ik heb troost nodig.'

Ze hoest slijmerig. Hij weet niet wat ze van hem verwacht. Hij is zijn vermogen tot opgewektheid en optimisme kwijt, ze deprimeert hem zo totaal. Jarenlang was ze in staat zijn zelfvertrouwen en zekerheid op te krikken door alleen maar met hem te praten, door in dezelfde kamer te zijn als hij, maar nu bezorgt ze hem een breekbaar en bedreigd gevoel.

'Het spijt me', zegt David. 'Ik zal gaan.'

Janet kijkt verbaasd, alsof dit niet de reactie is die ze had verwacht. 'Wat moeten we tegen Sam en Carly zeggen?'

'Voorlopig? Dat ik meer tijd op het werk moet doorbrengen. Voor een groot project. Ik zal morgen bij hen langsgaan. Ik zal ze mee uit eten nemen.'

Iets in dit voorstel stemt Janet weemoedig. 'Ik mis je, David.'

Haar gezicht is vol verlangen en behoefte en hij voelt de aantrekkingskracht in zijn borst.

'Ik mis jou', zegt David en hij denkt aan de vrouw die ze vroeger was, de oude, gezonde Janet die niet gered kon worden.

Zesentwintig

Dc middag voor Alex en Kelly naar Colorado willen vertrekken, kijkt Alex op zijn werk een opstel na over een epileptische moeder die in een schemertoestand een drukke straat op liep en door een auto werd aangereden, wanneer Diane naast hem opduikt, haar gezicht staat afgemat en bemoeiziek. 'Kan ik je even op mijn kamer spreken?' vraagt ze.

Hij volgt haar door het gangpad tussen de twee rijen tafels door. Ze leidt hem een klein, bedompt vertrek zonder ramen in – een ruimte voor sensorische deprivatie die door moet gaan voor een kantoor. De muren en het bureau zijn kaal en onversierd: geen ingelijste kunst, geen familiefoto's, geen snuisterijen, prullen of speeltjes. Diane verwacht hier duidelijk niet lang te blijven. Alex neemt ongenood plaats op een harde, rechte stoel voor Dianes bureau. Op het bureau ligt een centimeter hoge stapel opstellen. Diane gaat zitten en glimlacht plichtmatig, eigenlijk is het meer een zenuwtrek, waarna ze de opstellen doorbladert ter voorbereiding van haar speech.

'Zijn die allemaal van mij?' vraagt Alex.

'Allemaal.'

'Jeetje, ik ben er echt tegenaan gegaan.'

Weer een glimlach, deze is oprecht geamuseerd. Diane schuift de stapel opstellen naar het midden van haar bureau en leunt achterover in haar stoel. Ze kijkt hem nieuwsgierig aan. 'Waar ben je tegenaan gegaan?'

'Pardon?'

'Toen je hier pas begon, waren je cijfers consequent laag en nu zijn ze consequent hoog. We hebben het hier over een veel te hoge score, Alex. Je hebt deze opstellen stuk voor stuk een zes gegeven, terwijl de commissie ze een vier of minder toekende. De meeste kregen een één of een twee. Die ongelijkheid kunnen we niet accepteren. Vertel me nou eens, is dit een geval van overcompensatie? Je variatiecurve is nog steeds onevenwichtig, hij is alleen topzwaar in plaats van bodemzwaar.'

Alex had het kunnen verwachten. Een aantal weken nu zijn ze bezig geweest met een nieuwe zending opstellen uit Arkansas, waarvoor de schrijvers zijn gevraagd een belangrijke gebeurtenis in hun leven te beschrijven. Alex vindt de vrolijke belangrijke gebeurtenissen niet erg – de vakanties, de schoolreisjes en sportieve overwinningen, de beloningen en prijzen, de geboorte van jongere broertjes of zusjes. Het probleem is dat het bij veel van die belangrijke gebeurtenissen gaat om ongelukken, ziektes en de dood. De auteurs beschrijven beroertes, hartaanvallen, kanker, operaties, langdurige opnames in het ziekenhuis, waken bij een ziekbed, begrafenissen. Alex vond het onmogelijk om die opstellen te beoordelen. Hoe kon je een meisje van wie de vader onlangs was overleden aan ALS een onvoldoende geven omdat haar zinsbouw en woordkeuze ondermaats zijn? Na de dood van Isabel was Alex wekenlang nauwelijks in staat om te spreken. Hij begon de kleine Arkansianen vijven en zessen te geven. Hij beschouwde de kinderen als zijn broertjes en zusjes in de grote familie van onrechtvaardig behandelden. Het was zijn plicht hen te beschermen tegen de achteloze bruutheid van de gezegenden, hoe armzalig hun grammatica ook mocht zijn.

'Er zal wel sprake zijn van enige compensatie, zeker', zegt hij tegen Diane. 'Het is lastig, met die nieuwe zending. Geven de andere correctoren geen hogere punten?'

'We zagen een piek bij Arkansas, ja. Onze reacties op die opstellen kunnen zeer intens, emotioneel en meelevend zijn. Maar de meeste curves van onze correctoren pasten zich na een paar dagen aan. De jouwe niet.'

'Sommige van die kinderen, Diane, die zijn zulke afschuwelijke dingen overkomen.'

'Dat weet ik. Maar we beoordelen hun privéleven niet. Het is onze plicht hun schriftelijke werk te beoordelen, objectief te beoordelen, en hun het punt te geven dat ze verdienen, ook al betekent het een laag cijfer.'

'Dat kan ik niet.'

'Dat kun je niet...?'

'Ik kan die kinderen geen laag cijfer geven. Dat kan ik niet. Niet kinderen die al zoveel hebben meegemaakt.'

Diane, die zijn oprechtheid aanvoelt, schuift haar stoel dicht naar haar bureau, zet haar elleboog erop en steunt haar wang op haar vuist, ze is minder afwerend en bedachtzamer. 'Volgens mij zou je een goede corrector kunnen zijn, Alex. We hebben goeie mensen nodig. Slimme mensen. Ik denk dat als je de moeilijkere opstellen probeert te lezen, de persoonlijke pijn van de schrijver opzijschuift en je richt op het werk zelf, dat je je zou kunnen aanpassen, je curve zou volkomen acceptabel worden. We verwachten een hele hoop werk. Er komt in oktober een zending uit Nevada waar we tot februari mee bezig zullen zijn.'

Alex slaakt een zucht, voornamelijk om tijd te rekken. Hij is niet sterk genoeg om de pijn van een twaalfjarige schrijver opzij te schuiven; hij weet niet eens zeker of het wel juist is om dat te doen. Het hele púnt van schrijven is de pijn over te brengen. Die kinderen, schreven die niet in de veronderstelling dat ze hun situatie, hun lijden aan iemand duidelijk zouden maken? Niemand heeft ze gezegd: Doe geen moeite al je persoonlijke zooi erin te stoppen, je wordt alleen beoordeeld op hoe goed je met taal kunt omgaan.

'Ik neem de rest van de middag vrij', zegt Alex. 'Een vroeg begin van mijn vakantie.'

Diane leunt achterover en haar handen, die plat op haar bureau liggen, schuiven mee. Uit de lichte onzekerheid op haar gezicht blijkt dat het een redelijk verzoek is dat helaas niet kan worden ingewilligd. 'Er ligt nog een hoop werk. Ik weet dat je er de komende twee weken niet bent, en daar zullen we omheen moeten werken, maar ik kan het niet aanmoedigen dat je vandaag vroeg vertrekt.'

'Dat hoef je niet aan te moedigen', zegt Alex opgewekt en hij staat op, omdat hij impulsief is aanbeland op zo'n moment waarop je denkt: alles is beter dan dit. 'En ik kom niet terug. Nooit meer. Werk daar maar omheen.'

Hij is vroeger thuis dan gebruikelijk en betrapt Otto, die uitgestrekt op zijn zij op de kussens van de bank ligt te slapen. De hond heft zijn kop verrast op, één oor is binnenstebuiten gekeerd en zijn ogen komen lodderig tot leven. 'Klaar voor Colorado, makker?' vraagt Alex en hij geeft Otto een klopje op zijn kop. Kelly en hij hebben wat onderzoek gedaan en het pad is licht tot middelzwaar, en mits aangelijnd zijn huisdieren toegestaan. Dus gaat Otto mee. Alex heeft de dagelijkse wandelingen steeds langer gemaakt, zodat hijzelf en de hond in vorm zijn.

Alex laat zijn blik over de kampeeruitrusting gaan die hij de hele week lukraak over de vloer heeft uitgespreid: kleren, regenkleding, laarzen, tent, kookgerei, kampeermes, waterdichte radio, verscheidene stukken gereedschap en apparaatjes. Hij moet nog een EHBO-doos en een insectenwerend middel kopen. Op het antwoordapparaat staat een bericht van Kelly, die hem eraan herinnert dat ze vanavond boodschappen moeten doen. 'Ik heb bedacht dat we naar Fin and Feather of naar Syler kunnen gaan voor een slaapzak voor jou, als je er tenminste nog een wilt kopen. Ik kom langs na mijn werk. Hé, misschien kunnen we zo'n tweepersoonsslaapzak kopen? Dan komen we in elk geval die koude nachten in de bergen door. Hmmm...ik weet niet. Tweepersoonsslaapzak. Dat is nogal wat. Ik weet niet of ik daar al aan toe ben.'

Haar stem klinkt energiek en flirterig. Ze is opgewonden over dit uitstapje; 'opgepompt' is het woord dat ze ervoor gebruikt. Ze heeft het pad onderzocht; ze heeft een lijst van de noodzakelijke uitrusting gemaakt, bij elkaar vergaard wat ze bezitten en de rest geleend; ze heeft een globaal menu samengesteld en het eten dat ze moeten aanschaffen opgesplitst in wat ze hier goedkoop in de stad kunnen kopen en wat kan wachten tot Colorado; ze heeft haar auto naar de garage gebracht voor een extra beurt. Alex heeft weinig anders gedaan dan zich verwonderen over en zich dankbaar voelen voor haar enthousiasme en harde werken. Vooral voor haar motivatie. Hij zou er nooit aan hebben gedacht zo'n reis te ondernemen of zover gekomen zijn met plannen als Kelly het niet had voorgesteld. Kennelijk was hij zo diep weggezakt in de routine van zijn omstandigheden dat hij geen besef, geen bewustzijn meer had van wat mogelijk was, dat daarginds, net over de rand van de loopgraaf, de wereld lag – een wereld waarin hij zich kon wagen en die hem gigantisch zou belonen als hij de energie maar kon opbrengen om zich ertoe te zetten. Boven hem stond Kelly stevig op haar benen en stak hem haar hand toe.

Alex loopt de keuken in, pakt een biertje en laat zich op de bank naast Otto vallen. Op de salontafel ligt een berichtje dat hij een paar dagen geleden van Janet Corcoran heeft ontvangen. De effen witte envelop, gekreukt en bevlekt, ziet eruit alsof hij door de handen van minstens tien verschillende postbodes is gegaan. Het eenvoudige papier en Janets krachtige zwarte inkt maken de indruk van onmiskenbare ernst.

Beste Alex,
Het spijt me als ons telefoongesprek je van streek heeft gemaakt of je tegen de haren in heeft gestreken. Misschien had ik niet moeten bellen. Ik dacht alleen dat als ik met je kon praten, het je zou helpen begrijpen wat ik de afgelopen paar jaar heb doorgemaakt en wat ik nu denk en voel, en bovenal dat ik geen roofzuchtige egoïst zonder inlevingsvermogen ben.
Ik vind dat we een slechte start hebben gemaakt. Wat vind jij?

Groeten,
Janet
312 221 4359

Alex vindt dat het gebruik van het woord 'start' iets arrogants heeft – het suggereert dat ze elkaar in de toekomst zullen kennen. Denkt ze dat het, gezien de omstandigheden, mogelijk was een goede start te maken?

Hij vraagt zich af wanneer ze de kaart heeft geschreven en komt tot de conclusie dat ze hem moet hebben geschreven en gepost nadat ze elkaar aan de telefoon hebben gesproken, maar voordat ze is opgenomen in het ziekenhuis. Waarom heeft het zo lang geduurd voordat hij hem kreeg? Zou Janet nog steeds in het ziekenhuis liggen? Hij heeft Bernice niet meer gesproken sinds dinsdag, de dag nadat Jasper zich toegang tot haar huis had verschaft.

Hij gaat naar de keuken om nog een biertje te halen en keert terug naar de bank. Hij overweegt Kelly te vragen of ze nu al wil vertrekken, nu meteen, ze doen hun boodschappen en rijden weg. Tegen de ochtend zouden ze voorbij Nebraska kunnen zijn. Maar hij heeft nog niet gepakt en Kelly is niet voor zeven uur klaar met werken. Het is nu pas vier uur.

Hij drinkt van zijn bier en gaat naast Otto op de bank liggen. Hij sluit zijn ogen en ziet de snelweg die zich voor hem uitstrekt, de majestueuze klim het westen in: plateau na plateau, heuvels, rotsen en ten slotte bergen die uit de vlakte omhoogsteken.

Hij schrikt wakker van een wekker die in een kamer afgaat en die hem kortstondig onbekend voorkomt. Het is zijn kamer. Zijn leven. De telefoon. Hij is te versuft om het antwoordapparaat voor te zijn.

'Hoi, Alex, met mij, Bernice. Bel me alsjeblieft terug als je dit hoort. Het is belangrijk. Dag.'

Alex krijgt genoeg van die dringende, *breaking news*-telefoontjes en vraagt zich af of zich een nieuwe ontwikkeling heeft voorgedaan met Janet of anders met Jasper.

'Wat is er?' vraagt hij als hij Bernice heeft bereikt.

'Het is Janet. Ik heb zojuist Lotta gesproken. Het gaat niet goed met haar.'

'Met Lotta of met Janet?' Alex houdt zich expres van den domme.

'Met Janet.' Bernice legt uit dat volgens Lotta, die haar zojuist heeft gebeld, de afstotingsepisode van Janet hardnekkiger is dan verwacht. 'Haar artsen geven haar een extra kuur intraveneuze medicijnen. Ze denken erover haar naar de intensive care te verhuizen. Er is ook iets aan de hand met haar man. Lotta deed ontwijkend en mysterieus, maar het kwam erop neer dat hij ergens anders is gaan wonen. Lotta zei dat hij ertussenuit was geknepen. Ik wist niet eens dat ze problemen hadden', zegt Bernice. 'Ik denk dat Lotta het ook niet wist. Maar als je zulke problemen hebt, bel je natuurlijk niet meteen je ouders om het ze te vertellen. Meestal niet. Ik in elk geval niet. Je probeert het zo lang mogelijk verborgen te houden.'

Alex hoort het nieuws geërgerd en ongeduldig aan, maar ook meewarig en met een vleugje voldoening, omdat Janet de kans krijgt mee te maken hoe het is om een echtgenoot te verliezen. 'Goh, dat is afschuwelijk.'

'Zeg dat wel. Afschuwelijk dat ze dit allemaal tegelijk over zich heen krijgt. Ze moet zich ellendig voelen. Ik weet dat het dom is, maar ik maak me zorgen over Isabels hart. Het moet onder grote druk staan. Niet alleen door die afstotingsepisode, maar ook door de spanning. Haar gezin valt uit elkaar.'

Alex vraagt zich af of Bernice enig idee heeft van de druk die ze op hem legt. 'Ja, nou, jij en ik zijn allebei bekend met gezinnen die uit elkaar vallen, met scheiding en je echtgenote verliezen en zo, en jij bent erdoorheen gekomen. Ik weet zeker dat Janets artsen haar weer zullen oplappen zodat ze naar huis kan.'

'Hoe weet je dat zo zeker? Ik weet het niet.'

'Je bent van het begin af aan pessimistisch geweest.'

'Dat is niet waar', zegt Bernice beledigd. 'Ik ben gewoon bezorgd. Als jij maar enigszins betrokken was, zou je ook bezorgd zijn. Je bent erbij betrokken, je beseft het alleen niet.'

'Het moet fijn zijn voor je om deze verzonnen crisis als pressiemiddel te kunnen gebruiken.'

'Zie je het zo? Een "verzonnen crisis"? Denk je dat ik loos alarm sla? Denk je dat Lótta loos alarm slaat?'

'Oké, ik wil deze discussie nu niet voeren.'

'Maar we voeren hem nu.' Er valt een gespannen, inleidende stilte. Dan zegt Bernice: 'Ik rij morgenvroeg naar Chicago. Dat heb ik besloten. Dat hart is zijn leven zo groot als een maanzaadje begonnen in mijn baarmoeder. Achtendertig weken heeft het in mijn lichaam geklopt. Ik kan niet gewoon maar blijven toekijken.'

'Doe dat dan niet.'

Alex voelt dat Bernice in de stilte wacht op een verontschuldigende uitleg of een voorbehoud. Ze laat haar adem ontsnappen, waarmee maanden van opgehoopte frustratie over zijn onhandelbaarheid lijken vrij te komen. 'Ik zou graag willen dat je meegaat. Dat zou veel voor me betekenen. En voor Janet.'

Het heeft de klank van een laatste verzoek, haar onheilspellende toon bevat de dreiging van eerverlies.

'Ik rij morgen naar Colorado', zegt Alex. 'Dat weet je toch.'

'Ja. Maar vind je niet dat dit belangrijker is?'

'Naar Colorado gaan is ook belangrijk. Voor mij.'

'Hoe dat zo? Om weg te lopen?'

'Ik loop niet weg. Ik ga op vakantie met mijn vriendin. Ik probeer mijn leven op poten te krijgen. Ik probeer om niet te blijven steken in het verleden. Waarom heb je daar een probleem mee? Als jij Janet wilt zien, dan ga je er maar naartoe. Als je denkt dat Isabel de deur voor je heeft opengezet, loop er dan maar doorheen. Word religieus. Geloof wat je wilt geloven.'

'Ik vind dat dit boven persoonlijke keuzes uitstijgt, Alex. Het is een kwestie van plicht.'

'Ik heb een plicht jegens mezelf.'

'En Isabel dan? Ik denk dat Isabel gewild zou hebben dat we erheen gingen.'

'Je moet Isabel niet tegen mij gebruiken. Isabel zou gewild hebben dat ik gelukkig ben. Dat ik verderga met mijn leven. Het is meer dan een jaar geleden. Ik kan je verzekeren dat ze haar organen niet heeft gedoneerd om mij blijvend geobsedeerd te maken met de gezondheid van de mensen die ze hebben ontvangen. Wat is het volgende? Gaan we de mensen opsporen die Isabels nieren en lever hebben gekregen? Haar longen, huid, hoornvlies en alvleesklier? Om er zeker van te zijn dat het ze goed gaat? Dat ze niet op de intensive care liggen? Die organen zijn ook allemaal in jouw lichaam gegroeid. Hé, ik heb een idee. Waarom sjezen we niet de hele wereld rond en zetten haar weer in elkaar?'

Als het de bedoeling van Alex was om Bernice onderuit te halen, dan lijkt hij daar in geslaagd. De stilte aan haar kant voelt peilloos en absoluut, alsof hij luistert naar het geluid van het verre heelal. Ten slotte vraagt ze: 'Zal ik Janet de groeten doen?'

'Natuurlijk. Graag.'

Even zwijgt ze, alsof ze hem de kans wil geven van gedachten te veranderen. 'Tot over een paar dagen dan. Of een week of zo. Veel plezier met kamperen.'

'Rij voorzichtig.'

Hij wacht op het 'jij ook', maar het komt niet. In plaats daarvan hoort hij de slordige stotter-klik van de hoorn die achteloos, misschien rancuneus wordt opgegooid. Dan de kiestoon.

Diep in het meerdere verdiepingen beslaande, doolhofachtige interieur van Syler-sport staan Alec en Kelly voor een stuk of twintig slaapzakken, die ondersteboven naast elkaar hangen als cocons van menselijk formaat. North Face, Kelty, Marmot, Sierra Designs. Kelly, opgewonden bij het vooruitzicht van een belangrijke aankoop, loopt van slaapzak naar slaapzak, leest vlijtig de etiketten, knijpt in de donskussentjes, strijkt over de voering en trekt aan de ritsen, terwijl ze een gemompelde dialoog voert waarin ze de kwaliteit en eigenschappen van de verschillende slaapzakken vergelijkt. 'Oké, deze is drieseizoenen, gevuld met dons, bestand tegen min tien, waterdicht, lichtgewicht, ho, ik zie niets over scheurbestendig nylon. Wil je graag scheurbestendig nylon, Alex?'

'Hmmm?' Hij is naar een glazen kast geslenterd, vol kompassen. 'Ah...ja. Dat is misschien wel goed.'

'Nou, bij deze staat niets over scheurbestendig nylon', zegt Kelly en ze laat het etiket los en loopt verder.

Alex kijkt naar de kompassen die op topografische kaarten zijn gezet en zou willen dat een ervan hem zegt welke kant hij op moet, dat een naald over een kaart van Iowa zou zwenken en uitdagend naar het westen zou wijzen. Door het telefoongesprek met Bernice is hij verscheurd door twijfel. Hij moet toegeven dat ze hem heeft geraakt, hem het gevoel heeft bezorgd dat hij, door naar Colorado te gaan, haar verwaarloost, Isabel verwaarloost. Op weg naar Syler, toen ze in Kelly's auto in westelijke richting over de snelweg hobbelden, staarde Alex uit het raampje naar de zon die laag en rood in de lucht gloeide, en naar de lichten die aangingen in de halfvrijstaande huizen dicht langs de weg. De wereld, of misschien was hij het zelf wel, voelde treurig en desolaat aan. Hij herinnerde zich dat hij over ditzelfde stuk snelweg heeft gereden met Isabel, wanneer ze naar het winkelcentrum gingen om te winkelen of een film te zien of te gaan eten in hun favoriete pannenkoekenrestaurant, en hij wist zeker dat hij toen gelukkiger was geweest dan hij ooit nog zou worden. Dus wat had het voor zin?

Tegen de tijd dat ze bij Syler naar binnen gingen miste hij Isabel acuut – meer dan hij in lange tijd had gedaan. Belaagd door het felle schijnsel van de lampen voelde hij dat hij terugkeerde, over een onzichtbare grens glipte het gebied in van intens verdriet en machteloze verbondenheid waaraan hij ontsnapt hoopte te zijn. Het was uit angst voor dat gevoel dat hij vastbesloten was om Janet te mijden. Bernice had gelijk: hij was afstandelijk. Maar was dat niet de bedoeling? Om afstand te nemen? Moest je geen afstand nemen om te overleven? Als hij op dat punt is aanbeland zou Bernice hem met rust moeten laten. Misschien zou ze eraan moeten werken om zelf meer afstand te nemen. Misschien zou ze dan gelukkiger zijn.

Kelly en hij kiezen een slaapzak uit, een drieseizoenen-Marmot, waar hij tot haar vreugde twintig procent korting op krijgt, en na nog wat benodigdheden te hebben uitgezocht – een EHBO-doos, een vuurmaker, insectenwerend middel en zonnebrandcrème – gaan ze op huis aan. Het is net na negenen en als hij vanaf de snelweg over het land uitkijkt, is Alex opgelucht dat de zachte tinten en wazige structuren van de schemering vervangen zijn door een onsentimenteel duister. Toen ze terugreden door de stad was het druk met vrijdagavondverkeer, waren de trottoirs vol mensen, en waren uithangborden, restaurants, bars en koffiehuizen verlicht – niets en niemand was zich bewust van Isabels afwezigheid en hij zou haar weer levend en wel voor het raam van het koffiehuis willen plaatsen met haar botanische boeken en laptop, haar cappuccino en amandelbiscuitje.

'Ben je van plan om de hele weg naar Colorado zo stil te zijn?' vraagt Kelly. 'Ik denk niet dat ik daar tegen kan. Dan val ik achter het stuur in slaap.'

'Ik ben gewoon moe.'

'Zware dag met de kinderen? Te veel ingrijpende gebeurtenissen?' Hij heeft haar nog niet verteld dat hij ontslag heeft genomen.

'Veel te veel.'

'Relax. Morgen om deze tijd zitten we in de Rocky Mountainstaat.'

Alleen in zijn flat overziet Alex de uitrusting die op de kamervloer ligt uitgespreid, klaar om in zijn rugzak te worden gepakt. Hij moet een begin maken, maar het ontbreekt hem aan de motivatie. Hij beseft dat het de invloed van Bernice is die hem verlamt. Hij rommelt maar wat. Stelt de hoek van de televisiestoel bij, stelt de jaloezieën bij zodat ze allemaal gelijk hangen met alle latten even schuin. Trekt lades open van het Spaanse bureau, onderzoekt de inhoud, schuift ze weer dicht. Plukt wat haren van Otto van de kelim.

Een melodieuze klop op de deur. Kelly springt naar binnen met een gaspitje en tentstokken. Wanneer ze de spullen op de vloer ziet, vloeit de opwinding uit haar weg. 'Ben je niet aan het pakken?'

'Ik moest eerst nog wat andere dingen doen.'

'Zoals...hondenharen opruimen?'

'Kalm maar. We hebben tijd genoeg. Bovendien kunnen we op het laatst nog pakken, als we vertrekken.'

'Ik wil niet mijn hele auto vol rommel hebben. Ik wil dat de spullen in de rugzakken zitten. Bovendien dacht ik niet dat we de hele nacht met pakken bezig zouden zijn. ik dacht dat we nog iets anders konden doen. Misschien uitgaan. Of een film huren.'

'Kan ik alsjeblieft gewoon verdergaan met pakken?' vraagt Alex, niet in staat zijn irritatie te verbergen.

'Eh...ja', zegt Kelly, verrast door zijn toon. 'Kunnen deze er bij jou bij?' Ze wijst op het pitje en de stokken. 'Bij mij paste het niet meer.'

'Tuurlijk. Leg maar neer.'

Terwijl ze hurkt om de dingen bij de rest te leggen, vraagt ze plagerig: 'Die spullen gaan toch wel in je rugzak, hè?'

'Ja, ja.'

Kelly kijkt hem even verwijtend aan en gaat dan weg. Alex is opgelucht wanneer ze weg is. Soms wanneer hij en Kelly samen zijn en hij aan Isabel denkt, heeft hij het gevoel dat zijn heden en zijn verleden door elkaar heen bewegen, zich van elkaar scheiden als twee melkwegstelsels die op elkaar zijn gebotst en hun materie hebben vermengd – een traag, wanordelijk proces waarbij alle verwarde deeltjes van de twee periodes rondzwerven, zich vermengen en af en toe op elkaar klappen.

Alex staart naar de rondslingerende kampeerspullen. Hij gaat er met gekruiste benen tussenin zitten, een stap die voelt als voorbereiding, hoewel niet noodzakelijk een toezegging om te gaan pakken. Hij is benieuwd of Bernice al aan het pakken is. Hij ziet haar voor zich boven in haar slaapkamer, waar ze kleren uit de kasten haalt en ze in een open koffer stopt. Hij stelt zich voor dat ze in haar eentje naar Chicago rijdt, met de radio als gezelschap (praatprogramma's, geen klassieke muziek), dat ze de getallen op de nummerborden optelt om tijd te doden en zichzelf af te leiden van waar ze naartoe rijdt.

Alex kijkt naar de bank en ziet Isabel liggen, lijkbleek met haar hoofd op een kussen en een deken over zich heen, zoals vroeger wanneer ze snipverkouden was of griep had. Ze zegt tegen hem: Mijn hart wordt aangevallen.

Alex buigt zijn hoofd en masseert zijn slapen met zijn vingertoppen. Het is diep verontrustend te bedenken dat een deel van Isabel, deel van een dode, nog steeds bestaat en verwond en gekwetst kan worden.

In voor- en tegenspoed, tot de dood ons scheidt.

Wanneer Kelly weer binnenkomt vindt ze hem zo, in kleermakerszit op de vloer, met zijn hoofd in zijn handen.

Ze knielt naast hem, maar niet te dichtbij, en ze raakt hem niet aan. 'Alex, wat is er?'

Hij wil niet dat Kelly zijn gezicht ziet. Zijn gezicht is een ding van natte klei, waar iedereen zijn vingers in heeft gezet. Zijn gezicht zal Kelly duidelijk maken dat hij nog steeds verliefd is op iemand anders.

'Janet ligt in het ziekenhuis', zegt hij.

Het duurt even voordat Kelly het doorheeft. 'Janet. De vrouw die het hart van je vrouw heeft gekregen.'

'Ze is ziek. Het gaat niet goed met haar. Bernice rijdt er morgenvroeg naartoe.'

'En jij...?'

'Ik denk niet dat ik kan gaan.'

Kelly slaakt een zucht van opluchting en medeleven. Eindelijk een verklaring voor de nukkige stemming die ze de hele avond heeft moeten verduren. Ze wrijft over zijn rug. 'Je hoeft niet te gaan. Als je niet wilt, hoeft het niet. Zo simpel is het. Bovendien heb je een afspraak met de Rockies.'

Maar ze begrijpt het verkeerd.

DEEL IV

JULI 2006

Zevenentwintig

Pas wanneer de woorden slordig uit haar mond tuimelen – 'Ja, hallo, goedemorgen. O, nee, het is middag. Wij zijn vrienden van een patiënte hier. Niet echt vrienden. Kennissen. Ze weet dat we komen. We willen graag bij haar op bezoek. Janet Corcoran. Zo heet ze. C-O-R-C-O-R-A-N' – en de receptionist achter de informatiebalie zijn ogen geërgerd tot spleetjes knijpt, pas op dat moment beseft Bernice hoe nerveus ze is. Ze haalt diep adem door haar neus, zuigt haar borstkas vol en leegt dan haar longen. Haar vingers liggen op de rand van de hoge balie, haar duimen trommelen tegelijk. Het ging goed toen ze hierheen reed, ze was gespannen en warrig maar ze voelde zich goed, ze werd meegevoerd op de golf van vreugde die over haar heen was gespoeld toen Alex, slapeloos en bezorgd, om zeven uur vanochtend bij haar voor de deur stond en haar liet weten: 'Ik kan je dit niet in je eentje laten opknappen.' Zijn omhelzing drukte haar bijna plat en ze huilde van blijdschap en schuldgevoel: ze had hem weliswaar aangespoord te doen wat volgens haar juist was, maar ze had ook zijn vakantie verpest en mogelijk zijn relatie met Kelly.

Nu de receptionist achter de informatiebalie op zijn toetsenbord tikt en op de monitor kijkt, herinnert Bernice zich haar smartelijke gevoelens toen ze in het ziekenhuis aankwam op de avond van Isabels overlijden en de angstaanjagende hoffelijkheid waarmee de receptionist, een man van in de veertig met grijzend haar en een hemelsblauw getinte bril, haar behandelde op het moment dat hij te weten kwam dat haar dochter was overreden door een pick-up. Alsof hij was gewaarschuwd door een rood opflitsende boodschap op zijn computerscherm: patiënt is ten dode opgeschreven. Voorzichtig zijn met familie.

De receptionist in het Parkland-Wilburn in Chicago krabbelt een paar pijlen op een plattegrond van het ziekenhuis en geeft die aan Bernice. 'Medische Cardiologie. Derde verdieping oost. Lift F.'

Alex staat een eindje verderop naast een hoge, geveerde plant. Hij staat er zo dichtbij dat een van de enorme, krullende bladen praktisch over zijn schouder is gedrapeerd. Het lijkt of hij zich verstopt.

'Oké. Die kant op', zegt Bernice en ze wijst door de foyer naar een zijgang.

'Ligt ze hier?' Alex klinkt verbaasd.

'Hoopte je van niet?'

'Ik weet niet wat ik hoopte.'

Er zijn vier rijstroken in de gang, maar de regels zijn anders dan die van de snelweg: trage sjokkers bezetten de middelste stroken, terwijl degenen met haast buitenom, dicht langs de muren draven. Lift F blijkt populair te zijn. Een stuk of tien mensen wachten tot de deuren opengaan. Bernice en Alex wachten de volgende lift af en gaan ermee omhoog naar de derde verdieping, waar het minder druk is. De bordjes dirigeren hen naar links. Ze lopen langs een atrium, waarvan de spiegelpanelen niet alleen hun reflectie weerkaatsen maar ook die van de voetgangers op de verdiepingen boven en onder hen. Tegenover het atrium is een groot raam waardoor ze een deel van de verhoogde snelweg kunnen zien die hen hierheen heeft gebracht en die Bernice deed terugdenken aan de afstand die ze hadden afgelegd. Vierenhalf uur in de auto. De eentonigheid van de I-80 die oostwaarts loopt door Iowa, langs maïs- en sojaboonvelden, en over de Mississippi het vlakke, saaie Illinois in. De gesprekken met Alex waren sporadisch en gespannen. Alex, die zijn koffie ergens in Oost-Iowa op had, tikte aanhoudend met zijn duim tegen de bodem van het bekertje. 'Wil je daar alsjeblieft mee ophouden?' vroeg Bernice. Alex gebruikte behendig dezelfde woorden tegen haar toen hij haar geklungel met de luchtroosters zat werd. Ze had niet eens in de gaten gehad dat ze het deed. Het moest minstens dertig graden zijn buiten; de zon brandde op Bernice' borst en schoot, ze had het verschrikkelijk warm en haar oksels waren vochtig. Het was uitgesloten dat de airconditioning goed werkte en ze was ontevreden over de kracht en richting van de luchtstroom. Ze besloten de raampjes open te doen. Het werd drukker. Ze draaiden naar het noorden de I-55 op en voegden zich bij de verkeersstroom de stad in, auto's raasden links en rechts vlak langs elkaars motorkap en kofferbak.

Bernice bedenkt hoe fijn het is om de auto uit te zijn. Ze blijft staan en bekijkt zichzelf in een GROOT SPIEGELEND BORD MET MEDISCHE CARDIOLOGIE erop. Ze draagt een witte, zijden blouse, met om haar hals de jade cabochon van Isabel. Bijpassende oorbellen. Makeup. Donkerbruine katoenen broek, leren schoenen met open hiel. Ze maakt zich zorgen dat ze voor de gelegenheid te formeel gekleed is, maar ze wilde er respectabel en welvarend uitzien, en op enkele geen manier beschadigd of meelijwekkend. Ze zou zich graag een beetje opfrissen in een toilet.

'Je ziet er fantastisch uit', zegt Alex tegen haar. 'Echt waar. Bovendien ben ik er om gunstig bij af te steken.' Hij gebaart naar zijn eigen kleren: grijs T-shirt, legergroene korte broek met veel zakken, Birkenstock-sandalen die de Peloponnesische Oorlog nog meegemaakt lijken te hebben.

Bernice schikt haar haar, dat juist vandaag heeft gekozen om zich te misdragen, en vergewist zich ervan dat er niets tussen haar tanden is blijven zitten. 'Je krijgt het ijskoud daarbinnen. Dat realiseer je je toch wel, hè?'

Ze verlaten de hoofdgang en gaan linksaf de afdeling Medische Cardiologie op. In verborgen hoekjes klinkt het gekwebbel van televisies. Door halfopen deuren vangt Bernice een glimp op van lichamen gemummificeerd in lakens, en krijtwitte hoofden half weggezonken in kussens als koppen die van Griekse beelden zijn gevallen. Bernice heeft het gevoel dat met elke stap die ze zet de zwaartekracht toeneemt. Ze wil zich tegen de muur aan laten zakken. Ze gooit haar arm hoog om Alex' schouder en gebruikt hem als steun. Zijn arm vindt zijn weg om haar middel. Hij maakt gretig en dankbaar op dezelfde manier gebruik van haar.

De verpleegkundigenpost is een borsthoge, halfronde barricade, bemand door verpleegkundigen, artsen en ander personeel. Bernice en Alex laten elkaar los als ze ernaartoe lopen. Na een ogenblik realiseert Bernice zich dat ze alleen loopt. Ze kijkt om en ziet dat Alex is blijven staan.

Ze gaat naar hem terug. 'Alles goed?'

'Weet je zeker dat je dit wilt?' Hij is bleek. Zijn huid, net boven zijn ogen, glanst van het zweet. Bernice kan het niet helpen, maar ze is opgelucht dat het ook voor hem niet gemakkelijk is. Ze legt haar hand hoog op zijn rug. 'Haal een paar keer diep adem. Het komt wel goed.'

Ze doen voor de tweede keer een aanval op de verpleegkundigenpost, maar onderweg wordt Bernice' aandacht getrokken door een vijf- of zesjarig meisje in een rood poloshirt, een spijkerbroek met dierenplaatjes op het denim genaaid en een honkbalpet op haar hoofd. Ze staat met haar rug zo recht alsof ze hier is voor troepeninspectie, haar armen houdt ze strak langs haar zij, de kin enigszins omhoog en ze draait voetje voor voetje met de klok mee. Boven op de honkbalpet van het meisje zit een bolkompas, vergelijkbaar met het kompas dat Bernice' vader op het dashboard van zijn Buick had bevestigd, en terwijl ze ronddraait beweegt de verticale naald van zo naar zzo.

Bernice meent het meisje te herkennen van een foto die Janet heeft opgestuurd. 'Carly? Ben jij Carly Corcoran?'

Het meisje gluurt nieuwsgierig onder de klep van haar pet uit.

Bernice legt uit wie ze zijn. 'We komen op bezoek bij je moeder.'

De blik van het meisje verstrakt. Ze keert zich om en loopt vastberaden weg, maar of het haar doel is haar ondervragers voor te gaan of om ze af te schudden, weet Bernice niet zeker. Bernice en Alex volgen haar. Een gang leidt naar een achthoekige ruimte waar drie patiëntenkamers op uitkomen. Het meisje met de kompaspet verdwijnt in een van de kamers en even later komt er een flinke, stevig gebouwde vrouw naar buiten, ze heeft kortgeknipt zilverkleurig haar. De vrouw draagt een slobberbroek die om haar middel is samengesnoerd met een gevlochten leren riem, en een blauw denim overhemd dat verscheidene maten te groot lijkt. Ze heeft een mollig, vriendelijk gezicht. IJsblauwe ogen achter een klein ovalen brilletje.

'Bernice?'

'Lotta?'

'Welkom!' Lotta spreidt haar armen en alle tien haar vingers. Bernice stapt naar haar toe voor een omhelzing. Alex gaat opzij als de twee vrouwen eerst elkaars hand grijpen en nerveus en zelfrelativerend giechelen. Ze omhelzen elkaar stevig maar snel. Iemand die niet beter wist zou denken dat ze oude vriendinnen zijn die elkaar in jaren niet hebben gezien. Bernice stelt Alex voor. Lotta steekt haar hand uit. Alex schudt hem. Lotta zegt: 'We zijn zo blij dat je er bent. We waren zo opgewonden toen we hoorden dat jullie kwamen. Heb je...jullie hebben het goed kunnen vinden?'

'O, heel goed', verzekert Bernice haar.

Lotta kijkt hen verwachtingsvol aan, glimlachend, haar ogen opengesperd; een van hen heeft toch zeker wel meer te zeggen. Bernice weet niet hoe ze de stilte moet verbreken. Alex staart voor zich uit. Ze hebben hun laatste druppel energie verbruikt om hier te komen en zich voor te stellen, en nu zijn ze te uitgeput om na te denken. Bernice is opgelucht – blij met een regieaanwijzing – wanneer Lotta zegt: 'Nou, willen jullie binnenkomen en kennismaken met het hele stel?'

De naam 'Janet Corcoran' is met rode inkt op een whiteboard op de deur geschreven. De kamer is veelhoekig, verlicht door tl-buizen, met lichtblauwe muren. Het bed, waarvan de dikke, taartachtige matras geglaceerd is met lakens, heeft als achtergrond een controlepaneel in de muur, uitgerust met luchtdrukmeters en cilinders met maatverdeling, knoppen, schakelaars en wijzers. Janet ligt in bed met een wit laken tot haar middel losjes over haar benen gedrapeerd. Eén knie is opgetrokken als een top van de Andes. De eerste gedachte die bij Bernice opkomt, en die haar ontmoedigt, is dat de vrouw Isabel niet is, haar dochter niet is. Ze zou nooit toegegeven hebben dat ze Isabel hier verwachtte te vinden – in levenden lijve liggend in een ziekenhuisbed – maar haar teleurstelling duidt erop dat ze dat tot op zekere hoogte wel heeft gedaan.

'De delegatie uit Iowa is gearriveerd', kondigt Lotta aan tegen haar familie, terwijl ze Bernice en Alex de kamer in loodst.

Janet gaat haastig rechtop zitten, ze gebruikt haar voet om zich tegen de matras af te zetten en haar twee handen aan weerskanten van haar heupen om zich tegen het hoofdeinde van het bed omhoog te duwen. Een grote, obeliskachtige man die te oud lijkt om Janets man te zijn – haar vader? – trekt een kussen achter haar weg en verplaatst het naar haar schoot. De man vraagt Alex en Bernice of ze alsjeblieft hun handen willen wassen in de wasbak bij de deur want, zo verklaart hij, Janet is uiterst vatbaar voor infecties. Bernice en Alex worstelen met een slecht functionerende zeephouder en spetteren water over henzelf. Ze draaien zich om en zien Janet die het kussen tegen haar buik klemt en hen opneemt met een blos op haar wangen en grote, bruine ogen. 'Wauw, wáúw. Ik ben zo blij dat jullie gekomen zijn.' Haar stem klinkt nerveus maar helder en verrassend krachtig. 'Ik kan niet geloven dat jullie hier echt zijn. Fantastisch.'

Alex weet niet wat hij aan moet met Janets uitbundigheid, want zelf is hij niet in staat die te evenaren en in plaats daarvan krijgt hij een tegengestelde neiging haar geestdrift te temperen, om iedereen van het begin af aan te laten weten, met een nietszeggend schouderophalen en een grimas, dat hij gekwetst en verward is, en wat zij fantastisch vindt, zou hij vreemd noemen.

Bernice schijnt die geremdheid niet te voelen. Ze is al naar het bed toe gelopen en houdt Janets hand tussen de hare alsof het een object is waarnaar ze de hele aarde heeft afgezocht. 'Het is nauwelijks te geloven dat ik je eindelijk ontmoet', zegt ze. 'Gaat het goed met je? Zijn we op een slecht tijdstip gekomen?'

'Helemaal niet. We houden het hoofd hoog.'

'In de grootse traditie van de familie', voegt Lotta eraan toe.

Janet rolt met haar ogen over het chauvinisme van haar moeder. 'De afstoting is onder controle. Dat is het voornaamste. Morgen mag ik naar huis.'

Lotta zegt: 'De cardiologische hogepriesters hebben de mysterieuze oorzaak ervan achterhaald.'

'Dat is prachtig', zegt Bernice.

Lotta pakt de rand van haar dochters bed met beide handen vast en bukt zich, waarbij ze haar ellebogen licht buigt. 'Eergisteren heeft er een man gebeld van de orgaanwervingsorganisatie in Iowa om naar haar toestand te informeren. Het was vervelend hem te moeten vertellen dat Janet in het ziekenhuis ligt. Hij leek geschokt, wat me verbaasde. Ze zullen toch wel weten dat mensen af en toe een orgaan afstoten. Of misschien was zijn interesse persoonlijk. Ik denk eraan om hem terug te bellen en te laten weten dat het goed gaat met haar.'

Alex kan niet anders dan denken dat Bernice en hij misleid zijn over de ernst van Janets toestand. Hij had verwacht haar zwak en ziek aan te treffen, nauwelijks in staat te bewegen of te praten, in gevecht met de dood. Op het punt om naar de intensive care verhuisd te worden. Zijn Bernice en hij hier onder het mom van een noodsituatie naartoe gelokt?

'Jij moet Alex zijn.'

Janet heeft het tegen hem. Hij weet niet wat hij met haar gezicht moet. Het vlammend rode haar, de overvloed aan sproeten, de uitstekende jukbeenderen, de krachtige kaaklijn. Haar gezicht zegt hem niets, het dringt niet door, laat geen indruk achter. Het is het gezicht van een vreemde. Het is een gezicht dat verzonnen kon zijn.

'Dat moet wel', zegt hij.

Janet richt haar stem rechtstreeks tot zijn koelheid. 'Je hebt geen idee hoeveel dit voor mij betekent. Dat jullie hier zijn. Alle twee. Dit is te gek.'

'Het rijden ging vlot', zegt Bernice, alsof het de afstand was die hen de hele tijd had weggehouden. 'We hadden geen beter weer kunnen treffen. Het is een prachtige dag. Waanzinnig warm.'

Alle blikken gaan naar het raam, waar het enige weer een bundel zonlicht is die een betonnen muur in tweeën deelt. Naast het raam staat een tafel vol wenskaarten, netjes opgesteld als een vlucht vogels. 'Ik ben Bud', zegt de grote man die Janets kussens schikte en hij steekt Alex een dikke, harige arm met een gouden horloge toe. 'Janets vader. Welkom in Chi-town.'

Buds stevige, enigszins langgerekte handdruk lijkt Alex ervan te verzekeren dat hij welkom is, maar dat zijn gangen wat Janet betreft zorgvuldig in de gaten zullen worden gehouden. Mijn vrouw heeft anders jouw dochter gered, hoor, zou Alex hem willen toevoegen.

'Ga zitten, relax, doe wat je wilt doen', flapt Janet eruit, die kennelijk niet weet hoe het nu verder moet. 'Maak het je gemakkelijk. Pap, kun je een paar stoelen halen? We ontvangen jullie slecht.'

Bernice accepteert een kruk van Bud en laat zich opgewekt uitleggen hoe die hoger en lager gezet kan worden, dan trekt ze hem naar het bed naast Janets hoofd en zet haar tas op de grond. Alex wijst het aanbod van een kruk af, het zou hem dichter bij Janet brengen dan waar hij toe bereid is.

'Wat een enorm ziekenhuis', zegt Bernice. 'Ik wed dat veel mensen hier verdwalen.'

'Dat deed ik eerst ook', zegt Janet. 'Maar nu niet meer zo.'

'Ze kent het hele labyrint vanbuiten', zegt Lotta.

'Ik zou denken dat je nu wel een deskundige moet zijn.'

'Te deskundig. Ik kom hier vaak. Afspraken met de specialist zijn niet zo erg, maar als ik 's nachts moet blijven krijg ik de rillingen. Dan maak ik me zorgen dat ik hier weer vier maanden moet liggen. Ik denk niet dat ik dat aan zou kunnen. Ik zou er gek van worden.'

'Heb je hier zo lang gelegen? Dat was ik vergeten.'

'Van december tot april.'

'Waarschijnlijk niet de slechtste plek om de winter in Chicago door te brengen.'

'Dat is waar. Massa's daklozen zouden een moord hebben begaan voor mijn kamer. Maar je mist het buiten zijn. Een verpleegkundige bracht een keer een sneeuwbal voor me mee, omdat ik de dag ervoor had gezegd dat ik er wel een zou willen maken.'

'Naar wie heb je hem gegooid?'

'Er zijn een paar artsen naar wie ik hem had kunnen gooien, dat kan ik je wel zeggen.'

Bernice lacht harder dan het grapje verdient. Alex kan niet besluiten of hij opgelucht of verontrust is over hoe makkelijk ze met Janet babbelt. Het natuurlijke gemak waarmee Bernice kletst en haar behoefte aan menselijk contact had geen gedienstiger tegenhangers in Janet en Lotta kunnen treffen.

'Je had hem naar Sherman kunnen gooien', zegt Lotta tegen Janet. 'Die verdiende een klap voor zijn kop. Wat een mopperpot.'

Janet rolt met haar ogen. 'Het was me d'r eentje, dat is zeker. Maar hij heeft zijn hart gekregen. Uiteindelijk.'

'Een vriend van je?' vraagt Bernice.

'Meer een concurrent. Maar ja, wel een soort vriend. Een wapenbroeder. We hebben hier samen gewacht.'

Hij heeft zijn hart gekregen. Dat heeft iets wat Alex niet bevalt. Alsof harten gewoon voorhanden waren en niet geoogst hoefden te worden uit menselijke lichamen. *Hij heeft promotie gekregen. Hij heeft loonsverhoging gekregen.*

'Sam, kun je hallo zeggen tegen Bernice en Alex?' Janet heeft het tegen een acht- of negenjarig jongetje dat in een rode schommelstoel zit met een computerspelletje dat hij voor zijn gezicht houdt, terwijl hij met zijn duimen verwoed op de knopjes drukt. 'Sam? Weet je nog waar we het over gehad hebben?'

Sam geeft geen enkel teken dat hij het nog weet of niet, maar hij begroet gehoorzaam het bezoek.

Janet en Lotta overleggen met een blik of de jongen ertoe moet worden aangezet zijn vriendelijkheid wat op te krikken. Het besluit is het zo maar te laten. Alex krijgt de indruk dat de jongen een legitieme reden zou kunnen hebben voor zijn ontoeschietelijkheid. Iets wat met de afwezige vader te maken heeft?

'Jullie hebben Carly al ontmoet', zegt Lotta. 'Onze vooruitgestuurde verkenner.'

'Kompashoofd', zegt Bernice. 'Ik zou ook zo'n pet moeten hebben. Dan zou ik misschien niet zo vaak verdwalen.'

'Hoe kun je nou verdwalen in Iowa?' vraagt Bud. 'Er is toch maar één weg, die door de maïsvelden loopt?' Hij knipoogt.

'Niet ver bezijden de waarheid', zegt Bernice.

Vervolgens wordt het stil. Alex weet dat het gesprek weer op gang zou komen als hij zich erin mengde, maar hij wil niet praten. Janet staart naar haar voeten aan het uiteinde van het bed. Haar gezicht staat gespannen en resoluut, maar niet helemaal overtuigd, als van een turnster die op het punt staat aan een moeilijke oefening te beginnen. Het komt bij Alex op dat zij waarschijnlijk even benauwd was voor de ontmoeting met hen als omgekeerd.

'Ik hoop niet dat je je zorgen maakt over mij', zegt Janet, die zijn aandacht opmerkt. 'Het gaat goed met mij. Echt. Ik zou er zoveel slechter aan toe kunnen zijn. Ik bén er zoveel slechter aan toe geweest.'

'Ik maak me geen zorgen over jou', zegt Alex en hij ziet het beeld van Isabels lichaam – naakt, met kaalgeschoren hoofd, gekneusd gezicht, gezwollen lippen, kleverige ogen, een zuurstofslang tussen haar tanden geklemd – uitgestrekt op het ziekenhuisbed over dat van Janet heen. 'Je ziet er heel goed uit. Die stijlvolle pakjes zijn mooi, vind ik.' Hij knikt naar de twee platte zakjes die aan Janets infuus hangen. 'In elk geval hebben ze je niet van die klotetroep in alle denkbare lichaamsopeningen gestopt.'

'Jonge oren', zegt Lotta.

'Janet gaat niet dood', maant Bernice Alex, omdat ze de impliciete vergelijking heeft opgepikt. 'Janet gaat morgen naar huis.'

'Ik zie ook wel dat ze niet doodgaat', zegt Alex.

'Ze is er dichterbij geweest dan ons lief was', zegt Lotta.

Denkt Alex het maar of is Lotta bekrompen? Die opmerking over jonge oren zit hem dwars. Hij zou Lotta willen vertellen dat als je wat er onaangenaam of grof is aan het woord 'klotetroep' vergelijkt met wat er onaangenaam of grof is aan bepaalde gruwelijke gebeurtenissen – laten we zeggen, zijn vrouw die overreden wordt door een pick-up – dan moet je toch toegeven dat die jonge oren er maar genadig van afkomen als ze niets horen over de nachtmerrie waardoor hun moeder is gered.

Tijdens de rit hierheen, vlak voordat ze de Mississippi overstaken Illinois in, reden ze over de overblijfselen van een hert dat in het verkeer was omgekomen. De waaier van braakselroze bloed lag ineens voor hen en werd onder de auto mee over het beton gevoerd. Te midden van de smurrie meende Alex een paar weerbarstige brokken te zien die aan de plettende banden ontsnapt waren. Misschien zou Lotta daar iets over willen horen?

Bernice doet haar best om weer een genoeglijk, afleidend gesprek op te starten met Janet. Is dat infuus in haar arm het enige wat ze heeft? Wat zit erin? Vindt ze haar artsen en verpleegkundigen aardig? Zijn het dezelfde artsen en verpleegkundigen als die voor haar zorgden toen ze op een hart wachtte? Verveeld en stekelig staart Alex in een poging Lotta's blik te ontwijken omhoog naar de monitor boven Janets hoofd, waar haar vitale gegevens in gouden, rode en blauwe cijfers worden weergegeven. De rangschikking van die getallen kent Alex van Isabel en het stelt hem op een eigenaardige manier gerust dat hij in staat is ze te lezen. Janets bloeddruk is 122 over 85. Haar zuurstofverzadiging is 98 procent. Haar hartslag ligt rond de negentig. Maar het is Janets elektrocardiogram dat zijn blik trekt en vasthoudt – een robuuste, springerige groene golfvorm die eruitziet alsof hij van het scherm af dwars door Chicago kon stuiteren als hij dat wilde.

Alex voelt zich licht in het hoofd en een tikje duizelig. Hij moet het nog onder ogen zien. Dat is *Isabels* cardiogram. Dat is Isabels hartslag. Isabels hart is in deze kamer. Wat moet hij met zo'n absurde notie? Moet hij geloven dat de snoeren die onder Janets hemd verborgen zitten, die aan haar borst zijn bevestigd, de signalen van Isabels hart opvangen? Het hart van een vrouw die honderden kilometers hiervandaan leefde en stierf? Het hart waarmee hij leefde en sliep, dat hij voelde bonzen na de seks en wanneer hij met zijn hand tussen Isabels borsten lag?

Bernice heeft Alex' belangstelling voor de monitor opgemerkt en ze bewondert nu ook de golfvorm. Bernice moet meer vertrouwen of verbeelding of beide hebben, want ze vraagt aan Janet: 'En hoe werkt het?'

'Fantastisch. Gewoon fantastisch.' Janet worstelt zich omhoog op haar elleboog en kijkt met genegenheid naar de golfvorm. 'Ik had niet beter kunnen wensen. Mijn oude hart was zo waardeloos. Je hebt geen idee. Het heeft me tweeëndertig jaar trouw gediend en toen hield het ermee op. Mijn lichaam kreeg geen zuurstof. Het voelde alsof er 's ochtends een kalmerend middel voor olifanten in mijn cornflakes werd gedaan. Dit hart pompt als een gek. Net of ik een Maserati in mijn borstkas heb.'

Doordat ze zich steunend op haar elleboog opzij draaide is de hals van Janets hemd opengevallen en werd er iets zichtbaar wat lijkt op de kop van een lange, roze worm die langs haar borst omhoog kruipt. Alex zou zijn blik weer op Janets gezicht moeten richten, maar hij kan zijn ogen er niet van afhouden. Het is moeilijk te geloven dat een snee in een mens zo groot kan zijn, dat iemand bestand zou zijn tegen dergelijk gehak. De centrale plaats van het litteken, pal in het midden van Janets borst, zo gevaarlijk dicht bij het hart en de longen, maakt het zo dreigend dat het bijna ontoelaatbaar is, zoiets als een actieve breuklijn die door het dichtst bevolkte deel van de stad loopt.

Janet ziet dat Alex staart. Met een snelheid die hem overrompelt maakt ze twee knopen van haar hemd los en trekt het ver genoeg open om het litteken in zijn volle lengte te tonen. Het is roze en wasachtig van structuur. Het is ongeveer dertig centimeter lang en loopt recht over haar borstbeen omlaag tot vlak onder haar borsten.

Alex' gezicht voelt aan als de papieren kap van een brandende lamp.

Bernice' wangen hebben hun kleur verloren en een nauwelijks waarneembare trilling in haar ogen doet Alex denken aan de groene lichtjes voor op computers die flikkeren wanneer de harddrive gestrest is.

Hij helt voorover en grijpt de bedrand vast.

'Het spijt me', zegt Janet. 'Ik dacht gewoon dat je het wel wilde zien.'

Haar verontschuldiging, hoewel oprecht, bevat een louterende kordaatheid, alsof ze het niet erg vond hun het bewijs van haar eigen lijden te leveren. Alex is onder de indruk. 'Dus daar is het naartoe gegaan, hè?' Hij knikt naar Janets dichtgemaakte knopen. 'Ze hebben het gewoon daar in gepropt?'

Janet glimlacht, erkentelijk voor zijn belangstelling. 'Het was iets ingewikkelder. De operatie duurde zes uur. Ze moesten me aan een bypass leggen, vervolgens mijn oude hart eruit snijden, het nieuwe erin doen en dat op gang brengen. Wat even duurde. Blijkbaar wilde het niet meteen gaan pompen.'

'Het wilde niet?' Bernice trekt het gezicht van een moeder die van een docent of andere ouder te horen krijgt dat haar kind zich heeft misdragen.

'Ze moeten het weer op gang brengen', legt Janet uit. 'Nadat het in de koelbox heeft gelegen. Voor het vervoer. Met een elektroshock. Dat vergt soms wat geduld. Maar toen kwam het op gang en was ik gered.'

Alex kijkt hoe Janets elektrocardiogram stijgt en daalt, stijgt en daalt. Waarom voelt hij niets? Een band? Een aanwezigheid? Uit de springende groene lijn blijkt niets. De springende groene lijn weigert iets te stellen of te beduiden of een teken te geven, en innerlijk voelt Alex de spanning van het verschil tussen de gewoonheid en het mysterie.

'Ze probeerde steeds de et-slang eruit te rukken', zegt Lotta. 'Toen ze wakker was geworden. Et staat voor endotracheaal. Het is een slang die in je keel zit om je te helpen met ademhalen. Ze was net een wild dier. Ze moesten haar polsen met klittenband aan de rand van het bed vastmaken.'

Janet maakt het aanschouwelijk: ze grijpt met de ondeugendheid van een orang-oetang naar een imaginaire slang die uit haar mond steekt, rolt met haar ogen en trekt de slang met een ruk los. Bernice lacht, Lotta en Janet lachen mee. Het is uitbundig, klotsend gelach en maakt dat de drie vrouwen bondgenoten lijken. Alex staat in tweestrijd, het is aanstekelijk maar hij is ook verontwaardigd. Hij vindt het geen prettig gezicht zoals Bernice op het puntje van haar kruk zit, met haar handen over Janets bedrand gedrapeerd als een gefascineerde noviet; hij vindt het niet prettig dat Janet en Lotta haar op hun beurt belonen met een goedkeurend lachje. Hij is bang dat Bernice en hij opgelicht, beetgenomen worden.

'We weten wat een et-slang is', verklaart hij aan Lotta. 'Isabel had er ook een. Ze lag aan de beademing. Ik weet niet of je ooit een hersendood iemand hebt gezien, maar die kunnen niet zelfstandig ademhalen.'

'Ik heb hersendode mensen gezien', zegt Lotta. 'Toen ik studeerde heb ik erbij gewerkt als verpleeghulp.'

'Dat willen we niet horen, mam', zegt Janet.

Alex wil het wel horen. 'Het is anders wanneer het een lid van je eigen familie is. Je vrouw bijvoorbeeld, of je dochter.'

Lotta kijkt hem confronterend aan. 'Ik heb gezien dat mijn dochter er heel dichtbij kwam.'

'En kijk eens aan.' Alex maakt een gebaar met zijn arm of hij een standbeeld onthult. 'Weer gemaakt.'

'Alex, alsjeblieft', zegt Bernice.

Bud legt een liefdevol beteugelende hand op de schouder van zijn vrouw en werpt Alex een waarschuwende maar ook respectvolle blik toe, alsof hij de link begrijpt tussen het verlies van Alex en het lichaam van de vrouw dat hij, Bud, aanraakt. Bud knikt naar het raam. 'Denk je dat het al dertig graden is? Volgens de weerman zouden we het vandaag halen.'

Allemaal lijken ze liever naar het zonovergoten raam te kijken dan het gesprek voort te zetten. Alex zou het niet erg vinden als hij veranderde in een lichtdeeltje dat naar een uithoek van het heelal toe zweefde. Wat betreft zijn uitwisseling met Lotta voelt hij een mengeling van voldoening en schaamte.

'Dus je moeder, Janet…Lotta legde me uit…' Bernice onderneemt een reddingspoging, maar ze lijkt de vraag niet te kunnen formuleren. 'Lotta, je vertelde me dat het hart afstoot…dat Janets lichaam het hart afstoot?'

'Dat klopt', zegt Janet kortaf. 'Op de eerste plaats stoot ík het niet af. Het is geen bewust besluit. Ík wil het hart. Ík hou van het hart. Het probleem zijn mijn antistoffen. Die herkennen de vreemde antigenen en vallen ze aan, omdat ze denken dat de vreemde entiteit

296

gevaarlijk is, zoals een virus of bacteriën of een schimmel. Het immuunsysteem is niet slim genoeg om te weten dat de vreemde entiteit in mijn lichaam is gestopt om me in leven te houden.'

Alex vraagt zich af hoe ze van het hart kan houden. Wat weet ze van het hart? Maar naast zijn ongelovigheid is er ook dankbaarheid voor die liefde, waar die ook vandaan mag komen. Het zou erger zijn als het haar geen zak kon schelen.

'Zoals waakhonden op een erf', zegt Bud. 'Die bestormen de omheining en blaffen zich de keel schor, ook al is het de bezorgdienst is die je kerstcadeautjes komt brengen.'

'Goed. Bedankt, pap', zegt Janet.

Ze laat haar hoofd in de kussens zakken, glimlacht verontschuldigend tegen Bernice en Alex en sluit haar ogen. Blijkbaar zullen ze dicht blijven. Lotta werpt Alex en Bernice een blik toe met een vraag om toegeeflijkheid en zegt dan zacht: 'Ze heeft een zware week achter de rug.' Alle ogen gaan naar de kinderen. Carly kijkt omhoog naar een honkbalwedstrijd die te zien is op een geluidloze tv die in de hoek hangt. Ze bootst de vrije stand van de werper na, smijt dan een onzichtbare bal tegen de muur en verliest bijna haar evenwicht in de uitzwaai. Sam laat een groene plastic dinosaurus over de muur lopen. Alex vraagt zich af waar hun vader is. Voorgoed verdwenen? Nog steeds betrokken? Zal hij later verschijnen?

Alex is geneigd van Lotta aan te nemen dat Janet recht heeft op haar uitputting, gezien hoe snel en naadloos ze in slaap of iets vergelijkbaars is gevallen. Een ader tikt onder het gesloten ooglid. Haar onderlip wordt een beetje slap. Haar hartslag zakt langzaam van net in de negentig naar hoog in de tachtig, een reeks stijgingen, aarzelingen en dalingen: 91 naar 90, 90 naar 91, 91 naar 89, 89 naar 90. Janets kinderen spelen tevreden, Bud rommelt met de kapotte zeephouder, Lotta gaat achter Bernice staan, die zich honderdtachtig graden omdraait, zodat ze kunnen praten zonder Janet te storen. Aan zijn lot overgelaten kijkt Alex naar Janets elektrocardiogram, dat ineenkrimpt. Tussen de onmiskenbaar hoge pieken ziet hij kleinere, steeds opnieuw verschijnende knobbels en punten. Er is een voorbereidende bliksemsnelle bobbel en inzinking vlak voor elke piek, een spleet waar elke piek meteen in neerdaalt, een dubbele hoogte in de volgende cyclus. Hij moet denken aan de projectielpunten die hij vroeger bestudeerde en af en toe opgroef tijdens de jaren dat hij veldwerk deed. Door goed te letten op de omvang, de vorm, de schacht, de inkepingen, de schilfering en groeven kon hij het verschil zien tussen het ene type en het andere; hij kon bijvoorbeeld een Agaat Basin en een Sedalia van elkaar onderscheiden. Hij vraagt zich af of de elektrocardiogrammen van mensen onderling even verschillend zijn of dat de golfvorm van het ene gezonde hart min of meer overeenkomt met het andere. Was dokter Pagano maar hier, de arts in Iowa die aan Isabels bed had gestaan, of de magere, beschaafde Helen Pagano, die geduldig naar zijn vragen had geluisterd en had geprobeerd hem uit te leggen wat hij niet begreep. Ze komt dicht naast Alex staan, een geest die hij alleen kan zien. Met de vertrouwelijkheid van een oude vriend vraagt hij: Is dat Isabels ECG? Kun je dat zien? Weet je het nog?

'Narf wil een hamburger.' Sam is voor Alex opgedoken, hij houdt de groene, plastic dinosaurus voor hem omhoog en laat de kaken open- en dichtgaan door op een knop op zijn buik te drukken.

'Narf?' vraagt Alex.

Sam knikt trots.

'Narf is een brontosaurus', vertelt Alex hem. 'Hij is een planteneter. Een herbivoor. Hij wil wel wat sla en tomaten eten. Het gehakt zal hij niet lusten.'

Sam zegt: 'Bij een hamburger krijg je sla en tomaten. Als je erom vraagt.'

Carly stormt op Alex af. 'Sam heeft hem Narf genoemd, maar ik noem hem Sam omdat hij op Sams gezicht lijkt.'

'Hij wil jouw hersens opeten', zegt Sam en hij duwt de dinosaurus naar Carly's oor.

'Sam. Kalm aan.' Het tumult heeft Janet gewekt, haar gezicht is pafferig en geplooid. 'Pap, misschien dat die twee wat stoom kunnen afblazen in de speeltuin.'

Een lachwekkend moment denkt Alex dat Bernice en hij worden uitgenodigd om met Bud naar de speeltuin te gaan – wat niet eens zo slecht klinkt. Bud, die zijn best heeft gedaan om de kapotte zeephouder te repareren, lijkt die onderneming maar al te graag in te wisselen voor een tijdje alleen met zijn kleinkinderen. 'Heeft er iemand zin in de glijbaan?' vraagt hij aan Carly en Sam. Ze barsten in gejuich los. Sam tolt rond op één voet. Carly voert een kronkelend dansje uit. Na wat voorbereidingen en instructies van Janet drijft Bud de kinderen de deur uit. Hun jubelkreten echoën tegen de muren. Janet roept haar kinderen na: 'Braaf zijn!'

Bernice wordt overspoeld door afgunst en weemoed als ze hen nakijkt. Had Alex gelijk, al die keren dat hij tot haar ergernis en wanhoop volhield dat Bernice en hij de verliezers waren en Janet en haar familie de winnaars? Hoewel Janet beslist haar problemen heeft, en mogelijk Lotta ook, lijdt het geen twijfel dat zij uit de hele beproeving precies het soort leven hebben gewonnen of herwonnen waarvan Bernice en Alex zijn beroofd. Een leven vol kinderen, familie, gelach, plezier.

'We hebben het alleen maar over mij, mij, mij gehad', zegt Janet. 'Vertel me nou eens hoe het met jullie twee is.'

Bernice gaat erop in. 'Met mij is het goed. We rommelen maar wat door. Niets groots te melden. Het werk gaat goed. We bereiden ons voor op *L'Orfeo*, de zomeropera. En in de herfst komt *La Bohème* eraan.'

'Mama vertelde me dat je in een kostuumatelier werkt, maar ik had me niet gerealiseerd dat je kostuums voor opera's deed. Hebben ze opera's in Iowa?' Janet lacht lichtjes spottend.

'Jazeker wel', zegt Bernice. 'We voeren er drie per jaar op. We zijn het Metropolitan niet, maar we doen ons best.'

'Hou jij van opera, Alex?'

'Niet echt. Mensen die kreunen in talen die ik niet versta? Nee, dank je wel.'

'Van wat voor soort muziek hou je dan?' vraagt Janet.

'Dat weet ik niet. Waar ik maar voor in de stemming ben. Tegenwoordig luister ik niet zoveel naar muziek. Soms in de auto, als ik naar mijn werk rij.'

'Wat doe je voor werk?'

Hij zou willen dat Janet ophield en haar aandacht weer op Bernice zou richten. 'Ik corrigeer schrijftesten.' Hij heeft Bernice nog niet verteld dat hij ontslag heeft genomen.

Bernice zegt: 'Alex' achtergrond is archeologie.'

'Echt? Welke periode?' vraagt Lotta.

Laat Amerikaans Mississipien, vertelt Alex haar.

'Wanneer, of misschien moet ik vragen waar was dat?' vraagt Janet.

Dit gaat te ver, het gaat te snel, het loopt te gemakkelijk over in een vertrouwdheid die hem zou kunnen verleiden het onrecht te vergeten, waardoor zij tot de slotsom zouden kunnen komen dat hij ingepalmd is. 'Luister, ik heb geen zin om een resumé te geven van mijn gestokte carrière, oké?'

Janet voelt zich aangevallen, ze buigt haar hoofd en drukt de muizen van haar duimen tegen elkaar. Lotta draait zich bruusk van hem weg, haar lichaamstaal laat weten dat Alex een zuurpruim is. Bernice kijkt hem verbijsterd en verwijtend aan, alsof ze vraagt: Je ging er toch mee akkoord dat we hiernaartoe gingen? Je ging er toch mee akkoord mijn bondgenoot te zijn? Ja, zou hij willen antwoorden. Maar het kan zijn dat hij naïef en dwaas is geweest. Hij heeft niet voorzien dat een ontmoeting met Janet zoveel complexe tegenstrijdigheden zou oproepen. Of misschien heeft hij het wel voorzien, maar is toch meegegaan. Helaas is hij bij lange na niet klaar om Janets bestaan te erkennen, haar vrij te pleiten, haar te prijzen. En trouwens, lijken ze niet een beetje al te ingenomen met zichzelf, die Corcorans?

Janet houdt haar hoofd vast, met over elk oor een hand, alsof het een breekbare glazen kom is. 'Ik ga niet doen alsof ik weet hoe het voor jullie moet zijn', zegt ze. 'Het moet een nachtmerrie zijn. Dat spijt met heel erg. En ik zit hier maar onnozele vragen aan je te stellen. Ik heb jullie nog niet eens bedánkt. Hoe lang ben je hier al in de kamer? Een half uur? Jullie moeten me wel een ondankbaar kreng vinden.'

'Nee, nee', zegt Bernice hoofdschuddend.

Alex vindt Janet niet ondankbaar. Hij vindt dat ze uit is op sympathie, wat misschien wel erger is.

'Dank je', zegt Janet gewichtig, krachtig, met de bedoeling er iets plechtigs van te maken. 'Ik wil jullie allebei officieel bedanken, nu, persoonlijk, hoewel beslist niet voor de laatste keer en beslist niet omdat het iets ongedaan zou maken, en ik zou jullie ook nooit genoeg kunnen bedanken. Maar ik moet het doen. Dank je. Voor alles wat jullie hebben gedaan.'

Bernice mompelt bevestigend en steekt vervolgens een dapper, hoffelijk speechje af over hoe blij ze is dat er iets goeds uit voortgekomen is, Isabel wilde het zo, ze had het zo geregeld.

Janet richt haar blik op Alex. In haar ogen ziet hij Isabels grote, inktzwarte, uitgedoofde pupillen. Hij hoort het gierende hondenfluitgeluid van een elektrische zaag, ziet bloed over haar tepels druppelen, naar haar maag lopen en in haar navel blijven staan als de oogsters haar omsingelen.

'Je hoeft míj niet te bedanken', zegt hij gegeneerd. 'Ik heb niets gedaan. Wat moet ik nou zeggen? "Graag gedaan"? Het is niet graag gedaan.'

Janet kijkt hem kwaad, gekwetst en verontwaardigd aan.

'Alex, alsjeblieft', zegt Bernice. 'Ze vraagt niet van je dat je "graag gedaan" zegt.'

'Wat vraagt ze dan van me?' zegt hij tegen Bernice, en tegen Janet: 'Wat wil je dat ik zeg? Je kunt niet van me verwachten dat ik blij ben met zoals dit is gelopen. Als het aan mij had gelegen, zou jij dood zijn en zou Isabel nog leven. Het spijt me om het te zeggen, het is niet persoonlijk bedoeld, maar het is wel waar. Of misschien is het wel persoonlijk bedoeld. Misschien kan ik niet om jou heen.'

Tot zijn verrassing ziet Alex dat Janets ogen beginnen te glinsteren en dat haar kin en onderlip trillen. Lotta's boze blik beschuldigt Alex ervan dat hij onnodig hardvochtig is. Bernice kijkt omhoog naar Janets monitor, haar gezicht strak van bezorgdheid. Tegen Alex zegt ze: 'Zo werkt het sommetje niet. Je kunt niet terug en Janet inruilen voor Isabel. Isabel zou toch gestorven zijn, ongeacht wie er verder nog wel of niet zou overlijden.'

'Zou je het er nog wat meer in kunnen wrijven?' Alex' gezicht is warm. Hij voelt zich bitter, verongelijkt en rancuneus. Hij vindt dat hij er recht op heeft zich bitter, verongelijkt en rancuneus te voelen. Die bitterheid en rancune – zijn die het bewijs? Van Isabels aanwezigheid? Is dat het teken?

Hij mist Isabel intens, peilloos, een golf van verlangen slaat over hem heen. Bernice steekt een troostende hand uit, maar hij mept hem weg. Hij wil haar hand niet.

'Als je denkt dat je Isabel of haar herinnering hiermee een dienst bewijst, dan vergis je je', zegt Bernice. 'Je bent haar niet trouw. Verre van.'

Met een ruk van haar hoofd raadt ze hem aan om naar Janets monitor te kijken. De golfvorm gaat behoorlijk hard, de hartslag stijgt naar 110. Was Janets hartslag niet maar 92 of 93 toen Alex er de eerste keer naar keek? Bernice trekt veelzeggend haar wenkbrauwen op en hij snapt wat ze bedoelt.

Het besef dat er geen verbinding met Isabel via Janet is, geen toegang, geen manier voor Alex om bij haar te komen, slaat schokkend om in de angst dat die er wel is en dat hij roekeloos is omgesprongen met zijn macht en die zelfs heeft misbruikt.

'Moeten we een verpleegkundige roepen?' vraagt Bernice omineus, terwijl ze de golfvorm bestudeert.

'Maak je maar geen zorgen', zegt Janet, snel ademhalend met haar hand op haar borst, en ze kijkt naar haar echocardiogram met kennis van zaken en iets van vertrouwen. 'Het hart is gedenerveerd. Het ontvangt al zijn nieuws door de hormonen en chemische boodschappers. Dit is een reactie op wat er een paar minuten geleden is gebeurd.'

Bernice is beduusd. 'Gedenerveerd?'

'Het is niet verbonden met haar zenuwstelsel', legt Lotta uit. 'Niet zo verfijnd als een normaal hart. Het hart waarmee iemand is geboren.'

Wanneer Bernice niet knikt of een teken geeft dat ze het heeft begrepen, zegt Janet: 'De aansluiting is te ingewikkeld. Het vergt negen maanden in de baarmoeder om het allemaal aan elkaar te maken. De chirurgen kunnen dat in vier uur niet evenaren. Ze konden haar zenuwen niet aan die van mij hechten.'

'O. Natuurlijk.' Bernice staart ontzet naar Janets borst.

Alex is met stomheid geslagen. Vertelt Janet hun nu dat Isabels hart, ooit zo nauw verweven met Isabels emoties en zintuigen, ontkleed was en in zijn ontvanger was gestopt als een gehaktballetje in de ravioli? Vertelt Janet hun dat Isabels hart een gevoelloze automaat is, afgescheiden van de voortdurende sensorische aanvullingen van het brein – van alles waarmee het ooit de wereld duidde? Van alles en iedereen?

Van hem?

Treurnis stroomt door Alex' lichaam – een uitstraling van smart die zo heftig is dat hij zeker weet dat die hem zal vermorzelen.

Hij draait zich om, tast naar de deurklink en stormt de gang op.

Achtentwintig

Zelfs als het afgelopen uur rimpelloos was verlopen zou Janet nu uitgeput zijn, gegeven de onverwachtheid en stress van het bezoek die boven op de ontreddering van de laatste dagen kwam. De beschuldigingen van Alex lieten haar wankelend tussen boosheid en schaamte, gerechtvaardigde verontwaardiging en zelftwijfel achter. Alsof ze op de een of andere manier de hand had gehad in de dood van Isabel. Alsof ze het anders had kunnen laten verlopen. Door wat te doen? Als ze terug kon reizen in de tijd, wat had hij haar dan anders willen laten doen? Zichzelf van de wachtlijst af halen? Het hart afwijzen en doodgaan? Zou dat hebben voorkomen dat er vierhonderdvijftig kilometer hiervandaan een auto-ongeluk gebeurde?

Toen Alex weg was bood Bernice haar excuses aan voor zijn gedrag en ging hem vervolgens achterna. Janets moeder trok de jaloezieën omlaag, deed de lichten uit en verliet de kamer om Janet te laten slapen. Janet was doodop. Helaas is ze te opgefokt om in slaap te vallen. Vergiste ze zich of heeft ze een geschenk gekregen? Een geschenk dat gul en weloverwogen is gegeven door een vrouw die uit vrije wil handelde. Een vrouw van wie de man haar besluit steunde. Dus kan de man zich nu niet bedenken en het Janet verwijten dat ze het geschenk heeft aanvaard. Het geschenk was voor haar bedoeld. Zou hij liever hebben dat ze het geweigerd had? Zou hij liever hebben dat ze was doodgegaan? In feite heeft hij dat wel gezegd.

Natuurlijk had ze met hem te doen. Een paar keer als ze hem aankeek kwam er een bijna onwaarneembare glinstering in zijn ogen en trilde zijn onderlip alsof er met een draad aan werd getrokken. Zou ze altijd zo'n verdriet in die man oproepen? Ze hoopte van niet. Ze had medelijden met hem. Hoe had hij kunnen weten waar hij aan begon toen hij hierheen kwam om haar te ontmoeten? Hoe had hij min of meer nauwkeurig kunnen voorspellen hoe moeilijk of pijnlijk zo'n uitzonderlijke ontmoeting zou zijn? Misschien had David al die tijd wel gelijk gehad. Misschien zouden ontmoetingen tussen ontvangers en nabestaanden van donors niet moeten plaatsvinden.

Slapen. Slápen. De omstandigheden waren perfect: donkere kamer, neergelaten jaloezieën, dichte deur. Zalige rust. Geen kinderen. Wie weet wanneer ze weer de kans zal krijgen?

Ze vraagt zich af of ze een vreselijke fout heeft gemaakt en haar relatie met David heeft beschadigd door te staan op contact met Bernice en Alex. Aan de andere kant betwijfelt ze of het beter zou zijn gegaan tussen haar en David als ze de familie van haar donor had laten schieten. Het gaat niet om Alex en Bernice. Het gaat om haar en David. En nu is hij verhuisd. Haar moeder vertelde haar de details toen ze gisteravond laat naar het ziekenhuis kwam: David had de ochtend ervoor naar de flat gebeld en met Lotta en Bud geregeld dat die Sam en Carly 's middags ergens mee naartoe namen, en toen ze terug waren gekomen had David wat kleren, toiletspullen en andere persoonlijke dingen opgehaald. Hij had ook een paar kleine meubelstukken meegenomen. Janet had zich huilend aan haar moeder vastgeklampt. Ze wist niet of ze dankbaar of woedend moest zijn dat ze er zelf niet bij was geweest. Janet sprak met Sam en Carly en legde hun uit, zoals David ook had gedaan, dat hij een poosje ergens anders ging wonen om dichter bij zijn kantoor te zijn. Ze vond het verschrikkelijk hen voor te liegen en wilde meer loslaten, maar ze voelde zich niet opgewassen tegen de terugslag. De waarheid zou moeten wachten tot ze thuis was. Tot ze zich beter voelde. Tot ze er volledig op voorbereid was om troost te bieden.

Had de kosmische serendipiteit, die verantwoordelijk is voor de timing van dit soort dingen, Davids vertrek en haar ziekenhuisopname maar kunnen uitstellen tot na het bezoek van Alex en Bernice. Voor zover haar geheugen reikt, heeft ze steeds het beeld voor ogen gehad dat ze de familie van haar donor bij de deur van haar mooie loft verwelkomt, stijlvol gekleed en blakend van gezondheid en levenslust. Trots zou ze haar man en kinderen voorstellen – haar eensgezinde, solidaire, intacte gezin. In plaats daarvan moest ze de vernedering ondergaan van Alex en Bernice begroeten in hetzelfde ziekenhuis waar ze ooit een stervende patiënt is geweest en waar ze nu opnieuw sloom, aan het bed gekluisterd, met kussenhaar, in kleurloze ziekenhuiskleding in een kamer ligt die naar antivirale middelen ruikt. Maar als ze niet in het ziekenhuis was beland, hadden Alex en Bernice natuurlijk niet zo'n krachtige drijfveer gehad om te komen. Desondanks had ze het heel vervelend gevonden hen te moeten verwelkomen met het nieuws dat haar immuunsysteem een aanval van zelfdestructieve hysterie had – dat ze het zeldzame, kostbare hart dat hun overleden meisje haar had gegeven afstootte. *O, en tussen twee haakjes, mijn man heeft me ook in de steek gelaten.* Ze wilde dat haar moeder Alex en Bernice niets had verteld over haar problemen met David. Ze wil hun medelijden niet. Ze is blij dat het onderwerp niet ter sprake is gekomen toen ze hier waren, hoewel het dan misschien wel gemakkelijker zou zijn geweest; ze vond het moeilijk om met hen te praten zonder te verwijzen naar de gapende krater in haar privéleven, en bij tijden was ze zo door haar zorgen in beslag genomen dat ze Alex en Bernice niet haar onverdeelde aandacht kon geven.

Slapen. Dwing jezelf. Maak je hoofd leeg.

Ze zou ingedommeld zijn als de persoon die binnenkwam meer tijd met de deur had genomen en die behoedzaam en rustig had geopend in plaats van naar binnen te stommelen als een klunzige insluiper. Aanvankelijk denkt Janet dat David door haar overpeinzingen is opgeroepen en nu komt kijken hoe het met haar gaat, misschien zelfs om te vragen of hij terug kan komen. Maar deze persoon is korter en lijviger. Janet spant zich in om het gezicht te onderscheiden in de flard licht van de deuropening, die uitdooft wanneer hij de deur achter zich sluit. Waarschijnlijk iemand van de huishoudelijke dienst die nog niet de kunst verstaat onopvallend de kamer van een patiënt binnen te glippen om de afvalbak te legen. Maar er is voldoende licht om te zien dat hij niet het staalgrijze overhemd van de huishoudelijke dienst draagt. Hij draagt een lang, wijd, rood T-shirt. Een spijkerbroek. Sportschoenen. Hij hijgt, alsof hij zojuist een trap op is gerend. Bewegingloos blijft hij bij de deur staan, zijn hoofd naar het bed gericht, wachtend tot zijn ogen zich hebben aangepast.

'Wie zoekt u?' roept Janet hem toe. 'Ik probeer te slapen.'

Verschrikt doet de man een stap naar achteren. De hak van zijn schoen bonst onder tegen de deur.

'Doe het licht aan', zegt Janet. 'Het knopje zit daar bij uw hand.'

De bezoeker lijkt maar al te graag bereid het licht aan te doen, en in de felle gloed van boven kijken ze elkaar onderzoekend aan. Janet heeft deze man nooit eerder gezien. Hij is fors, voor zijn lengte zeker tien tot vijftien kilo te zwaar. Zijn voorhoofd glimt van het zweet. Zijn wangen zijn rood. Zijn kleine ronde mond zuigt lucht op: zijn longen en hart verrichten zware dwangarbeid. Hij steekt een vlezige hand in zijn haar en staart Janet verbaasd en ongelovig aan; hij ziet eruit als iemand die een lange weg heeft afgelegd om een boodschap over te brengen maar niet meer weet wat die inhoudt.

'Ken ik u?' vraagt Janet.

'Of je mij ként', antwoordt de man op een toon tussen ergernis en verbijstering in. 'Nee, je kent mij niet. Niet precies. Je zou mij eigenlijk wel moeten kennen. We hebben een band. Jij bent Janet Corcoran, niet?' Even lijkt hij er niet zeker van of hij zich wel op de goeie plek bevindt.

Janets eerste indruk, die misschien overijld en onbarmhartig is, is dat deze man is weggelopen van de psychiatrische afdeling en dat er ergens op de vierde verdieping verpleegkundigen paniekerig door de gangen dwalen op zoek naar hem. 'Dat ben ik, ja. Bent u ook patiënt hier?'

'Patiënt? Ik kom uit een andere staat. Ik ben hier uit Iowa naartoe komen rijden.'

Janet hijst zich overeind en bevrijdt haar armen uit de lakens. 'Uit Iowa? Hoe kent u mij?'

'Ik ken je niet.' Hij neemt haar taxerend aan. 'Daarom ben ik hier.'

'Laten we dan maar kennismaken', zegt Janet nerveus. 'Ik ben Janet. En jij bent…?'

Hij geeft zichzelf een korte rondleiding door de kamer en eindigt bij het raam. 'Kun je van hieraf het meer zien?'

'Dat is aan de andere kant.'

'Echt? Ik dacht dat ik…'

Hij draait zich om, strekt zijn arm, draait zich weer om, en probeert zich te oriënteren.

Janet vraagt: 'Hoe lang ga je me in totale onwetendheid houden over wie je bent?'

De man trekt zijn hoofd in. 'Ik ben niet degene die jou in onwetendheid laat. Je zou moeten weten wie ik ben, laten we het zo zeggen. In een rechtvaardige wereld. Maar bepaalde machten willen niet alle betrokken identiteiten onthullen. Zeker, ze zullen je brieven doorsturen naar de familie van je donor en als je geluk hebt, zoals jij, kom je erachter wie die familie is. Maar ze willen niet dat je iets over mij weet.'

Hoewel Janet nog steeds niet zeker weet waarover hij het heeft, voelt ze een groeiend ongemak, alsof haar leven zojuist is veranderd in een drama met geheim agenten en clandestiene organisaties. 'Wat zou ik dan over jou moeten weten?'

Haar bezoeker komt naar haar bed toe en steekt zijn hand uit. 'Ik ben Jasper. Jasper Klass.'

Janet meent die naam eerder gehoord te hebben, maar ze zou niet kunnen zeggen waar of wanneer. Ze schudt de hand niet. 'Zou je het erg vinden om je handen te wassen? Ik ben immuungecompromitteerd.'

'Dat wist ik.'

Jasper zet de kraan te wijd open – druppels spatten tegen de spiegel – en hij onderzoekt de zeephouder voordat hij de voetpomp vindt.

Janet zegt: 'Dus je bent niet van een organisatie voor orgaanwerving?'

'Laten we zeggen dat ik betrokken was bij het wervingsproces.'

'Op wat voor manier?'

'Niet officieel.'

Janet begint zijn ontwijkende gedrag verontrustend te vinden. Ze reikt omhoog en achter zich naar de alarmknop op de muur. 'Op wat voor onofficiële manier dan?'

Jasper spoelt en droogt zijn handen af, frommelt het gebruikte papier tot een bal, zoekt naar de afvalbak en mikt. 'Die zit', verklaart hij. Dan ziet hij haar hand op de knop. Hij verstart. 'Niet doen.'

'Als je me zegt wie je bent.'

Jasper blijft even roerloos staan en probeert te beslissen hoe hij verder moet gaan. 'Ik ben de kerel die met een pick-up tegen jouw donor aan gereden is', zegt hij. 'Een jaar en drie maanden geleden. Op 21 april 2005. Heb je je ooit afgevraagd wie het heeft gedaan? Nou, dat was ik. Ik ben die man.'

Janet voelt dat ze uitbreekt in ongeloof en angst, zenuwen prikken over heel haar huid. Het schokt haar dat hij de datum goed heeft. Jasper Klass. Ze meent zich de naam vaag te herinneren uit een krantenartikel over het ongeluk van Isabel, waarin hij waarschijnlijk genoemd werd. De bestuurder van het voertuig. Ze zal haar best gedaan hebben die naam te vergeten. Ze haalt haar hand weg bij de alarmknop. Nauwelijks te geloven dat hij het is, de moordenaar van haar donor. Ze is ontzet. Het is wonderlijk en verontrustend te bedenken dat ze dood zou zijn als die man niet zo roekeloos of wat dan ook was geweest. 'Weten Alex en Bernice dat je hier bent?' vraagt Janet.

'Nee. Zijn ze hier?' Jasper klinkt geschrokken.

'Nee', liegt Janet, bedenkend dat ze misschien liever niet hebben dat hij het weet.

Opgelucht loopt Jasper naar het bed toe en legt allebei zijn handen op de rand aan het voeteneinde. Het is een daad van intimiteit, het aanraken van haar bed, en Janet vindt het niet prettig.

'Het was een ongeluk', zegt ze. 'Het was geen opzet van je. Om iemand te doden.'

Jasper trommelt met zijn vingers op de rand. 'Ze reed midden op de weg. Midden op mijn rijbaan. Ik had geen tijd om te stoppen. Ik had zelfs geen tijd om af te remmen. Ze zat achter de heuvel. Ik reed gewoon omhoog en over de rand en...' Hij klapt hard in zijn handen.

Janet kan niet anders dan zich afvragen of Jasper de hele waarheid vertelt. Laat hij details weg die minder gunstig voor hem zijn, zoals zijn snelheid en het feit dat hij de fiets niet heeft gezien, waar Alex of Bernice hem aansprakelijk voor kunnen stellen? Het ontbreekt haar aan de moed om die vragen zelf te stellen. Ze is bang om over het ongeluk praten, doodsbenauwd voor wat die man, de enige ooggetuige voor zover ze weet, haar zou kunnen vertellen. Haar toevertrouwen. Details die ze nooit heeft willen kennen, dingen die ze voor de rest van haar leven zal blijven zien. Geronnen bloed en gebroken ledematen.

'Het moet afschuwelijk voor je zijn geweest', zegt ze. 'Je moet doodsbang zijn geweest.'

'Ik deed het in mijn broek. Ik durfde bijna niet te keren en terug te gaan. Ik wist ongeveer wel wat ik aan zou treffen.'

Een dwarse nieuwsgierigheid neemt Janet bij de hand. 'Wat trof je aan?'

'Wil je dat echt weten?'

'Niet echt. Maar ik heb het gevoel dat je het wilt vertellen.'

Jasper schokschoudert alsof hij best overal over wil praten. 'Ze was op haar rug in het gras geslingerd. Een arm onder haar, helemaal verwrongen. Krekels op haar borst. Een oor vol bloed.' Hij kijkt Janet in een soort trance aan. 'Ik moet zeggen dat het echt te gek is om jou als resultaat daarvan in leven te zien.'

Janets lichaam voelt plotseling gewichtloos, onstoffelijk aan. 'Het woord "resultaat" staat me niet aan.'

Jasper komt aan de zijkant van het bed staan. 'Ze is overreden door een pick-up. Dat weet je toch, hè? Je hebt als resultaat daarvan haar hart gekregen.' Hij meet de lengte van haar lichaam met zijn ogen. 'Ze was ongeveer zo groot als jij. Haar hart zal precies gepast hebben.'

Janet trekt het laken over haar borstkas. 'Ik praat niet over het hart alsof het een schoen is. Het is fantastisch dat het de juiste maat was voor mijn lichaam, maar er komt meer bij kijken. We hadden dezelfde bloedgroep. We hadden een vier-antigeen match. Dat is zeldzaam.'

'Dat vind je leuk, hè? De bloedgroep? De antigenen? Daardoor voelt het hele gedoe warm en knuffelig aan, niet?'

Janet bereidt zich voor op een woordenwisseling. 'Probeer je te suggereren dat ik me er niet van bewust ben dat ik nu niet zou leven als jij niet een orgaandonor had omgebracht? Ik snap het, hoor. Je hoeft het me niet in te wrijven.'

'Ik probeer helemaal niets in te wrijven.' Jasper duwt beide handen in de lucht plat voor zich uit, benadrukkend dat hij beslist geen ruzie wil. 'Ik probeer er alleen maar zeker van te zijn dat we geen illusies hebben.'

Iets in de manier waarop hij 'illusies' zegt, maakt dat ze Davids stem in een recent gesprek weer hoort, waarin hij haar beschuldigde van halsstarrigheid en inflexibiliteit.

Jasper slentert naar een nis in de muur waar voorraad is opgeslagen, pakt een plastic pillenbekertje en jongleert ermee op het topje van zijn wijsvinger. 'Weet je wat grappig is? Wij fokken ons allemaal op, voelen ons schuldig en ongerust en van streek, maar niemand van ons, niet één van ons, heeft iets verkeerd gedaan.'

Hij begint uit te weiden, maar het kost Janet moeite zich te concentreren op wat hij zegt. Ze wordt in beslag genomen door de vraag of ze echt halsstarrig en inflexibel is.

'...met honderdvijftig kilometer per uur met mijn ogen dicht stoned van de crack over de weg slingerde', zegt Jasper, terwijl hij met duim en wijsvinger in het pillenbekertje knijpt. 'Ik bestuurde mijn voertuig niet op roekeloze wijze met opzettelijke of onverantwoorde veronachtzaming voor de veiligheid van personen of goederen. Dat is lid 321.277 van het Wetboek van Iowa en ik ben tussen twee haakjes nooit beschuldigd van overtreding daarvan. Het punt is dat iedereen die over die heuvel kwam haar zou hebben aangereden. En jij, jij had toevallig net nodig wat zij in de aanbieding had, mocht zo'n situatie zich voordoen. Dus waarom is iedereen zo geschokt? Waarom voelt iedereen zich zo belabberd?'

'Zeg jij het maar.'

Jasper kijkt naar de vloer en ziet er kwetsbaar en beschaamd uit. 'Het is moeilijk om te genieten van het leven wanneer je een einde hebt gemaakt aan dat van iemand anders.'

Janet wrijft haar duimen licht tegen elkaar, dan minder licht, bevreemd over hoe weinig contact er nodig is om gevoel te veroorzaken. Ze denkt aan toen ze anderhalf jaar geleden in dit ziekenhuis lag, wachtend op een hart, en hoe zij en de andere status 1-patiënten voor de grap zeiden dat ze wilden dat automobilisten roekelozer waren.

'Ik wil wedden dat het hier die avond een vrolijke boel was', zegt Jasper.

'Dat was het ook.' Janet besluit eerlijk te zijn. 'Er heerste een feeststemming.' Ze is ontsteld bij de herinnering aan hoe ze zich voelde. 'Mensen kwamen langs om me te feliciteren. Ze kusten en omhelsden me.'

'Er is niemand langsgekomen om mij te feliciteren. Geen kussen en omhelzingen voor Jasper. Niet dat ik dat verwachtte.' Jasper slentert naar Janets infuusstandaard en bekijkt de infuuspomp waarmee Janet anti-afstotingsmedicijnen krijgt toegediend. Zijn hand gaat met uitgestoken vinger naar een knopje alsof hij erop wil drukken. 'Aan de andere kant, als je per ongeluk iemand doodt van wie de organen vervolgens levens redden, zou je toch denken dat je in elk geval iets hoort. Een telefoontje. Een brief.'

'Niet aankomen', zegt Janet.

Jasper trekt zijn vinger terug. 'Vind je niet?'

Janet kalmeert zichzelf door diep adem te halen. 'Luister, Jasper, ik wil niet kleineren wat jij me...hebt gegeven.' Inwendig krimpt ze ineen als ze bedenkt hoe Alex en Bernice zouden reageren op wat ze zegt. 'Maar je wilt je toch niet op het hellend vlak begeven van mensen belonen die andere mensen ombrengen, of het nou per ongeluk is of niet? Het geeft al een hoop heisa wanneer iemand oppert dat donoren een vergoeding zouden moeten krijgen.'

Jasper trekt een kruk bij, gaat zitten en draait wat rond, terwijl hij zijn ogen langs haar lichaam laat gaan om haar gedaante onder de lakens te taxeren. 'Donoren. Donoren zijn te gek gulle lui. Maar laten we wel wezen, het zijn ook maar mensen met een kaart op zak. Je hebt meer nodig dan een donor. Je hebt een instrument van vernietiging nodig.

Het systeem voor orgaanwerving, het systeem voor de gezondheidszorg, over welk systeem je het ook hebt, niemand binnen die systemen praat graag over het systeem dat zorgt dat het allemaal werkt, namelijk het Algemeen Amerikaans Dodelijke Auto-ongelukkensysteem.'

Janet gaat rechter zitten, trekt haar benen op en onttrekt zo veel mogelijk van haar lichaam aan het zicht. 'Statistisch gezien doet zich altijd een bepaald aantal dodelijke auto-ongelukken voor.'

'O, dat is mooi. Bedoel je dat het mij statistisch gezien wel moest overkomen?'

'Dat bedoelde ik niet. Ik bedoelde alleen…' Ze weet het niet zeker. Ze is te moe om dit gesprek te voeren. Wanneer komt er iemand – maakt niet uit wie – haar kamer in om haar te redden?

Jasper staat op van de kruk, duwt die opzij en doet een paar stappen naar de deur toe. 'Vind je het licht niet te fel hier?' vraagt hij en hij knipt het licht uit. 'Begrijp me niet verkeerd, het is te gek dat je leeft. Jij bent mijn zon achter de wolken. Jij bent mijn bloem die uit de as is opgebloeid.'

'Ik ben je bloem niet. Doe het licht aan.'

Jasper kijkt gekwetst. Hij doet een paar stappen naar haar toe. 'Oké, Isabels bloem dan. Maar ik heb je geplant.'

'Nee, dat heb je niet', zegt Janet. 'Je kunt geen aanspraak maken op dezelfde vooruitziendheid en edelmoedigheid als zij. Als je beweert dat het een ongeluk was – als je beweert dat het niet opzettelijk was – dan is niets ervan opzettelijk. Trouwens, hoe zou ik je kunnen bedanken? Het is ongepast. Het is aanstootgevend.'

'Ik wil niet dat je me bedankt', zegt Jasper, en woede druipt uit zijn stem. 'Ik wil alleen dat je…' Hij schijnt het niet te weten. Hij ziet er verward en stuurloos uit; zijn ogen verkennen de kamer alsof hij die voor het eerst ziet. Hij richt zijn aandacht weer op haar. Komt dicht bij het bed staan met zijn grote handen langs zijn zij. Zijn vingers zijn dik en stomp. Op zijn linkerpols zit een dun, roze, sikkelvormig litteken – de krab van een kat? Zijn blik gaat naar haar borst en Janet meent dat er een gecompliceerde, ontregelende behoefte in zijn ogen opkomt.

'Mag ik het voelen?' vraagt Jasper.

Janet neemt zich voor te gaan gillen en stampen. 'Ik denk dat je beter kunt gaan.'

'Hé, kom op', zegt Jasper kalm en met een zweem van verwachting. 'Ik ben hier nog maar net.'

Negenentwintig

Bernice heeft de gangen en kamertjes van de honingraat van Medische Cardiologie doorzocht, in de wachtruimte bij de hoofdingang gekeken, is de gang door gelopen, langs het atrium naar de liften die Alex en zij naar boven hebben genomen, is weer de tegenovergestelde richting in gelopen, langs Medische Cardiologie, heeft haar hoofd om de hoek van meer wachtruimtes gestoken, haar blik langs meer zitjes laten gaan op zoek naar Alex. Zonder resultaat. Ze is eerder geïrriteerd dan ongerust. Hoe verwacht hij in vredesnaam dat ze hem vindt? Hij heeft een mobieltje, maar zij niet – ze zou hem met een toestel van het ziekenhuis moeten bellen. Wat ze zal doen. Zo meteen. Ze heeft voor haar gevoel al anderhalve kilometer afgelegd.

Dan krijgt ze hem in het oog, hij zit als enige in een rij stoelen voor een groot raam. Hij zit achterover, met zijn rug tegen de leuning gedrukt alsof een straffe wind hem op zijn plaats houdt.

'Waar was je toch?' vraagt Bernice. 'Ik heb je overal gezocht. Waar ben je geweest?'

Alex is overdonderd door haar aanval. 'Sorry. Ik moest gewoon weg daar.'

Bernice gaat naast hem zitten. 'Is alles goed?'

'Jawel. Het is alleen zo bizar.'

'Zo kun je het ook noemen.'

Alex kijkt haar nieuwsgierig aan. 'Hoe zou jij het noemen?'

Bernice denkt even na. 'Schokkend.'

'Je meent het.' Alex kijkt uitdrukkingsloos uit het raam naar de verblindende gloed van de dag. 'Volgens mij zijn we te aardig tegen hen.'

'Zij zijn aardig tegen ons.'

'Je zat zowat in aanbidding voor Janet.'

'In aanbidding?' Bernice is gekrenkt. 'Alex, dat is belachelijk. Ik probeer alleen om haar fatsoenlijk te behandelen. Isabels hart zit in haar lichaam.'

'Daar zou het niet moeten zitten. Het hoort in Isabels lichaam. Snap je dan niet hoe gestoord dat is?'

'Hoor eens even, dat ik toevallig geen hatelijke dingen zeg en de kamer uit storm, betekent nog niet dat het voor mij gemakkelijk is.'

'Het was niet mijn bedoeling om hatelijk te zijn. Het spijt me.'

'Dat moet je niet tegen mij zeggen. Zeg het tegen Janet.'

'Ik wil gewoon naar huis.'

'En het hier zo achterlaten? Dat kan niet.'

'Waarom niet? Zijn we hun nog meer schuldig dan?'

Bernice slaakt een geërgerde zucht. 'Het zal mij voor de rest van mijn leven deprimeren. En het zal Janet kwetsen.'

'Janet, Janet, Janet. Het draait allemaal om Janet.'

'Nee, dat is niet zo. Het draait allemaal om Isabel. Weet je wat er nu gebeurt? Die chemische boodschappers waar Janet het over had, de hormonen, toen jij de kamer uit was, gingen ze naar Isabels hart en daar zullen ze nu zijn aangekomen en ze is van streek en angstig en het hart gaat als een gek tekeer.'

De uitdrukking op het gezicht van Alex is ernstig en bekommerd. Zijn blik zoekt de hare alsof hij wil vragen: zal het ooit gemakkelijker worden?

'Kom op', zegt ze en ze geeft hem een klopje op zijn knie. 'We hoeven niet lang te blijven.'

Wanneer Alex met Bernice terugloopt naar Medische Cardiologie voelt hij zich schaapachtig en dociel, als een dertienjarige jongen die in de aanwezigheid van vreemden een driftbui heeft gekregen, die van een ouder op zijn kop heeft gekregen voor zijn gedrag en het nu weer goed moet maken. Aan de andere kant is het in zekere zin gemakkelijker om zijn bitterheid en ergernis te laten varen en zich te richten op het tevredenstellen van Bernice, met wie hij zich in elk geval verbonden voelt.

Het verrast Alex dat hij zich precies herinnert waar Janets kamer is, dat hij precies weet hoe hij er moet komen. Het kamertje ervoor is leeg. Janets deur is dicht, haar kamer is donker. 'Zou ze slapen?' zegt Bernice. Samen met Alex loopt ze naar de deur. Binnen horen ze stemmen. Van Janet en ook van een man. Bernice kijkt Alex vragend aan. Ze gaat naar de deur en tuurt door het raam. 'O mijn god', zegt ze en ze doet een stap achteruit. Ze slaat haar hand voor haar mond alsof ze moet overgeven. ''t Is niet te geloven.'

Alex stapt naar voren, kijkt door het raam en ziet Janet in het donker rechtop in bed zitten praten met...is hij het? Jasper? Hij zit zijwaarts op het bed met een been omhoog, zijn knie rustend op de rand van de matras. Met zijn linkerhand grijpt hij ter ondersteuning zijn linkerdij vast, maar zijn rechterarm en -hand zijn onzichtbaar, verborgen door zijn bovenlichaam. Uit de omtrek van zijn rechterschouder, uit de manier waarop hij zich naar Janet toe buigt, lijkt het of die hand zich ergens op haar lichaam bevindt. Dan ziet Alex Jaspers hand op de borstkas van Janet.

Janet ziet Alex achter de deur staan. Ze zwaait en roept zijn naam alsof hij haar allerbeste vriend is die eindelijk, na een lange afwezigheid, is gearriveerd. Alex opent de deur en stapt naar binnen. Jasper draait zijn hoofd om en grijnst met een vreemde mengeling van ergernis en triomf. Zijn hand houdt hij op de borstkas van Janet.

'Wel godverdomme', zegt Alex. 'Wat moet jij hier?'

'Gewoon praten', antwoordt Jasper opgewekt.

Achter Jaspers rug vormt Janet geluidloos het woord 'help' tegen Alex.

Bernice komt naast Alex staan en hoewel hij een arm uitsteekt om haar tegen te houden en te beschermen, gaat ze niet achteruit. Met haar hoofd schuin, haar gezicht gepijnigd en ongelovig, staart ze hem woedend aan. 'Monster dat je bent. Janet, heb je enig idee...' De gruwelijkheid van de verklaring stopt haar. Tegen Jasper zegt ze: 'Hoe heb je haar gevonden?'

'We hebben het hier over een zekere hoeveelheid speurwerk, dat staat vast', zegt Jasper en hij gaat verzitten op Janets bed, wat een deels bewuste poging lijkt om zijn aanspraak erop te bevestigen. 'Niet dat ik daarbij veel hulp van jullie heb gekregen.'

'Hoe lang is hij hier al?' vraagt Bernice aan Janet om de omvang van het verraad na te gaan.

Janet werpt een blik op de muurklok. 'Ik weet het niet. Ik sliep. Hij kwam binnen en maakte me wakker.'

'Het is niet zo dat ik me aan haar heb opgedrongen', verklaart Jasper tegen Bernice. 'We waren gewoon gezellig samen aan het kletsen.'

'Ik ben bang dat ik je niet vertrouw wanneer je zegt dat je je niet aan haar hebt opgedrongen, gezien het feit dat je je onlangs aan mij hebt opgedrongen', zegt Bernice. Aan Janet vraagt ze: 'Weet je wel dat deze man ons al een poos stalkt? Dat hij erachter probeerde te komen wie jij was?' Ze brengt Janet kort maar gedetailleerd verslag uit van Jaspers recente gedragingen: het binnendringen in haar huis, zijn bedreigingen, zijn arrestatie, de aangifte die ze tegen hem heeft ingediend. Jasper onderbreekt haar om zich te verdedigen, maar Bernice walst over hem heen. 'Huisvredebreuk, aanranding, toebrengen van schade, openbare dronkenschap. Waarom zit je niet vast?' schreeuwt ze tegen Jasper. 'Je mag hier helemaal niet zijn. Er is een contactverbod tegen je uitgevaardigd!'

'Ze vertellen je niet het hele verhaal', zegt Jasper tegen Janet. 'En het contactverbod geldt niet in Illinois.'

Janet heeft zich tot een bal opgerold, haar knieën heeft ze zich tegen haar borst aan getrokken, met haar armen omvat ze haar onderbenen en haar handen heeft ze ineengeklemd. Haar gezicht staat geschokt en vol afkeer. 'Je moet hier weg', zegt ze tegen Jasper.

'Ja hoor', zegt Jasper smalend. 'Het ene moment zitten we te lachen en grapjes te maken, het volgende schop je me eruit.'

'We zaten niet te lachen en grapjes te maken', zegt Janet. 'Ik was bang.'

'Ga weg daar', zegt Alex tegen Jasper, die nog steeds op Janets bed zit.

Jasper steekt zijn hand uit naar Alex en maakt een kalmerend gebaar. 'Rustig maar, superman. Relax.' Langzaam staat hij op van het bed, alsof hij dit uitsluitend doet omdat hij het zelf wil. 'Ik wil alleen iets afspreken. Ik wil hier deel van uitmaken.' Hij gebaart breed de kamer rond. 'Is daar iets mis mee? Kunnen we het niet gewoon met elkaar eens worden?'

'Nee', zegt Alex.

Bernice lacht hem in zijn gezicht uit. 'Om de donder niet.'

Janet zegt: 'Je moet gaan, anders bel ik de bewaking.'

Jasper kijkt haar boos aan, alsof zij het onnodig op de spits drijft. 'Serieus?'

Janet steekt haar hand omhoog en naar achteren naar de alarmknop op de muur.

'Wacht even', zegt Jasper. Hij heft zijn handen in een gebaar van overgave. Onzeker draait hij zich om en loopt naar de deur, maar blijft staan bij de voorraadnis in de muur. Hij bekijkt de artikelen op de plank: een maatbeker, plastic medicijnbekertjes, een plastic kom vol verband en alcoholpads. Op de planken erboven liggen stapels handdoeken en washandjes. Jasper trekt een la open en gluurt erin. Alex vraagt zich af of hij naar een wapen zoekt. Zal hij een scalpel of een scheermes vinden? Jasper schuift de la met een klap dicht en draait zich om. Hij staat roerloos, verstomd, met een smartelijk vertrokken gezicht. 'Wat een kolerefiasco', zegt hij. 'Waarom overkomt mij dat altijd?' Hij kijkt naar Janet, Alex en Bernice, wachtend op een reactie. Niemand zegt iets. Janet drukt op de alarmknop. Jasper spert zijn ogen open. Zijn gezicht wordt rood. Hij grijpt Janets infuusstandaard en smijt hem op de grond.

Janet slaakt een gil. Haar infuuspomp, zo groot als een autoaccu, die boven aan de standaard is bevestigd, valt het verst en het hardst, en trekt haar infuusslangen mee. Janet steekt haar armen uit en gooit zich naar voren om te voorkomen dat de slangen uit haar worden gerukt. De pomp knalt op de grond en een scherf plastic – een afgebroken hoek – schuift over de vloer. De gevallen pomp piept kalm en flikkert met een rood licht. Jasper staat er als verlamd bij, geschrokken maar tevreden over wat hij heeft aangericht. Alex tackelt hem om zijn middel, hij zet zich hard af en gebruikt zijn volle gewicht om Jasper op de grond te krijgen. Hij landt boven op hem en klemt Jasper vast in de bankschroef van zijn armen. Jasper worstelt, wringt zich in bochten en roept: 'Ga van me af, lul, ga van me af!' Met zijn elleboog stoot hij Alex hard in zijn ribben. Alex kreunt, kronkelt een arm onder die van Jasper door en slaagt erin hem in een halve nelson te krijgen. Jasper is sterk en Alex betwijfelt of hij hem lang vast kan houden. Hij hoort geroep, nieuwe stemmen in het vertrek, meer geroep. Hij brult dat ze de bewaking moeten halen. Hij ziet niet wat er boven hem gebeurt. Zijn kin zit tegen de rug van Jasper. Wanneer Jasper zich verzet en steigert, wordt Alex' mond tegen Jaspers nek geduwd en proeft hij gedwongen glibberige, zoutige huid. Ze brengen zo ongeveer vijf of tien minuten door, met Alex die Jasper tegen de grond drukt en Jasper die vloekt en worstelt en zich dan vermoeid ontspant, kort zijn ogen dichtdoet en zo regelmatig ademhaalt dat het lijkt of hij vredig, zelfs voldaan in de omhelzing van Alex ligt. Uiteindelijk wordt Alex overeind gehesen door een stel krachtige armen. Janet zegt: 'Nee, die ónder ligt.' Twee gespierde bewakers met een pistool en wapenstok aan hun riem laten Alex los en trekken Jasper, ieder aan een arm, overeind. Janet bevestigt dat Jasper haar infuusstandaard heeft omgegooid en Bernice voegt eraan toe dat er aangifte tegen hem is gedaan in Iowa en dat er een contactverbod is uitgevaardigd. Jasper verdedigt of verzet zich niet. Hij ziet er deemoedig en uitgeput uit. 'Ik moet water hebben', zegt hij tegen de bewakers wanneer ze hem de kamer uit leiden. 'Ik moet naar de spoedeisende hulp. Ik denk dat ik een rib heb gebroken.'

Onbedwingbare sidderingen trekken door Alex' armen. De woede en adrenaline jagen door hem heen. Bernice, die het op de een of andere manier is gelukt Janets infuusstandaard overeind te zetten en haar slangen goed te hangen terwijl Alex slag leverde met Jasper, helpt nu Janets verpleegkundige, een pezige Latijns-Amerikaanse die Mara heet, om de schade aan Janets pomp te evalueren. Janet houdt haar linkerhand onder haar hemd op haar hart. Ze haalt bedachtzaam adem en staart met een resoluut gezicht in de ruimte.

Alex werpt een blik op de monitor. De golfvorm springt en springt. Haar hartslag is 105.

'Gaat het?' vraagt hij.

'De adrenaline komt eraan', zegt ze een tikkeltje buiten adem. 'Ik moet mezelf gewoon omlaag praten.'

'Kun je mij ook omlaag praten?'

Janet lacht. 'Bedankt voor daarnet. Ik weet niet wat ik had gedaan als jullie niet teruggekomen waren.'

'Ik moet toegeven dat ik het eigenlijk wel leuk vond', zegt Alex.

'Heeft hij je pijn gedaan?' vraagt Bernice.

'Ik heb een beetje pijn in mijn zij.'

'Je zou even naar de spoedeisende hulp moeten gaan.'

'Als het niet overgaat, doe ik dat.'

Janets verpleegkundige gaat de kamer uit om een vervangende pomp te halen.

'Het spijt me heel erg dat dit is gebeurd', zegt Janet tegen Alex en Bernice. 'Het moet vreselijk voor jullie zijn geweest om hem hier te zien toen je binnenkwam.'

Bernice gaat naast het bed staan, legt haar handen op de zijkant en hangt voorover. 'Dat was het ook. Het moet ook vreselijk voor jou zijn geweest.'

'Ik heb hem niet met open armen ontvangen', zegt Janet. 'Ik wist eerst niet eens wie hij was. Toen werd hij eng en bedreigend en vroeg of hij mijn hart mocht voelen, en ik dacht dat ik hem kon kalmeren en tijd kon winnen door dat toe te staan.'

'We zijn alleen maar blij dat alles goed is met je', zegt Bernice.

Janets adrenaline komt op en ze ademt door met haar hand op haar borst en haar blik naar binnen gekeerd. Bernice en Alex staan

waakzaam aan weerskanten van haar. Alex slaat de hortende golfvorm gade en is opgelucht wanneer die tot rust begint te komen.
Bernice ziet het ook en glimlacht naar hem.

Dertig

Bernice zit in het gloeiend hete badwater, terwijl eilandjes van schuim tussen haar opgetrokken knieën door drijven, en wast zich met een zeperige spons. Ze schrobt haar gezicht, schouders en armen, haar borst en benen en ze zou zich ook vanbinnen willen schrobben, ze zou willen dat het mogelijk was om al het opgehoopte roet en vuil – verdriet, treurnis, afgunst, boosheid, onaangename herinneringen – net zo gemakkelijk van zich af te wassen als ze doet met het zweet en de stank van die dag.

Ze spoelt zich grondig af en staat op. Het water laat haar met een verschrikt geklots gaan. Ze droogt zich af en trekt een witte badjas aan met voorop het insigne van het hotel. De warme, dampige badkamer bezorgt haar een gevoel van claustrofobie. Vermoedend dat Alex in slaap gevallen is, opent ze zachtjes de deur en geniet van de eerste stap in de koele lucht, die een verademing is voor haar huid en longen, als de bevrijding uit een verstikkend graf.

Alex ligt breeduit op zijn buik op het bed het dichtst bij de deur, zijn benen gekruist bij de enkels. Een arm is bekneld onder zijn bovenlijf, de andere heeft hij boven zijn hoofd gegooid, met de vingers gespreid tegen de gecapitonneerde hoofdsteun. Bernice denkt aan haar zoon, Clancy. Ze weet nog dat hij als jongen in zijn kamer in vergelijkbare onhandige, verwrongen houdingen in slaap viel en dat ze dan naar het bed ging en hem uit de knoop haalde, waarbij ze zo behoedzaam alsof ze een bom demonteerde zijn ledematen oplichtte en bevrijdde. Ze moet de neiging weerstaan hetzelfde bij Alex te doen.

Ze loopt over het okerkleurige tapijt en gaat in een leunstoel voor het raam zitten. Vanaf de achttiende verdieping biedt het uitzicht op Wacker Drive en de rivier de Chicago. Bernice heeft het hotel via Priceline geboekt, en hoewel het uitzicht zoals beloofd spectaculair is, doet het haar niet veel. De galgroene stroperige rivier maakt haar maag van streek. De Michigan Avenue Bridge, met zijn vier torens van donkere steen, lijkt te wachten op een begrafenisstoet. Het Wrigley Building ziet eruit alsof het door een gigantisch overschot aan zout tot stand is gekomen.

Alex gaat verliggen en laat een onsamenhangend gemompel horen. Zijn mond hangt door de zwaartekracht slap naar één kant, wat duidt op een dieper wordende slaap. Bernice zou hem graag wakker maken – ze zou het prettig vinden om wat te praten – maar ze begrijpt zijn behoefte aan rust. Als hij dieper wegzakt, trekt hij zijn knie op en draait zich half op zijn zij, waarbij hij zijn beknelde arm bevrijdt en die voor zich uit strekt, zijn hand ligt met de palm omhoog en de vingers krom, waardoor hij er smekend en bijna onverdraaglijk kwetsbaar uitziet.

Bernice pakt schone kleren uit haar koffer en gaat terug de badkamer in. Ze sluit de deur en kleedt zich aan. Ze maakt zich licht op, poetst haar tanden en flost. Wanneer ze de badkamer uit komt, slaapt Alex nog steeds. Bernice gaat op de rand van haar bed zitten en trekt haar schoenen aan. Ze blijft even naar de slapende Alex zitten kijken en probeert te bedenken wat ze nog meer kan doen, welke voorbereidingen ze nog meer kan treffen. Uiteindelijk buigt ze zich voorover en knijpt in Alex' hand tot zijn ogen opengaan.

'Waar zijn we?' vraagt hij versuft van vermoeidheid.

'In Chicago', antwoordt ze. 'We hebben een zware dag achter de rug. Heb je zin om iets te gaan eten?'

Op Michigan Avenue wordt de warme avondlucht door verzamelingen fonkelende lampen geïoniseerd. De hemel, omhooggehouden door wolkenkrabbers, is perzikkleurige ether. Auto's, bussen en taxi's razen langs. Het is bijna negen uur. De trottoirs krioelen op deze zaterdagavond van de mensen die vlot gekleed en met kwieke pas uitgaan.

Bernice bemerkt een vreemd glazige uitdrukking op Alex' gezicht en vraagt zich af of hij, net als zijzelf, een beetje overweldigd is door het verkeer, de mensenmassa's en de herrie. De compacte wrijvingsenergie, de opgehoopte elektrische spanning van al die mensen samengepakt op zo'n klein oppervlak.

'Wat zou je willen eten?' vraagt Alex. Ze lopen naar het noorden op Michigan Avenue, na een kort uitstapje in zuidelijke richting de binnenstad, de Loop in. 'Ik zou wel een cheeseburger lusten.'

'Een cheeseburger? Wat heeft het voor zin om helemaal naar Chicago te rijden voor een cheeseburger? Ze hebben hier alle keukens van de wereld. Pools, Litouws, Ethiopisch.'

Bij Huron Avenue slaan ze van Michigan Avenue af en lopen in westelijke richting langs hotels en parkeergarages, op zoek naar etnische restaurants te midden van de simpele eethuisjes en cafés. Ze draaien naar het noorden, dan weer naar het westen en bespreken onderwijl de restaurants die ze tegenkomen, waar ze door de ramen gluren en de menukaarten lezen. Bernice moet ineens denken aan de brand, de Grote Brand van Chicago in 1871, waarbij praktisch de gehele stad in de as werd gelegd. Ze heeft er een keer een documentaire over gezien op PBS, of misschien was het de geschiedeniszender. Ingenieurs en architecten – Sullivan, Adler, Burnham en Root – trokken naar de verkoolde ruïnes en vonden de stad opnieuw uit door de ene magnifieke wolkenkrabber na de andere te bouwen. En moet je nou eens kijken, meer dan honderd jaar later: een naar alle kanten uitdijend paleis van ijzer, staal en beton. Sterker dan ooit. Dat is nog eens herstel.

'Dit is het.' Alex blijft staan voor een kleine, bedrijvige pizzeria. 'Een compromis. Ik krijg mijn cheeseburger en jij je etnische keuken. Italiaans is etnisch. Niet het meest exotische soort, maar formeel gezien wel etnisch.'

'Ach, nou ja', zegt Bernice, moe van het lopen en in de stemming voor een glas wijn.

Rood met wit geblokte tafelkleedjes, muren met stucwerk, gewelfde doorgangen. Ze moeten een half uur wachten, maar de pizza ruikt kruidig en pikant, dus nemen Bernice en Alex plaats op een kruk aan de bar. Met het glas in haar hand, de smaak van merlot in haar mond, omgeven door gepraat en gelach, getoeter van buiten, de avond die zich in de omringende wijken ontrolt – het opeengehoopte effect maakt Bernice duizelig en verlegen. Hoe lang is het geleden dat ze op zaterdagavond in een café iets heeft gedronken? Met een man? Ze kan het zich niet eens meer herinneren.

Het gesprek neemt de weg van de minste weerstand. Er is zoveel te bespreken, zoveel waarover ze kunnen praten – zoveel wat ze de afgelopen acht uur hebben meegemaakt – maar daarvoor zouden ze het opnieuw moeten ondergaan,het opnieuw onder ogen moeten zien, en geen van beiden heeft daar de energie voor. Dus praten ze over de wijn. Die is lekker. Ze praten over Chicago, waarbij vergeleken Athens slaperig lijkt. 'Waarom wonen we ook alweer in Iowa?' zegt Bernice. Ze praten over cocktailservetjes, dat sommige aan de onderkant van je glas blijven plakken en andere niet. Volgens Alex moet het mogelijk zijn een cocktailservetje te ontwerpen dat nat kan worden en dan toch niet plakt.

'Misschien is er geen markt voor', zegt Bernice. 'Misschien kan het mensen niet schelen.'

'Mij wel', zegt Alex en hij houdt zijn wijnglas op. Elke keer dat hij het glas aan zijn mond zette, is zijn cocktailservetje meegekomen.

Hij is zo jong, denkt Bernice. De gedachte is haar ingegeven door zijn dikke haar, zijn nagenoeg vlekkeloze huid, zijn slanke lijf. Hij is nog maar amper aan de reis begonnen. Over twintig of dertig jaar zal deze hele ervaring de vorm van een zelden aangehaalde, macabere anekdote hebben aangenomen. *Dat was vlak na de dood van mijn eerste vrouw.* Tegen die tijd zal Alex waarschijnlijk een andere vrouw hebben en een andere schoonmoeder. Hij zal kinderen en kleinkinderen hebben, die hij beter en intiemer zal kennen dan haar, die meer voor hem zullen betekenen dan zij, misschien zelfs meer dan Isabel. Dat leven zal plaatshebben in een huis ver weg in een rustige straat, waar 's avonds de stemmen van tuin tot tuin klinken. Zoveel dagen en nachten, zoveel ervaringen, en Bernice zal ze allemaal mislopen.

Misschien niet. Ze hoopt dat ze vrienden kunnen blijven. Of zal dat te pijnlijk zijn voor Alex? Zal het altijd onprettige herinneringen oproepen om haar te zien en haar stem te horen?

Een serveerster komt naar hen toe met twee menukaarten tegen haar borst gedrukt, terwijl ze de achternaam van Alex brult. Algauw zitten ze in een afgezonderde box met voor zich een mandje met soepstengels en nieuwe glazen wijn. Bernice opent de menukaart en bestudeert de groottes van de pizza's, de verschillende soorten bodems en bovenlagen. Zoveel keuzes, zoveel combinaties. Als ze opkijkt is ze verrast dat Alex haar aanstaart met een verbaasde, gekwelde uitdrukking op zijn gezicht.

'Gaat het?' vraagt ze.

'Ik zat met Isabel in net zo'n pizzeria toen ze haar donorcodicil tekende. Zambrotta. Dezelfde tafelkleedjes. Ik had een flashback.'

'Wil je ergens anders heen?'

'Nee, dat hoeft niet. Je moet me alleen niet vertellen dat je orgaandonor wilt worden.'

'Op het moment niet.' Bernice bekijkt de kaart, niet in staat wijs te worden uit het kleine, krullerige schrift. Ze klapt hem dicht en gooit hem op tafel. 'Ik kan hier geen wijs uit worden. Het maakt me ook niet uit. Kies jij maar. Ik vind alles goed.'

Alex kijkt haar medelijdend aan. 'Dit is heel erg. Daarstraks was je helemaal gebrand op etnisch eten en nu vertel je me dat het je niet uitmaakt, dat alles goed is.'

'Het is de drank.' Bernice houdt haar glas op. 'En volgens mij dringt nu pas tot me door wat een honger ik heb.'

'Dan kunnen we beter een grote nemen. Pepersalami? Worst? Extra kaas?'

'Jee. Niemand zal zo gauw jouw hart transplanteren.' Bernice stelt voor te delen, op haar helft neemt ze extra tomatensaus, paprika en champignons. 'En zet er gelijk een paar verplegers bij voor het geval je aderen verstopt raken.'

Een golf van verdriet overspoelt Bernice als ze zich herinnert wat Lotta haar eerder die dag heeft verteld. 'Wist je dit? Over vijf of tien jaar zullen Janets kransslagaderen occluderen en de artsen kunnen er niets aan doen. Vascu en nog iets. Vasculopathie? Dat vertelde Lotta me.'

Zoals Alex haar niet-begrijpend en uitdrukkingsloos aankijkt, zou je denken dat ze hem net op de hoogte heeft gebracht van zijn eigen naderende dood. 'Occluderen, je bedoelt verstopt raken.'

'Sorry. Het is deprimerend.'

'Het zijn Isabels kransslagaders.'

'Ja. Het enige alternatief is een tweede transplantatie, om voor de tweede keer een donorhart te krijgen, maar Janet heeft gezegd dat ze dat niet wil.'

Alex trekt zijn wenkbrauwen op en geeft een scheef knikje met zijn hoofd, als om duidelijk te maken dat Janet minder zelfzuchtig is dan hij dacht.

De serveerster komt hun bestelling opnemen. Als ze wegloopt vraagt Bernice aan Alex: 'Vond je haar knap?'

Alex kijkt haar verbaasd aan, draait zich dan om en kijkt de serveerster na. 'Best wel.'

'Zij niet. Janet.'

'O.' Alex denkt even na. 'Ja. Opvallend. Met dat lange rode haar.'

Bernice had deze positieve bevestiging niet verwacht. 'Ik zou een moord begaan voor dat haar.'

'Wat is er mis met jouw haar?'

'Alles.' Ze wrijft een paar brosse lokken tussen haar wijsvinger en duim.

Alex kijkt haar met een vertederd lachje aan. 'Je bent veel te hard voor jezelf.'

'Vind je?'

'Ja.'

Bernice pakt een soepstengel en legt die over de rand van een kleine kom vol suikerzakjes. Alex legt een tweede soepstengel op de kom, evenwijdig aan de eerste, met een paar centimeter tussenruimte. Bernice plaatst een derde soepstengel dwars over de eerste twee en Alex voegt er een vierde aan toe, waardoor er een raam ontstaat. Ze blijven soepstengels toevoegen, eentje per keer, met toenemende voorzichtigheid en precisie. Het bouwsel dat ontstaat is wankel, maar de zoutkorrels op de soepstengels bieden een zekere grip waardoor ze niet van elkaar af glijden. Het is de onvaste hand van Bernice waardoor de hele pagode in elkaar stort. 'Kut', zegt ze en ze geniet van de openhartige, ongebreidelde krachtterm. Alex raapt de brokstukken bij elkaar en begint opnieuw door de eerste soepstengel weer op de kom te leggen. Naarmate ze vorderen, sporen ze elkaar aan voorzichtig te zijn en vermanen en plagen elkaar als ze het niet zijn. Het plagen verandert in speelse intimidatie, bedoeld om de concentratie van de ander te ondermijnen. Wanneer de soepstengels omlaag tuimelen, gillen ze en slaan hun handen voor hun gezicht. Vaag zijn ze zich ervan bewust dat ze de naburige eters ergeren, maar dat kan ze niet schelen. Misschien is het de spanning van het soepstengel na soepstengel toevoegen aan het wankele bouwsel of omdat blijkt dat het zinloos is om hoger dan vijf verdiepingen te bouwen of het feit dat ze hun derde glas wijn op een lege maag drinken, maar elke ineenstorting is grappiger dan de vorige. Bernice en Alex giechelen en gooien soepstengels omhoog. Het verbaast Bernice dat ze in staat is zich zo dwaas te voelen, zich zo dwaas te gedragen na een dag als vandaag, en ze voelt zich draaierig van opluchting bij de wetenschap dat er een reservekracht in haar zit, en kennelijk ook in Alex, die naar boven komt wanneer hij besluit dat het lichaam genoeg te verduren heeft gehad.

De pizza arriveert net op tijd om de onbelemmerde consumptie van alcohol een halt toe te roepen. Uitgehongerd richten Alex en Bernice zich een poos uitsluitend op het eten, ze scheppen pizzapunten op hun bord en schrokken ze naar binnen. Algauw zakken ze achterover, verzadigd en versuft, hun gesprek teruggebracht tot over en weer toegeven hoe moe ze zijn.

Als de rekening komt, haalt Bernice haar creditkaart tevoorschijn.

Alex probeert te betalen, maar Bernice houdt vol. 'Ik trakteer. Jij mag voor het ontbijt zorgen.'

Buiten is de lucht donker. De talloze lichten, geluiden en bewegingen van de stad – overal stremmen mensen, in voertuigen en te voet, de doorgang op straten en trottoirs – doen Bernice denken aan een reusachtige flipperkast waarin duizenden balletjes zijn losgelaten. Een onmetelijke amusementsmachine. Flarden muziek en stemmen uit de deuropeningen van cafés, volgepakt met twintigers, zelfbewuste, schoongeboende mannen, als boeien dobberend rond opgesmukte vrouwen die hun gebruinde armen en decolleté showen. Bernice krijgt een wee gevoel bij het zien van al die gezonde, jonge vrouwen die oprukken naar het leven, die zich met oprecht genot beschikbaar stellen voor kansen, avonturen en geluk.

'Je zult het niet geloven,' zegt Alex als ze zich manoeuvreren door een drom cafégangers die uit een Ierse pub naar buiten stromen, 'maar weet je waar ik nu bang voor ben? Voor Jasper. Dat we hem tegenkomen. Dit is precies het soort tent waar hij kan opduiken.'

'Daar wil ik niet eens over nadenken', zegt Bernice.

Een blok van dichtgetimmerde winkels, met rommel en glasscherven op het trottoir, haveloze, dakloze mannen hangend in de portieken, het komt langs als een diorama dat opgezet is om de welgestelden eraan te herinneren hoe degenen die het minder getroffen hebben leven. Door alle zwarte gezichten voelt Bernice zich provinciaal, onverschillig voor en beschermd tegen de raciale Sturm und Drang van het land. Terwijl ze met een volle maag naar haar kamer in het Hyatt-hotel slentert, denkt ze aan Janet die lesgeeft aan achtergestelde Mexicaanse jongeren, die zich wijdt aan de strijd voor sociale rechtvaardigheid en sociale gelijkheid, die niet slechts leest over onrecht in *The New York Times*, niet slechts nadenkt over onrecht, maar haar leven in dienst stelt van het met wortel en tak uitroeien ervan.

Is het redelijk om te denken dat zij, Bernice, op een of andere manier, via Isabel, een bijdrage heeft geleverd aan Janets inspanningen? Door het leven te schenken aan Isabel, door haar op te voeden tot inlevingsvermogen en vrijgevigheid?

'Ik heb mijn baan opgezegd', zegt Alex. 'Gisteren. Dat had ik je nog niet verteld.'

Hij is aangeschoten, denkt Bernice. Een tikkeltje zweverig op zijn benen. Zijn lippen worstelen om de woorden bij te houden. 'Je baan bij US Exam?'

'Dat is de enige baan die ik heb.'

'Echt waar? Je hebt echt ontslag genomen?' Ze weet niet zeker of ze blij of bezorgd moet zijn. 'Ik wist niet eens dat je erover dacht om ontslag te nemen.'

'Dat deed ik ook niet. Tot gisteren.'

Hij vertelt dat er een paar weken terug een zending opstellen uit Arkansas is aangekomen, met als onderwerp tragische gebeurtenissen: auto-ongelukken, hartaanvallen, beroertes, kanker, zeldzame ziektes. 'Ik zeg je, het is een bloedbad daarginds. Een bloedbad in elk opstel. Ik kon die kinderen niet objectief beoordelen. Diane had het in de gaten. Ik zie het zo: je vraagt kinderen om hun lijden en pijn over te brengen, en dan straf je ze omdat ze het niet met syntactische flair doen – waar gaat dat in godsnaam over? Ik maak nog liever caffè lattes.'

'Je hebt meer in je mars dan lattes maken.'

'Lattes moeten ook worden gemaakt.'

'Nou ja, hoe dan ook, zo te horen heb je terecht ontslag genomen. Ik heb dat werk nooit goed gevonden voor je. Het heeft niets te maken met jouw vakgebied, met jouw interesses. En je zat de hele dag binnen. Je zou meer buiten moeten zijn. Dat is toch belangrijk voor je, of niet?'

'Misschien kan ik afval langs de snelweg gaan opruimen.'

'Doe niet zo belachelijk. Je bent hoogopgeleid en hebt heel veel ervaring. Je vindt vast wel een goede baan.'

'Daar is niet veel kans op in Athens. Twee grote werkgevers, de universiteit en het ziekenhuis,en een handjevol kleine ondernemingen, waarvan ik er net eentje de wacht heb aangezegd. Je moet al gepromoveerd of arts zijn, anders word je overal elders niet veel meer dan ondersteunend personeel.'

'Tja...zeker. Dat kan ik niet ontkennen. Het heeft jaren geduurd voordat ik mijn baan vond. Aan de andere kant is het dus wel mogelijk.'

Zwijgend lopen ze verder. Alex heeft zijn handen in zijn zakken gestopt en op zijn gezicht verschijnt afwisselend een norse uitdrukking en een grijns, om een persoonlijke waarheid die hem in zijn beneveling wordt geopenbaard. Op de kruising van Ontario en Michigan Avenue blijft hij staan en kijkt in noordelijke richting naar de gebouwen die naar de hemel reiken, schimmige pilaren omhuld met een vlies van licht.

'Denk je eens in,' zegt hij met een raadselachtige luchtigheid, 'als je hier zou wonen, zou je elke keer als je dit wilt zien, gewoon hiernaartoe kunnen komen en ernaar kijken.'

Bernice wordt onpasselijk van angst. Ze geeuwt en keert het uitzicht haar rug toe. 'Morgen staat ons heel wat te wachten.'

'Misschien kunnen we 's ochtends na het ontbijt naar het meer lopen.'

'Als je wilt.'

'Ik hou van het meer. Het is onwaarschijnlijk, hè? Onmeerlijk. Vlak aan de rand van de stad. Als een vloed die van nergens kwam opzetten en nooit meer is gekeerd.'

'Ja,' zegt Bernice, 'maar het is de oceaan niet.'

'Dat zijn veel watermassa's niet.'

'Dat is diepzinnig.'

'Dank je.'

Als ze de Michigan Avenue Bridge oversteken, pakt Bernice Alex' arm. Hij vraagt of ze zich goed voelt en ze antwoordt dat ze licht in haar hoofd is. Ze zegt niet dat haar maag aanvoelt als een gebalde vuist en dat haar gedachten in paniek cirkelen rond Isabel, Todd en Clancy en alle anderen die haar hebben verlaten.

Als ze in het hotel in de lift naar boven staan, slaat Alex zijn arm om haar heen en drukt haar even liefhebbend en vragend tegen zich aan, alsof hij vreest dat hij verantwoordelijk is voor haar somberheid. Bij de deur naar hun kamer doet de sleutelkaart het niet. Bernice steekt hem er drie keer in, haalt hem eruit en drukt zonder succes de klink omlaag. Uiteindelijk schraapt ze, in een parodie van haar onbeholpenheid, verslagen met de kaart langs de deur.

Bij de eerste poging krijgt Alex de deur open.

'Hoe deed je dat?' vraagt Bernice, perplex en geïrriteerd. Zijn slagen, tegenover haar falen, het voelt cruciaal om het te begrijpen ook al gaat het nergens over. 'Ik deed precies hetzelfde als jij.'

'Het zit 'm in de polsbeweging.'

'Nee, serieus, hoe deed je dat?'

'Relax.'

Ze laten zich met dramatisch gekreun en uitroepen van moeheid op hun respectieve bedden vallen.

'Wat een eindeloze, dodelijk vermoeiende dag', zegt Bernice.

'Het was jouw idee', zegt Alex goedgehumeurd. 'Om hiernaartoe te gaan.'

'Hoe haalde ik het in mijn hoofd?'

Bernice staart omhoog naar het plafond en vraagt zich af wat de ruimte vult, wat er is dat ze niet kan zien of bevatten. Atomen? Moleculen? Straling? Wat nog meer? In de tijd dat ze nog naar de kerk ging, citeerde de dominee vaak Jezus: 'Waar twee of drie vergaderd zijn in mijn Naam, daar ben Ik in hun midden.' Geldt dat ook voor de geliefde doden? 'Denk je dat ze hier is?' vraagt ze aan Alex. 'Denk je dat ze bij ons is?'

Alex antwoordt loom, alsof ze hem uit het begin van zijn slaap heeft gehaald. 'Ik weet het niet. Ik zou het echt niet kunnen zeggen.'

Bernice kijkt naar hem en ziet hem in dezelfde houding liggen als zijzelf: plat op zijn rug, armen en benen uitgespreid als een zeester, omhoog starend naar het plafond.

Ze trekt haar knieën op en masseert haar enkels. 'Het is geen wetenschappelijke vraag. Je hoeft de mysteriën van het universum niet op te lossen of zo. Je hoeft alleen maar te zeggen wat je voelt.'

'Ik weet niet wat ik voel. Ik dacht niet aan haar, maar nu ik dat wel doe, wil dat niet zeggen dat ze in de lucht boven mijn hoofd rond zweeft. Het is een wetenschappelijke vraag, daar kun je niet omheen. Bestaat ze alleen in ons hoofd, ons geheugen, in onze gedachten en neurale netwerk, of heeft ze een tastbaar, fysiek bestaan daar in de ruimte? Buiten onze geest om?'

'In dit geval heeft ze beslist een tastbaar, fysiek bestaan daar in de ruimte.'

'Het hart is een spier. Het is discutabel of je dat "bestaan" kunt noemen. Zoals een mens in zijn geheel bestaat.'

'Voelde je haar aanwezigheid in Janets kamer?'

'Eerlijk gezegd had ik daar moeite mee.'

Bernice laat een respectvolle stilte vallen. 'Misschien moet je het meer tijd geven. De omstandigheden waren niet bepaald ideaal.'

'Wanneer zijn de omstandigheden wel ideaal? Morgen?'

'Ik zeg alleen dat je misschien wat meer tijd met haar moet doorbrengen, alleen met haar, dan klikt het misschien tussen jullie. We zijn in aanwezigheid van iets ongelofelijks. Het is ongelofelijk om het leven van iemand anders gered te hebben. Het is een verbazingwekkende prestatie.'

'Isabel was zelf haar eigen verbazingwekkende prestatie. Niet Janet.'

'Dat weet ik wel. Maar wat er met Janet is gebeurd...dat is echt bijzonder. En je moet toegeven dat er een hoop visie, inlevingsvermogen en vooruitziendheid voor nodig was.'

Alex zucht ongeduldig. 'Soms praat je of de donatie het allerhoogste kunststuk van Isabels leven was. Haar levenswerk. Dat was het niet. De donatie was haar doodswerk. Haar levenswerk was zijzelf. Je moet haar niet tekortdoen.'

Suggereert Alex nu dat ze haar eigen dochter niet op waarde schat? 'Dat begrijp ik', zegt ze. 'Het lijkt me duidelijk dat het niet haar hoofddoel was om haar leven op te offeren voor een vreemde. Het punt is dat al haar andere projecten weg zijn. Dit is haar enige werk dat is overgebleven.' *En ook dit, Alex en ik, deze vriendschap.* 'Dus is het van belang voor mij.'

Alex reageert niet.

'Denk je dat Isabel haar zou mogen?' vraagt Bernice.

'Janet? Dat weet ik niet. Zeker. Misschien.' Hij gaapt hevig. 'Is het nog steeds dezelfde dag als die vanochtend begonnen is?'

Bernice gaat slordig te werk in de badkamer, snel en werktuiglijk poetst ze haar tanden, spat wat water in haar gezicht. Ze trekt nachtkledij aan, een T-shirt en boxershort. Als ze de badkamer uit komt, ziet ze dat Alex onder zeil is en op zijn buik onder een laken ligt, de dekens zijn naar het voeteneinde getrapt en zijn spijkerbroek, T-shirt en sandalen slingeren op de vloer. Zijn blote armen heeft hij boven zijn hoofd gegooid en omcirkelen zijn haar op het kussen. Weer denkt ze aan haar zoon, Clancy. Ze vraagt zich af waar hij nu slaapt en met wie. Een triestheid vermengd met doem hoopt zich op achter haar borstbeen, waardoor de scheiding van haar zoon aanvoelt als iets waarmee ze onmogelijk kan leven, ook al doet ze het wel.

Het Wrigley Building gloeit als de maan tegen de achtergrond van een firmament van lichtjes. De massieve romp van de Tribune Tower gaat bij zijn zwak verlichte top geleidelijk over in een skeletachtige constructie van zuilenrijen, pinakels en traceerwerk, een blootgelegde gotische kern: de structuur werpt materie en oppervlakte van zich af naarmate hij dichter bij de hemel komt en uitloopt in een spits die nooit verschijnt.

Bernice doet het gordijn dicht en glijdt het bed in. Ze gaat tegen een kussen aan zitten en trekt het laken over haar maag omhoog. Het donkere tv-toestel kijkt haar terug aan. Kon ze het maar aanzetten en Isabels elektrocardiogram op het scherm zien. In slaap vallen bij het schijnsel van die groene golfjes.

Ze pakt de afstandsbediening en zet de tv aan. Wanneer ze zeker is dat hij licht geeft, knipt ze de lamp op de nachttafel uit. Ze zapt langs de zenders, het geluid gedempt tot gemurmel. Ze had gehoopt dat babbelende mensen haar onrust zouden kalmeren, maar de opzichtige kleuren en de geesteloos opdringerige gezichten doen eerder afbreuk aan de gebeurtenissen van die dag dan dat ze ervan afleiden.

Alex' ademhaling is hortend en onregelmatig, bijna snurkend. Zijn gezicht is zo diep in het kussen gedrukt dat het een wonder is dat hij überhaupt lucht krijgt.

Bernice zet de tv uit, gaat plat liggen en sluit haar ogen. Het is niet gemakkelijk om alleen gelaten te worden met haar gedachten, die achterwaarts over de dag gaan maar die uiteindelijk uitkomen op het gesprek dat ze zojuist met Alex had. *Je moet haar niet tekortdoen.* De beschuldiging steekt haar. Heeft ze Janet inderdaad overladen met aandacht, te veel aandacht en lof geschonken aan het succes van Isabels donatie, terwijl ze andere, eerdere successen, waaronder op de eerste plaats Isabels succes in gewoon zichzelf zijn, heeft gekleineerd? Maar Janets herstel en welzijn waren zo aantrekkelijk, zo onweerstaanbaar als de volmaakte weerlegging van Isabels ondergang. De volmaakte bescherming ertegen. Vanaf Janets eerste kaart, vanaf Lotta's eerste e-mail, opende zich een kanaal naar een stralend parallel universum, waarvan de bewoners geloofden dat er een wonder was gebeurd, dat de vreselijke tragedie was afgewend. En wie was de Messias van dat stralende parallelle universum? Aan wie hadden de Corcorans hun redding te danken?

Aan Isabel.

Bernice koesterde zich in de glorie. Een beetje. In de aandacht. De ophef.

De rol van trotse moeder is uit de hand gelopen.

Isabels gezicht verschijnt, Isabels stem smeekt om aandacht en liefde.

Het spijt me, zegt Bernice tegen haar. Vergeef me.

De stilte voelt onmetelijk. Bernice zou er graag in oplossen en besluit dit voor een levende zo dicht mogelijk te benaderen. Door te slapen. Ze woelt en draait in bed, rolt zich op in foetushouding, rekt zich uit als een plank, gooit de lakens van zich af, trekt ze omhoog, bij elke nieuwe strategie vastberaden haar geest uit te schakelen. Maar er is een kanaal opengezet naar een waterval van beelden van en herinneringen aan Isabel, waarover geen ophef hoeft te worden gemaakt, die voor zichzelf spreken en zeggen: Dit is wie ik was.

Bernice denkt aan Alex, die in het donker op een meter afstand ligt, aan zijn slapende, ademende lichaam onder de lakens. Ze hoeft dat lichaam alleen maar aan te raken, met een deel ervan contact te maken en ze zou genoeg aan haar hoofd hebben om de rest uit te drijven. De remming is krachtig en vaag vreest ze de gevolgen, maar het is donker en ze bevindt zich in een onbekende stad, hoog in de kamer van een hotel dat ongevoelig is voor de activiteiten van zijn gasten, het is een afgeschermde, tolerante ruimte, waarin oproepen tot fatsoen amper doordringen.

Het is alsof ze een zwaar gewicht moet bankdrukken om haar lichaam op te heffen en de ruimte tussen de bedden te doorkruisen, maar het lukt haar, haar hart bonst en in haar spieren flikkert elektrische spanning. Ze gaat op de rand van Alex' bed zitten en legt haar hand op wat zijn rug blijkt te zijn. En wacht.

Hij draait zich om. Pakt haar onderarm bij de pols, alsof hij wil vaststellen dat zij het is. 'Alles goed?'

'Mag ik hier slapen?'

Hij aarzelt even en in het donker kan Bernice de verbazing als warmte van hem voelen afslaan. Zonder een woord te zeggen schuift hij op om ruimte te maken. Hij licht het laken op om haar binnen te laten. Bernice voegt haar benen en heupen in de nauwe koker en vindt meteen een van zijn voeten met een van haarzelf. Vandaar komen ze samen als een rits: ze drukt zich tegen hem aan, slaat haar armen om zijn bovenlijf en haar gezicht komt onder tegen zijn keel aan, tegen zachte huid verwarmd door slaap, die ze vanzelfsprekend, als in een reflex kust – welke mond zou dat niet doen wanneer hem een hals wordt aangeboden? De stoppels op zijn kin krassen over haar voorhoofd. Zijn vingers op haar achterhoofd gaan omlaag in haar haar. 'Het is goed', zegt hij. 'Alles komt goed.' Het mag dan wel geen uitnodiging zijn voor een gesprek, toch heft Bernice haar hoofd op en kijkt in zijn gezicht, dat het donker vult als een monument. Zijn ogen gaan dicht en zijn lippen bewegen onzeker, vaag zijn bedoeling aangevend. Ze ontvangt de kus nederig, maar zijn lippen zijn teder en beweeglijk en het duurt niet lang of ze proeft voorzichtig van de cirkel van zijn mond. Hun handen bewegen, raken wangen en een rug aan en, als ze zich heel even van elkaar terugtrekken, haar borstkas, een aarzelend strijken van zijn hand langs haar borst, wat haar bang maakt en aanzet tot een nieuwe vergrendeling van monden. Zijn been wordt over het hare gehaakt, met zijn hiel tegen haar kuit. Ze voelt zich zalig ontvlambaar. Ze zou deze man kunnen verteren, over hem heen razen als een bosbrand. Maar er is een grens waar ze niet overheen kan.

Je hebt met mijn man geneukt.

Hij kust haar hals, licht zuigende aanrakingen, elke kus als de druk op een verborgen knop die haar weerstand verzwakt.

Mam, wat doe je? Hou op.

'Alex', zegt Bernice. 'Laten we gewoon gaan slapen.'

Zijn hand gaat onder haar T-shirt en omvat een borst. Zijn wijs- en middelvinger knijpen zacht in haar tepel. Ze streelt zijn blote borst, zijn buik, haar pink strijkt langs ruw krulhaar. Ze kust hem welbewuster en laat haar handen over zijn huid dwalen op zoek naar warmte en vorm, als ze door een onverwachte, ongewenste opwelling van emotie in tranen uitbarst. Alex is verrast, en bezorgd drukt hij zijn handen tegen haar wangen, alsof hij zich ervan wil vergewissen dat het broze vat van haar hoofd niet zal overlopen of verbrijzelen. Hij houdt haar stevig vast, kust haar voorhoofd en zegt dat het goed is, goed, rustig maar, tot ze leeg gehuild tegen zijn lichaam aan spoelt.

'Ik denk niet dat ze dit zou begrijpen', zegt Bernice.

Alex ademt onregelmatig en brengt zichzelf tot rust. 'Zij is ons niet.'

'Daar boft ze mee. In zekere zin.'

Alex wringt zijn arm om haar heen en houdt haar tegen zich aan. Ze legt haar hoofd in de ondiepe holte van zijn schouder en haar arm over zijn borst. Ze sluit haar ogen en ademt diep in door haar neus. Ze houdt van de geur van Alex' huid. Had ze maar altijd iemand om zo naast te liggen.

'Vind je me treurig en verloren?' vraagt ze.

'Waarom zou ik dat vinden?'

'Omdat ik hier zo lig. Bij jou.'
'Ik lig hier bij jóú', zegt Alex, lichtelijk verbolgen.
'Zijn we dan samen treurig en verloren?'
Alex denkt er even over na.
'Alleen maar treurig', zegt hij.

Eenendertig

Janet zwaait haar benen over de rand van het bed en steekt haar voeten in een paar donzige, blauwe pantoffels. Ze tast de vloer af met haar voeten, test hem, alsof de vloer en niet zijzelf de kans loopt fragiel en wankel te zijn. Uiteindelijk grijpt ze de arm van de verpleegkundige en staat op, even wiebelt ze voordat ze haar evenwicht vindt.

Dit is de eerste keer dat Alex Janet uit bed meemaakt en rechtop ziet staan. Hij kijkt naar haar in het heldere zonlicht dat door het raam binnenvalt. Haar lengte en omvang verrassen hem. Ze is bijna een kop groter dan hij, potig en breed in schouders en heupen. Door de wrijving van het uit bed glijden is haar ziekenhuishemd van achteren omhoog gekropen. Janets verpleegkundige, een even grote, blonde vrouw die Zoë heet, trekt het omlaag en help haar in een blauwe, lichtgewicht badjas. Janet doet een paar aarzelende stappen. Zeker van haar evenwicht zegt ze tegen Alex: 'Let's boogie.'

Janet moet twee therapeutische wandelingen per dag maken, en ook al gaat ze vanmiddag naar huis – haar artsen hebben haar die morgen vroeg overvallen met het nieuws – ze is vastbesloten zich aan het regime te houden. Alex heeft ingestemd met haar te gaan wandelen. Janet heeft zowel hem als Bernice gevraagd, maar Bernice heeft bedankt, Alex met een veelzeggende blik opperend dat dit een goede kans was voor hem.

Hij loopt achter Janet aan de kamer uit en samen gaan ze de gang in. Haar stappen zijn ferm. Haar evenwicht is stabiel. Voor zover Alex kan zien, hoeft er niet echt iemand met haar mee te lopen. Afgezien van de badjas en dunne ziekenhuisbroek zou ze een gewone burger kunnen zijn. Onhandig loopt hij naast haar, met zijn handen, bij gebrek aan beter, in zijn zakken. Janet blijft bij de verpleegkundigenpost staan, waar ze wordt begroet met: 'Dus je gaat vandaag naar huis, hè, superstar?' en 'Wie is je vriend?' Janet stelt Alex voor aan verscheidene verpleegkundigen, een chirurg in opleiding en de receptionist van de afdeling, die haar allemaal al lang kennen. De reacties zijn bewonderend. Alex krijgt de indruk dat ze niet vaak familie van de donors zien.

Hoe verder ze komen, hoe beter Alex ziet waarom hij is meegevraagd. Hoewel Janet goed loopt, loopt ze langzaam, weloverwogen, met nauwelijks merkbare onvastheid, alsof ze aan langlaufski's moet wennen.

Ze komen een oudere man tegen, die zwoegt achter zijn infuusstandaard, zijn sporadische passen onderbroken door lange pauzes, waarin hij naar de vloerbedekking staart en zijn volgende voetstap beraamt. Zijn verpleegkundige buigt zich dicht naar zijn haarloze hoofd toe, zich inspannend om zijn gesmoorde gemompel te verstaan. Als Janet langskomt, kijkt hij toevallig op met een niet-begrijpende blik.

'Hoi, Octave', zegt Janet, die oplet dat ze niet te veel adem uitblaast.

Octave gaat helemaal niets uitblazen. Hij buigt zijn hoofd en opent zijn mond alsof hij er iets uit wil laten vallen. Uit zijn keel komt een scharnierachtig gepiep waarover Alex liever niet wil nadenken.

Wanneer Octave buiten gehoorsafstand is, vraagt Alex: 'Wat had die man?'

'Hij moet een nieuw hart hebben', zegt Janet.

Ze verlaten Medische Cardiologie en slaan de hoofdgang in, waar veel ziekenhuispersoneel rondloopt. Alex en Janet blijven dicht bij de muur aan de rechterkant, met Janet aan de binnenkant en Alex aan haar zij. Janets hart bonst onder de plooien van haar hemd, onder de lagen van huid en spieren, de kamers trekken gehoorzaam samen en spannen zich in om aan de noodzakelijke bewegingen van haar benen te beantwoorden. In zijn hoofd registreert hij de groeiende afstand tot Medische Cardiologie en het bijbehorende personeel. Stel dat er iets gebeurt met Janet hier in deze uithoek, midden op zee, terwijl hij dienst heeft? Stel dat haar hart te hard werkt en knapt als een waterballon? Alex buigt zijn hoofd onopvallend naar Janets lichaam toe en luistert of hij in haar ademhaling tekenen van overbelasting hoort, kijkt naar haar gezicht om te zien of ze rood aanloopt, terwijl hij een oogje houdt op de gang voor hen, op zoek naar obstakels, hobbels in de vloerbedekking, deuren die in Janets gezicht kunnen zwaaien, personeel dat op botsingen uit is met karretjes of machines. Zijn ooghoek reserveert hij voor Janets voeten, om er zeker van te zijn dat ze gescheiden van en evenwijdig aan elkaar blijven. Nu ze onder zijn hoede is, en hij zijn bewegingen op de hare moet afstemmen, even grote stappen moet nemen en bang moet zijn dat ze valt, dwingt het hem om deels te huizen in haar beschadigde lichaam, waarvan de broosheid ook voor haar vreemd moet aanvoelen. Hij heeft niet het idee dat hij Janet mee uit wandelen neemt. Het voelt of hij en Janet met een derde persoon wandelen.

'Is dit tempo goed?' vraagt Alex. 'Ik wil niet dat je te hard van stapel loopt.'

'Ik had langzamer moeten beginnen', geeft Janet toe, en de woorden komen er tegelijk met haar uitademing uit. 'Het hart heeft een paar minuten nodig om erachter te komen wat ik van plan ben.'

'Erachter te komen...'

'Het is gedenerveerd. Weet je nog?'

'O ja.' Een lading hoop, waarvan Alex amper had beseft dat hij die meedroeg, zakt in zijn maag omlaag. Waarom is het zo moeilijk eraan herinnerd te worden dat Isabels hart niet zo nauw als mogelijk met Janet verbonden is? Omdat hij dan minder kans heeft het te bereiken. Er invloed op te hebben.

Ze komen langs het atrium met zijn hoge, met spiegels beklede wanden, een bron van reflecties, brekingen en indirecte gezichtslijnen. Janet stelt voor naar het dakterras te gaan. Kennelijk heb je vandaar een uitzicht. Ze staan alleen in de lift. Terwijl ze omhooggaan en hij tegenover Janet staat, is Alex bang dat ze op de een of andere manier, enkel door hem aan te kijken, zal zien wat zich gisteravond met Bernice heeft voorgedaan. Het is paranoia natuurlijk. Nog gekker, Alex is bang dat Isabels hart het ook zal weten.

Op de elfde verdieping stappen ze uit op een galerij, gemeubileerd met banken, leunstoelen en lampen. Alex houdt de deur naar het dakterras voor Janet open. De zon brandt op het beton. Er staat maar weinig meubilair, wat duidt op schaars gebruik: wat her en der verspreide tuinstoelen, een terrastafeltje met ranke pootjes, een schuin hangende parasol. Een vrouw in groene operatiekleding sluimert in een stoel die in een plak schaduw staat.

Janet loopt naar de balustrade, grijpt die met beide handen, zet haar armen vast en verplaatst haar lichaam naar voren als een turnster. Er trilt iets in Alex' borst: stel dat ze over de balustrade kiepert en naar beneden stort? Hij tuurt steil omlaag. Recht onder hen, elf verdiepingen onder hen, is een betonnen binnenplaats, ingericht met banken en planten. Hij wil Janet bij haar arm pakken, maar weerhoudt zich. Hij is opgelucht wanneer ze haar voeten weer op de grond zet.

'Het is geweldig om die kamer uit te zijn', zegt ze. 'Ik ben het liggen zo zat.'

'Je zult wel blij zijn dat je naar huis mag.'

'Absoluut. Een transplantatie is geweldig, maar de keerzijde is dat je veel te veel tijd in zo'n oord als dit moet doorbrengen. Het is eigenlijk geen normaal leven. Het een raar leven. Maar ik ga ervoor.'

Janet maakt haar badjas los en houdt hem wijd open als een stel vleugels, zacht wappert ze met de stof om een briesje op te vangen. Alex kijkt uit over de stad, de daken, schoorstenen en antennes, de

343

gekartelde heuvels die onregelmatig oplopen naar de opeengepakte bergtoppen van de binnenstad. 'Isabel had een hekel aan het ziekenhuis', zegt hij. 'Ze zat bij de universiteitsverzekering, dus moest ze naar het ziekenhuis – een enorm medisch centrum – voor de meeste controles. Ze was zwaar hypochondrisch, wat raar is voor iemand met zo'n goede conditie. Of misschien is het niet raar. Dan zat ze in een kamertje op de dokter te wachten en ook al was het maar voor een medische keuring, dan nog was ze ongerust dat ze iets ernstigs mankeerde, omdat zoveel mensen in het ziekenhuis echt iets ernstigs mankeren, weet je wel? Dus waarom zij niet? Dan vond ze een plekje dat ongewoon aanvoelde – dat vind je altijd wel, als je goed zoekt – en dan bleef ze erin porren en prikken en zich opfokken en het plekje ging pijn doen van al het gepor en geprik, en tegen de tijd dat de dokter kwam had ze zichzelf ervan overtuigd dat het een kwaadaardige tumor was.'

Janet kijkt alsof ze zou moeten lachen als het niet zo vreselijk ironisch was. 'David heeft het ook niet op ziekenhuizen. Maar hij richt het naar buiten. Hij wordt argwanend en ongeduldig. Hij is kil tegen zieke mensen. Volgens mij is hij bang dat ze achter hem aan zullen komen als een stel zombies. En zijn leven zullen verwoesten. Wat een ziek iemand kan doen, als je met haar getrouwd bent.'

'Verwijt hij je dat je zijn leven hebt verwoest?'

'Niet openlijk. Maar ik neem aan dat het zo is. Het is niet makkelijk om met iemand te leven die chronisch ziek is. Ik verwachtte van hem dat hij het aankon. Misschien verwachtte ik te veel.'

Alex kijkt naar het meer in de verte, dat als een lichtblauwe mist in de openingen tussen de wolkenkrabbers hangt. 'Ik zou er alles voor geven om Isabel met een chronische ziekte terug te hebben. Rondlopend zoals jij nu? Tegen mij pratend? Een zwaar leven lijkt me geen hoge prijs om te betalen.'

Janet knikt, ze begrijpt wat hij bedoelt. Haar mond trekt omlaag in een sombere grimas.

Alex kijkt nauwlettender naar het meer en probeert uit te maken waar Bernice en hij eerder die ochtend waren. Nadat hij alleen in zijn bed wakker was geworden – Bernice was 's nachts teruggegaan naar het hare – glipte hij de badkamer in om te douchen en zich aan te kleden, en toen hij eruit kwam deed Bernice hetzelfde. Het gebeurde allemaal woordeloos, met minimaal oogcontact, in een wederzijds gechoreografeerde dans van vermijding. Zo gauw ze konden, verlieten ze de hotelkamer. De verkeersstroom op Lake Shore Drive deed Alex denken aan bloedcellen die door een ader vloeien, voortgedreven door een massale hartkamer die ergens onder de huid van de stad samentrok. Op het hoofdpad rond het meer waren wandelaars, hardlopers, fietsers, rolschaatsers, baby's in een wandelwagentje en honden. Alex en Bernice volgden de oever naar het zuiden. Zorgvuldig meden ze een gesprek over wat hen allebei bezighield. Boven hen uit torenden de wolkenkrabbers als wachtposten die hun zondagse utopie bewaken: volleyballers met roodkoperen rug opspringend op het strand, zwemmers die parallel aan de oever baantjes trokken, zeilboten als motten neergestreken tegen de achtergrond van de vlakke, saaie horizon.

Vanaf zijn positie op het dak van het ziekenhuis probeert Alex te ontwaren waar hij en Bernice hebben gelopen ten opzichte van de gebouwen aan het meer. Het lukt hem niet. Hij kent de stad niet goed genoeg. Zijn blik wordt naar een smalle, achthoekige toren getrokken, die uit een breder gebouw oprijst als een raket ingebed op een lanceerplatform. De buitenzijde van het gebouw is complex en overdadig gebeeldhouwd. Het doet hem denken aan een kathedraal, zegt hij tegen Janet.

'Dat is Seventy-five East Whacker', vertelt Janet. 'Je hebt gelijk, bovenaan zitten fraaie gotisch elementen. Ik vind die lagen mooi en de steunberen onder aan de toren.'

'Tjonge. Jij beschikt wel over het vocabulaire.'

Janet haalt afwijzend haar schouders op. 'Ik ben niet zo van de architectuur. Ik hou er wel van, maar ik weet er niet veel van. Als je in Chicago woont, moet je wel het een en ander oppikken. Seventy-five East Whacker is een van mijn favoriete gebouwen. Vroeger kwam ik er vaak. Davids kantoor is daar vlak om de hoek.'

De uitdrukking op Janets gezicht is bars en stoïcijns. Alex wordt steeds nieuwsgieriger naar haar gevoelens voor die man, wiens woorden en daden de macht hebben om, hoe indirect ook, invloed op Isabels hart uit te oefenen.

'David is dus advocaat?' vraagt hij.

Janet knikt. Ze is met haar handen achter haar hoofd bezig haar haar bijeen te vergaren. Ze klemt het vast met een speld. 'Wetgeving op het gebied van informatietechnologie. Internethandel. Negen van de tien keer verdedigt hij iemand die wordt beschuldigd van het aanbieden of verspreiden van iets wat hij niet mocht aanbieden of verspreiden. Auteursrechten en zo. Hij is er goed in. Het is veeleisend werk. Hij is er gek op.'

Alex' stemming en gevoel voor eigenwaarde zakken even in. Hoe lang is het geleden dat hij werk had waar hij gek op was of dat hij zelfs maar leuk vond? Hoe lang is het geleden dat hij de stimulans voelde van een uitdaging, van opgaan in een opgave die paste bij zijn talenten en interesses?

'Hoe lang zijn jullie al getrouwd?' vraagt hij.

Janet tuurt door haar wimpers naar de lucht. 'Twaalf jaar. Hoe lang zijn Isabel en jij samen geweest?'

'Zes jaar,' antwoordt Alex, 'waarvan drie getrouwd.'

Janets gezicht vertrekt meelevend. 'Voor jou moet het erger zijn. David en ik, tussen ons barst het onder de druk van een moeilijke periode. Maar jullie twee...Isabel was...'

'Geveld op het hoogtepunt van onze huwelijksvreugde?'

'Het spijt me zo.'

Alex maakt eruit op dat ze wil erkennen dat hij van hen twee aan het kortste eind heeft getrokken en dat ze zich bewust is van de bijzondere aard van zijn pijn. Toch voelt het alsof ze hem iets inpepert. Hij zegt: 'Het moet moeilijk zijn wanneer je huwelijk ten onder gaat.'

Janet kijkt hem afwerend aan. 'Dat is het ook. In elk geval heb jij de troost dat je weet dat jou geen blaam treft voor Isabels dood. Het is niet zo dat ze op een ochtend wakker werd en tegen zichzelf zei: ik heb genoeg van Alex. Ik kan hem niet meer uitstaan. Ik kan er niet meer tegen dat ik met hem getrouwd ben. Wat David vermoedelijk dacht toen hij op een ochtend wakker werd. Daar zal ik mee moeten leven. Met het raadsel van waarom.'

'Is waarom een raadsel?'

Janets lach is scherp. 'Wat bedoel je? Heb jij het antwoord?'

'Je zei zelf dat je zijn leven hebt verwoest. Dat het niet makkelijk is om te leven met iemand die chronisch ziek is.'

'Ik heb ook gezegd dat ik verwachtte dat hij het aankon.'

'Dus dat is het raadsel? Waarom hij het niet aankon? Of hij het wel voor iemand anders had aangekund?'

'Bedankt dat je het zo bondig verwoordt. Had je iemand in gedachten?'

'Sorry, ik weet niet waarom ik dat zei.'

'Ik snap waar je op doelt. Isabel zou de inspanning waard zijn geweest. Je zei dat je er alles voor zou geven als ze maar leefde, al was het met een chronische ziekte. Is dat de suggestie? Dat David het volgehouden zou hebben als ik haar was geweest? Als ik haar gelijke was geweest?'

Alex wilde helemaal niet zoiets suggereren en kan zich niet voorstellen waarom Janet het zo heeft uitgelegd. 'Hoe kan ik daar op antwoorden? Ik heb David nooit ontmoet.'

'Jij zou het volgehouden hebben voor Isabel. Als ze chronisch ziek was geweest.'

'Natuurlijk.'

'Wees daar maar niet zo zeker van', zegt Janet scherp, alsof ze een kind om zijn overmoed berispt. 'Dat kun je niet weten. Je moet niet zo gauw denken dat je beter bent. Je hebt geen idee wat David heeft doorgemaakt. Het was heel wat meer dan met me mee naar het dakterras wandelen.'

Het is gênant voor Janet hoe langzaam ze vooruitkomt, hoe moe ze is van haar korte, weinig eisende wandeling naar het dak. Alex, die zich met recht zou kunnen ergeren aan haar, is geduldig en hoffelijk, en wanneer ze bijna struikelt over een metalen strip in een drempel grijpt hij haar bovenarm en houdt haar overeind. Vanaf daar loopt hij dicht bij haar, zijn arm aan haar kant deels geheven, met zijn hand open, op zijn hoede, aandachtig, klaar om haar weer te hulp te schieten.

'Ik zou hier gewend aan kunnen raken', zegt Janet. 'Heb je ooit persoonlijk assistent willen worden?'

'Betaalt dat goed?' vraagt Alex.

'Waarschijnlijk zou mijn moeder zich gepasseerd voelen als ik jou in dienst nam. Dit is haar taak. En ze gaat er prat op. Ze geniet van de glamour. De glamour en het drama.'

'Ik weet wel dat ik me op dit moment behoorlijk glamoureus voel.'

Janet lacht, maar terwijl haar ogen de gang voor hen verkennen, keert ze de lach als een soort hik om en slikt hem in. Even vraagt ze zich af of ze een geestverschijning heeft gezien, of ze een door stress opgewekte hallucinatie heeft. Maar het is daadwerkelijk David die bij de ingang naar Medische Cardiologie op en neer beent, met zijn armen langs zijn lichaam en zijn handen, wapperend als kleine vinnen, trommelend op zijn bovenbenen. Hij fluit binnensmonds, zijn zenuwachtige fluitje. Carly en Sam cirkelen stralend om hem heen, ze bestoken hun mysterieus afwezige vader met vragen en opmerkingen. De aanblik van David, het feit van zijn aanwezigheid hier, bezorgt Janet een onderhuidse opwinding, een sprankje hoop, alsof hij gekomen kan zijn om zich te verontschuldigen en het goed te maken, alsof hij op wonderbaarlijke wijze getransformeerd is in een vroegere, lievere, meer betrokken versie van zichzelf. Hij draagt zijn Teva-sandalen en een oude, verschoten korte kakibroek die ze waarschijnlijk wel vijftig keer heeft gevouwen. Het gele Angel Eco Tours T-shirt van de keer dat ze, voordat ze getrouwd waren, naar Venezuela zijn geweest. Ze herinnert zich de natte, groen glanzende heuvels, kartelige zwarte toppen, watervallen die uit de hemel omlaag leken te komen.

'Krijg nou wat', zegt Janet tegen Alex. 'Nou zul je mijn man ontmoeten.'

Janets verbazing, of gewoon verlies van evenwicht, maakt dat ze naar één kant helt, en hoewel ze zich onmiddellijk herstelt, schiet de hand van Alex toe om haar arm te pakken. 'Is dat David?'

'Dat is David.'

David ziet hen naderbij komen, hij recht zijn rug en staart. Hij glimlacht vriendelijk tegen Janet. 'Hoi. Hoe gaat het?'

Uit de strakheid en exclusiviteit van zijn blik maakt Janet op dat hij zijn best doet om niet naar Alex te kijken, om hem geen blik waardig te keuren. Hoe kan David weten wie Alex is?

Janet vraagt: 'Zijn jullie op mijn kamer geweest? Heb je mama gesproken? Heb je Bernice ontmoet?'

David knikt vermoeid. 'Ze zeiden dat je een wandeling maakte. Ik stond hier op je te wachten en kwam je vader tegen toen hij met de kinderen terugkwam van de speeltuin. Hij is naar je kamer.'

Janet voelt zich triest voor zichzelf, maar ook om hem hier alleen te zien staan, vervreemd van zijn gezin. Waar kan hij op terugvallen? Op wie kan hij steunen?

Carly werpt zich liefdevol, hard als een vleugelverdediger, tegen Janets dij.

Janet zegt tegen David: 'Nou, je boft. Je hebt me eindelijk gevonden. Als je iets later was gekomen, zou ik thuis zijn geweest.'

Zijn ogen gaan over haar heen. 'Je ziet er goed uit. Op de been.'

'David, dit is Alex', zegt Janet. 'De man van Isabel. Weet je nog?'

'Natuurlijk. Aangenaam.' Davids toon is beleefd maar ingehouden. Hij schudt Alex de hand. 'Het spijt me van je gemis.'

Alex neemt de condoleance met een nauwelijks merkbaar knikje in ontvangst. Janet geeft David een ogenblik om meer te zeggen, en wanneer hij dat niet doet – wanneer er geen enkel woord van dankbaarheid of waardering uit zijn mond komt om de ondraaglijke stilte te verbreken – voelt ze de schaamte en opgelatenheid tot in haar diepste wezen.

'Wat zijn je plannen voor vandaag?' vraagt Alex aan David met een voorkomendheid die Janet zowel dankbaar als nerveus maakt.

'Niets bijzonders', zegt David. 'Ik dacht even langs te komen om te zien hoe ze het maakt. Om de kinderen te zien. Het is krankzinnig druk geweest op het werk.'

'De tirannen waar hij voor werkt laten hem niet eens bij zijn vrouw op bezoek gaan in het ziekenhuis', zegt Janet tegen Alex.

'Dat is niet waar', zegt David.

'Nou, kijk eens aan.'

David laat zijn hoofd naar één kant zakken alsof zijn nek geknakt is. Hij spert zijn ogen wijd open en trekt een gezicht tegen Alex; een uitnodiging tot solidariteit, gebaseerd op de gezamenlijke erkenning van en ergernis over de zwakheden van zijn vrouw.

'We zijn naar het dakterras geweest', zegt Janet. 'Het is prachtig weer. De eerste keer sinds dinsdag dat ik buitenkom.'

'Ik hoorde dat je vanochtend een biopsie heb gehad. Was de uitslag goed?'

'Dat weet ik over een paar uur. Ze verwachten van wel.'

'Heb je vanochtend een biopsie gehad?' vraagt Alex. 'Is dat ernstig?'

'Niet echt. Ik heb er tientallen gehad. Ze gaan met een slangetje door een ader in mijn hals en…' Alex wil dit waarschijnlijk niet weten. Waarschijnlijk wil hij niet horen hoe ze een stukje hartweefsel afknippen, het op een objectglaasje plaatsen en onder een microscoop leggen. Janet maakt in plaats daarvan een wegwuivend, bagatelliserend gebaar met haar hand. 'Ter controle. Fluitje van een cent.'

'Alles is een fluitje van een cent voor haar', zegt David tegen Alex.

'Strekt haar dat niet tot eer?'

'Hangt ervan af hoe je ertegenaan kijkt.'

'En hoe kijk jij ertegenaan?'

'Niet alles is een fluitje van een cent. De waarheid is dat zo'n biopsie pijn doet en in het verleden heeft ze er ritmestoornissen door gekregen en was het bijna haar dood.'

Alex kijkt naar Janet voor een bevestiging. Janet rolt met haar ogen, afwijzend maar met een zekere bravoure.

Na een pijnlijke stilte kondigt Alex aan dat hij terug gaat naar de kamer, een stap die evenzeer voortkomt uit ongemak als uit de neiging hen alleen te laten. 'Kun je zelf terug komen?' vraagt hij aan Janet.

Een web van mogelijkheden, ingewikkeld verweven met haar zenuwen en diepste behoeftes, valt voor haar ogen uit elkaar, in weerwil van haar inspanningen. Dit is het dus. Alex en David hebben elkaar ontmoet en nu gaan ze weer uit elkaar. Ze werpt een laatste blik op David met in haar ogen de vraag: is dat alles? Is dat alles wat je tegen die man te zeggen hebt? Klaarblijkelijk wel. 'Ik red me wel', zegt ze tegen Alex. 'Bedankt voor de wandeling. Ik vond het fijn. Echt.'

'Leuk je ontmoet te hebben', zegt Alex tegen David.

'Insgelijks.'

Nadat Alex is vertrokken kijkt David Janet bevreemd aan.

'Wat?' daagt Janet hem uit.

David schokschoudert en houdt het eventueel laatdunkende commentaar dat hij wilde geven voor zich. 'Het is grappig jullie twee samen te zien', zegt hij eerlijk. 'Het maakt me weemoedig. Is dat gek? Zoals jullie elkaar leren kennen, en samen praten en wandelen. Het doet me aan vroeger denken. Jou ook?'

Janets gezicht is warm. Ze is vastbesloten niet te huilen waar hij bij is. 'Hoeveel doet het jou aan vroeger denken?'

David lacht liefjes, maar het is een verontschuldiging. *Wilde je geen valse hoop geven.* 'Ik hou van je. Ik mis je. Ik denk de hele tijd aan je.'

Uit de toon van zijn stem, waarvan ze de verschillende hoogtes en het timbre beter kent dan wie ook, maakt ze op dat hij echt pijn heeft, dat hij gelooft in en lijdt onder een versie van wat er tussen hen is gebeurd en waarom het is gebeurd, en de waarheid daarvan is voor hem even reëel en overtuigend als haar versie voor haar is.

'Spaar me', zegt ze, nauwelijks tot spreken in staat.

Carly en Sam hebben zichzelf bewonderenswaardig goed beziggehouden, maar zijn nu door hun ideeën heen. Carly trekt aan Janets badjas en piept: 'Gaan we nou een liftwedstrijd doen?' In gelukkiger tijden deden ze dit met hun vieren. Als ze zich in een groot gebouw bevonden, ging de ene volwassene met een kind in de ene lift omhoog en de andere volwassene met het andere kind in een tweede lift, het eerste team dat de beoogde verdieping bereikte had gewonnen. 'Carly, schatje,' zegt Janet, 'waarom gaan jij en Sam niet terug naar de kamer. Papa en ik moeten even praten. Sam, kun jij Carly mee terug nemen? Ga Alex maar inhalen.'

Aanvankelijk zijn ze onwillig, maar na nog wat aandringen vertrekken ze knorrig. Vanuit een neiging die deels beschermend, deels dominerend is, probeert Sam Carly zover te krijgen dat ze zijn hand vasthoudt. Janet is blij te zien dat Carly zich hiertegen verzet en het uiteindelijk weigert, het doet haar genoegen te zien dat haar dochter zo vastberaden aan haar autonomie vasthoudt.

'Ze lijken er goed doorheen te komen', zegt David.

'Jij bent zo ongeveer tien minuten met hen samen geweest?'

David kijkt op zijn horloge. 'Twintig, zou ik zeggen.'

'De afgelopen dagen waren echt zwaar voor ze. Toen hadden ze jou wel kunnen gebruiken.'

'Ik weet het. Ik heb het druk gehad. Gisteravond heb ik ze aan de telefoon gesproken.'

Wat bedoelt hij met 'druk'? Druk in mijn hoofd. Druk met jou uit de weg gaan. Druk met mijn agenda. 'Ze hebben meer van je nodig dan een paar minuten aan de telefoon. Ze hebben je geruststelling nodig dat je niet voorgoed zult verdwijnen. Ze maken zich zorgen. Ze zijn onrustig. Ze trappen niet in dat rookgordijn. Vooral je zoon niet. Ik vind dat we hun de waarheid moeten vertellen.'

'Ik zal met ze praten.'

'Wat ga je dan zeggen?'

'Dat jij en ik niet met elkaar overweg kunnen, we staan allebei onder hoogspanning, we gaan wat tijd apart doorbrengen. Dat is toch niet gelogen, wel?'

Janet vraagt zich af of dezelfde broosheid en zwakheid die hem ongeschikt maakten om de harde werkelijkheid van haar ziekte onder ogen te zien hem ook ongeschikt maken voor de harde werkelijkheid van hun scheiding. 'Ik vind niet dat we hun wat voor leugen dan ook moeten vertellen. En dat we samen met hen moeten praten.'

'Wanneer gaan we dat dan doen?'

'Zeg jij het maar.'

David steunt zijn gewicht op één been, zijn armen zijn voor zijn borst gevouwen, en hij kijkt voor zich uit met onwillige toegeeflijkheid.

'Luister, David. Wanneer ik hier vandaag wegga, gaan we met ons allen naar de loft voor een feestje. Niks groots. Heel informeel. Waarom kom je ook niet? Gewoon voor een poosje. Mama zou sukiyaki maken. We gaan niet vanavond met de kinderen praten, maar in elk geval zie je ze dan weer even. Je zou ook even met Alex en Bernice kunnen praten. Ze zijn heel aardig. En mijn ouders zouden het heel fijn vinden om te zien dat je weer meedoet.'

'Ze zijn heel blij met mij, dat zie ik.'

'Ze zijn opgelucht dat je gekomen bent. Het zou ze hoop geven, ook al is het maar de hoop dat je er voor Carly en Sam zult zijn.'

'Ik laat het maar voorbijgaan.'

Zei hij 'voorbijgaan'? Een kleine, intieme viering van haar overleving, een lang gewenste vereniging met haar donorfamilie, haar innemende ouders, haar aanbiddelijke kinderen, die ook verlies en verdriet bespaard is gebleven; een thuis, een kamer vol mensen die van hem houden of bereid zijn zich daarvoor in te spannen – zei hij echt 'voorbijgaan'?

Janet laat haar gezicht in haar handen zakken en gunt zichzelf een ogenblik van ontlading. Ze wil in snikken uitbarsten, ze wil zich op de grond gooien en uitschreeuwen: ik kan niet geloven dat dit gebeurt, maar ze zou enkel Davids overtuiging bevestigen dat ze fysiek en emotioneel een blok aan zijn been is, een belemmering voor zijn welzijn, terwijl ze vastbesloten is te bewijzen dat het andersom is. Ze trekt haar handen omlaag, recht haar rug en kijkt hem bevend van ongeloof recht aan. 'Goed. Dat is het dan. Ik ga terug naar mijn kamer.'

'O...goed.' Hij is verrast. Kennelijk verwachtte hij dat het gesprek nog verder zou gaan. 'Laat wat van je horen, hè?'

Met een klap dringt tot haar door dat hij is gekomen om ervan verzekerd te worden dat het niet nodig is dat hij komt. Dat hij zich niet al te schuldig hoeft te voelen. Hij wil getuige zijn van haar kracht en zelfredzaamheid, hij wil dat vaststaat dat hij bepaalde dingen in bepaalde omstandigheden heeft gezegd, zoals: *ik hou van je, ik mis je, ik denk de hele tijd aan je*. Zodat achteraf zijn gedrag daar nobeler door lijkt.

'Maak je maar geen zorgen over mij', zegt Janet.

Tweeëndertig

Hardhouten vloeren, hoge ramen met uitzicht op daken, een hoog plafond, blootliggende ventilatiepijpen. Schilderijen in krachtige, heldere tinten rood, geel en blauw. Een donkere, geoxideerde tinnen spiegel met ingelegde zeegroene tegels. Een boekenkast vol boeken. Een aquarium. Een berbertapijt.

'Wat een mooi appartement', zegt Bernice, terwijl ze gefascineerd de ruimte in dwaalt.

Alex kan niet anders dan denken: Isabel zou deze kamer geweldig hebben gevonden.

'Welkom in mijn nederige stulp', zegt Janet met een dramatisch armgebaar, ze leidt hen naar binnen en vraagt zich tegelijk af of ze het zich nog zal kunnen veroorloven hier te blijven wonen. Ze heeft in het ziekenhuis gedoucht en haar haar gewassen, geföhnd en geborsteld. Ze heeft een witte linnen wikkelblouse aangetrokken, een rok met een Azteeks motief en leren sandalen. Het was haar bedoeling om elk beeld van haar rondstrompelend in treurige ziekenhuiskleding uit het geheugen van Alex en Bernice te wissen.

'Iemand zin in een glas wijn?' Lotta staat bij een zwart granieten aanrecht dat de keuken van de kamer scheidt. Ze heeft een mes in haar hand. Op een snijplank voor haar liggen gesneden selderij, uien en dunne reepjes rundvlees. Er staat ook een open fles wijn en een aantal lege glazen. 'Ik heb al een glas op. Bedien jezelf.'

'Wat ben je aan het maken?' vraagt Bernice, terwijl ze de fles shiraz optilt en het etiket bekijkt. Alex komt naast haar staan, hij wil wel een glas.

'Sukiyaki. Ik heb altijd naar Japan gewild. Al die prachtige shinto-tempels.'

Janet maakt een korte ronde door het appartement om weer met de ruimte vertrouwd te raken, terwijl ze uitkijkt naar veranderingen en afwijkingen. Wanneer haar moeder de leiding krijgt over het huishouden verplaatst ze vaak decoratieve voorwerpen waarvan ze vindt dat die ergens anders beter tot hun recht komen, en als ze erover wordt aangesproken verklaart ze haar beweegredenen met een ingestudeerd praatje over praktische aspecten, traditie of esthetica. Klaarblijkelijk heeft ze het deze week te druk gehad. Alles staat precies waar het hoort te staan.

Behalve David.

'Sorry. Ik doe de ramen even open. Het is om te smoren hier.' Bud glipt voor Janet langs en hijst het schuifraam omhoog. Het raam piept en knarst.

'Voorzichtig, pap. Ze zijn oud. We zijn ook voorzichtig met jou, hè?'

'Ik heb heel veel problemen met mijn ramen', vertelt Bernice aan Lotta, terwijl ze van haar wijn nipt. 'Een paar gaan niet eens meer open. God weet wat ik moet doen als er brand uitbreekt.'

'Dan klim je door het raam dat open kan', zegt Alex.

Sam en Carly zitten elkaar gillend en giechelend door het appartement achterna als een stel lang gekooide honden dat losgelaten is in de tuin.

Janet schenkt een glas wijn voor zichzelf in. 'Er is hier toch geen cardioloog in de buurt, hè?'

Bernice en Alex wisselen een bezorgde blik, alsof dit blijk geeft van een roekeloze kant van Janet die ze hun nog niet heeft laten zien.

'Het is niet erg, hoor', verzekert Janet hun. 'Het is ten slotte rode wijn. En ik drink maar een bodempje.'

'Feest maar door', zegt Alex, die moe is van haar blozende, stralende gezicht, haar oprechte vreugde. Onderweg terug van het ziekenhuis, vastgezet achter in Buds minibus, heeft hij gedwongen geluisterd naar haar lofzang op haar vrijheid. *Het is zo fijn om daar weg te zijn. Het is zo fijn om echte geuren te ruiken. God, ik zou wel een stuk gebraden kip lusten!* Carly staarde dromerig naar hem omhoog, flirtend vanuit het autostoeltje waarin ze aan alle kanten was vastgesnoerd en vastgegespt – in dit stalen gevaarte zou ze zelfs ondersteboven aan haar enkels hangend nog het best beveiligde kind ter wereld zijn – terwijl Sam, begerig naar aandacht, onophoudelijk zeurde dat hij het koud had, hoewel het snikheet was tot Bud de airco aanzette.

'Ik had me niet gerealiseerd wat een leuke buurt dit was toen we hier kwamen wonen', vertelt Janet aan Bernice. 'Eerst kwam de loft, en we wisten wel dat het een tamelijk trendy buurt was, maar pas toen we hier kwamen wonen en rond hadden gekeken, drong het tot ons door: hé, Wicker Park is echt gaaf.'

'Kijk eens, ik heb hem!' Sam laat zijn moeder zien dat hij een kleine puzzel af heeft gekregen, waarvan het doel is om met een dun, loshangend kettinkje de neus, mond en kin te vormen van een vrouwenprofiel dat vanaf het voorhoofd tot de hals incompleet is gelaten.

'Dat is het soort speelgoed dat ik vroeger als kind ook had.' Bernice kijkt mee over de schouder van de jongen. 'Geen batterijen. Geen chips.'

Ja, goed zo, denkt Janet. Het is belangrijk voor Sam en Carly om deze mensen in het echt mee te maken. Om het idee te versterken dat hun moeder niet is gered door een abstracte, medische procedure.

Carly deelt mee dat ze een raar insect heeft gevonden op de vensterbank. Lotta gaat naar haar toe om het te onderzoeken en buigt zich over het exemplaar. Carly steekt haar hoofd dicht bij het hare. Lotta beantwoordt haar vragen op fluistertoon. Alex hoort de woorden 'prothorax' en 'ongelede voelsprieten' en 'vleugels'.

Terwijl ze Lotta en Carly gadeslaat, zou Bernice willen dat je je geheugen willekeurig kon uitschakelen, vooral wanneer je niet geconfronteerd wilde worden met wat er naar boven kon komen. In dit geval de oude supermarkt van Randall, rond 1971, toen ze hoofd aan hoofd waren samengekropen naast het karretje en Isabel de ingrediënten van sap of cakemix probeerde uit te spreken.

'Vertel me niet dat het een kakkerlak is, moeder', zegt Janet.

'Het heeft wel iets gemeen met de *Blattidae*, maar hij heeft geen rugschild en geen veelgelede voelsprieten. Hij mist ook de gevoelsorganen aan zijn achterlijf. Ik denk dat het een *Hemiptera* is.'

Bud buigt zich langzaam en diep over de salontafel, kreunt als hij een chipje uit de schaal pakt en gaat met pijnlijk vertrokken gezicht weer rechtop staan. 'Volgens mij heb ik het in mijn rug.'

'Dat krijg je als je je mijn ramen zo nodig moet aanpakken', zegt Janet. 'Gaat het wel?'

'Jouw ramen hebben mij aangepakt.'

'Ik heb nooit begrepen waarom zoveel mensen een zwakke rug hebben', zegt Bernice. 'Je zou toch denken dat de evolutie ons met een fatsoenlijke, sterke rug had kunnen bouwen. Het is duidelijk dat we dat nodig hebben.'

'De evolutie besloot dat rechtop lopen belangrijker was', zegt Alex. 'Een zwakke rug is de prijs die we betalen om onze handen vrij te hebben.'

'Is dat echt zo?' vraagt Lotta. 'Dat is interessant.'

'Ik zou liever op handen en voeten lopen', zegt Bud.

Lotta lacht en Bud glimlacht en masseert haar schouder alsof haar lach het enige resultaat is dat er voor hem toe doet. Ze wisselen een vermoeide, dankbare glimlach uit. Het is de eerste keer dat Alex Lotta's gezicht angstig en treurig ziet, de hoeken van haar ogen en mond tegelijkertijd omlaag getrokken. Zal ze gaan huilen? Hun dochter is veilig. Dat is alles wat voor hen telt. Dat is duidelijk. En ze zijn nog steeds gek op elkaar.

Janet hoort Sams Game Boy piepen en denkt even dat het een alarmsignaal is van een pomp waar zij of haar verpleegkundige op had moeten letten, dan realiseert ze zich dat het maar een speelgoedje is. Een speelgoedje!

Alex kijkt in het aquarium. Traag en behoedzaam gaan de gekostumeerde schoonheden, slingerend tegen de zwaartekracht, omhoog en omlaag, hun sierlijke staarten zwiepen. De ogen draaien naar Alex' gezicht. 'Dat is Ziggy. Dat is een clown trekkervis. Dat is mams lievelingsvis.' Sam is naast Alex komen staan, zijn Game Boy staat op pauze. Hij heeft het over een belachelijk uitziend, geel gelipt wezen waarvan de hangbuik bedekt is met grijsblauwe boonvormige vlekken.

'Wat is dit er voor een?' vraagt hij en hij tikt tegen het glas vlak bij een vis die gevormd is als een pijlpunt met zwarte zebrastrepen.

'Niet tegen het glas tikken. Daar schrikken ze van. Dat is Lancelot. Dat is een wimpelvis. Dit is Guinevere.' Schijfvormig, geel met pluimachtige vinnen. 'Dat is een gele anthia.'

'Lancelot en Guinevere. Ik snap het. Hebben ze…Zijn ze…?'

Sam kijkt Alex beduusd aan. Alex steekt zijn hand uit en legt die als een kom om de zijkant van het hoofd van de jongen, vlak boven zijn oor. Sams haar is zacht en fijn, zijn schedel hard en warm. Hoe zou het kind van Isabel en hem eruit hebben gezien?

We zijn dwazen, denkt Bernice. Dwazen om in de ban te raken van hoop, dromen en bovenal verwachtingen. Verwachtingen zijn afhankelijk van de toekomst en de toekomst is een bloedzuiger: gevoelloos, woekerend, onbetrouwbaar. Waardoor geloven we dat we de toekomst kunnen construeren en doorgronden? Waarom lonken we naar beloftes en verlokkingen wanneer het heden, in zoveel gevallen, alles is wat we hadden kunnen wensen? Later in het leven, nadat het heden het verleden is geworden, verlangen we ernaar en naar de mensen van toen.

Ze slaat Alex en Sam bij het aquarium gade. Ze is Lotta aan het helpen in de keuken en roert in een koekenpan waarin rundvlees, uien, champignons en aardappelnoedels pruttelen.

Alex vangt haar blik op en slentert naar haar toe. Bernice' maag verkrampt. Ze bedenkt hoeveel erger het zou zijn als zij en Alex niet even hadden kunnen praten, als een gedeeltelijke ontlading van de druk, voordat ze uit het ziekenhuis weggegaan waren. Janet stond in de douche. Bernice en Alex waren naar beneden gegaan op zoek naar fatsoenlijke koffie. Ze kwamen terug met niet zo fatsoenlijke koffie en liepen door een verlaten gang toen Bernice de vermijding – die van haar en die van hem – niet langer kon verdragen.

'Wat betreft gisteravond', zei ze. 'Ik weet niet wat dat was.'

Alex keek haar aan alsof haar gezicht meer zou kunnen weten.

'Laten we het niet ontleden. Ik heb er geen spijt van.'

'Ik voel me opgelaten.'

'Waarom?'

'Het is niet bepaald betamelijk gedrag voor een schoonmoeder.'

'Na alles wat we hebben meegemaakt? Wie zegt dat?'

Dankbaar zei Bernice: 'Ik vind het fijn wanneer je voor me opkomt.'

'Jij komt ook voor mij op.'

Bernice' grootste angst is dat hun lichamelijke intimiteit van gisteravond, waarover ze, in tegenstelling tot bepaalde onconventionele verlangens, heeft besloten dat het een eenmalige gebeurtenis moet zijn, beide partijen zo ongemakkelijk en onbeholpen maakt ten opzichte van de ander dat hun vriendschap, die Bernice boven alles waardeert, zal verzwakken en verminderen.

Alex, die naast haar aan het aanrecht staat, kan niet geloven dat haar lichaam, overdag zo gewoon, bedekt met kleren, nederig, simpel, zonder uitwerking, het typische menselijke model met vier ledematen, hetzelfde lichaam is dat gisteravond, in het donker, in zijn levendige, tastbare herinnering, zo geladen en intens was. Hij vraagt zich af wat er met Kelly zal gebeuren. Gisteren, toen hij Janets kamer uit was gestormd, heeft hij haar gebeld en een boodschap achtergelaten, die in wezen, met enig eromheen draaien, luidde dat het hem speet, dat hij beter had kunnen gaan kamperen, dat alles hier een puinhoop was. Maar ze heeft hem niet teruggebeld.

Hij wijst op een donker, dik blad op het aanrecht. 'Wat is dat?'

'Kelp.' Bernice scheurt er een reep ter grootte van een beet af en houdt die voor zijn mond. 'Wil je proeven? Het smaakt zoet.'

Hij probeert het uit haar hand te pakken.

'Rustig aan', zegt Bernice en ze trekt het weg.

Alex opent zijn mond. Bernice laat de kelp op zijn tong vallen en grijnst goedkeurend. *Dat was toch niet zo moeilijk, wel?*

'*Konbu dashi*', zegt Lotta als een zegening.

Alex en Bernice kijken haar allebei verbluft aan.

'Dat is Japans voor kelp', zegt Lotta.

Het eten wordt als lopend buffet opgediend. Janet, Lotta en Bernice zitten naast elkaar op de bank voor de salontafel, Bud hangt languit in een ligstoel met zijn bord hoog op zijn buik, Sam en Carly zitten op de vloer aan de uiteinden van de salontafel als de miniatuurheer en -dame van een landgoed. Alex heeft een luie stoel naast Janet gekregen. Het gesprek komt hortend op gang en breidt zich uit naar onbekend gebied. Borden worden opnieuw volgeschept, glazen bijgevuld. De lampen gaan aan tegen het donker. Het windje dat door de ramen komt brengt verkoeling. Janet staat op en zet wat vroege muziek van Miles Davis op, die energie en snelheid introduceert en als bolwerk fungeert, bedenkt Alex, tegen de triestheid die in de stilte waarschijnlijk zou ontkiemen.

Hij is bezig met een tweede bord sukiyaki en concentreert zich op de smaak. De stemmen worden luid en onstuimig en botsen tegen de muren, vooral die van Lotta en Janet, aangespoord door het losse, hulpeloze gelach van Bernice en de onbeschaamde geestigheden van Bud. Misschien komt het door de drank of het eten of de tijd die ze inmiddels samen hebben doorgebracht, maar er is een hobbel genomen en ze praten ongedwongen en met een soort vertrouwende zorgeloosheid met elkaar, minder bang nu om elkaar te kwetsen.

Alex' reflex is tegen deze luchtigheid in te gaan, omdat iedereen stiller en eerbiediger zou moeten zijn uit achting voor Isabel. Maar dat zou Isabel niet gewild hebben, toch? Een kamer vol zwijgende, sombere, buitensporig eerbiedige mensen? Is dat niet precies wat ze uit alle macht wilde voorkomen? Zijn gedachten gaan naar een ander scenario, het negatief van al dit geluk en welvaren. Een rokende ruïne. Janet is gestorven. Haar familie rouwt. Lotta, die haar dochter heeft verloren, is Bernice. Carly en Sam zijn moederloos. Net als Alex cirkelt Janets man doelloos rond de brokstukken. Het is verbazingwekkend te bedenken dat Isabel dit zwartere scenario heeft voorkomen door haar handtekening met een blauwe ballpoint op een stukje papier van slechts centimeters in het vierkant te zetten, en door bereid te zijn de gevolgen daarvan te aanvaarden. Het is ongelofelijk te bedenken dat die macht en mogelijkheid in één enkel besluit, één enkel lichaamsorgaan, vervat liggen. En dat Isabel dat wist.

Er worden warme chocoladecakejes binnengebracht, bekroond met smeltend vanille-ijs. De koffie is heet en sterk. Een hele tijd komt er, afgezien van genotvol geknor, geen geluid uit de groep. Een voor een leggen de verzadigden hun vork neer op een leeg bord en zakken onderuit. Er volgt de loomheid na een maaltijd waarin de kinderen, druk van de suikerinname, een variété opvoeren. Sam licht de vaardigheden van verschillende Power Rangers toe. Carly doet haar schoenen en sokken uit en demonstreert taekwondobewegingen. Na een poosje valt Janet in slaap. Stemmen worden respectvol gedempt. Terwijl hij naar het rijzen en dalen van haar borst kijkt, hoort Alex door de openstaande ramen auto's, willekeurige stemmen, de klap van een dichtslaande deur en het geratel van de luchtspoorweg in de verte. En nu is Isabels hart nog een geluid erbij in de mix van deze stad.

Sam en Carly knikkeren op het kleed.

Bud vraagt aan Lotta hoe laat ze naar huis denkt te rijden.

Bernice kijkt op haar horloge.

Het is een schok voor Alex om Bernice dit te zien doen. Ondanks zijn ongemak, ondanks de moeizame omstandigheden heeft hij nog geen seconde gedacht aan vertrekken. Bernice en hij zullen zich binnen niet al te lange tijd moeten opmaken om afscheid te nemen en het lange, naargeestige stuk van de I-80 terug naar Athens moeten rijden.

Janets hoofd ligt, met haar kin omhoog, achterover tegen het kussen, haar handen zijn op haar buik gevouwen. Haar huid is licht, met een onwaarschijnlijke doorschijnendheid, zoals je in de huid van kinderen ziet. Haar wangen zijn roze gevlekt. Zelfs met zijn meer dringende verantwoordelijkheid let het hart op dit cosmetische detail, zo belangrijk met betrekking tot de evolutie. Haar neus is bespikkeld met sproeten. Een paar droge plekjes, licht met wit bestoven, op haar keel onder haar kaak. Een moedervlek ter grootte van een potloodpunt. Een pees rijst, een ader verschuift onder de huid.

Haar borst rijst, daalt. Rijst. Het topje van het litteken is zichtbaar in de laag uitgesneden hals van haar blouse.

Ze wordt wakker van het klikken van de knikkers, een harde stoot van Sam. Verbaasd ziet ze Alex voorovergebogen in zijn stoel zitten, met zijn ellebogen op zijn knieën, zijn gezicht slap en levenloos. Met opengesperde ogen staart hij naar haar borst, alsof het een tv-scherm is waarop een vreselijke catastrofe wordt geopenbaard.

Ze knippert met haar ogen, komt bij zinnen en kan niet geloven dat ze er niet aan heeft gedacht het aan te bieden, kan niet geloven dat het idee niet bij haar is opgekomen.

Ze legt haar hand op haar borst om zichzelf ervan te verzekeren dat ze het goed heeft, dat dit het voorwerp van zijn belangstelling is. 'Wil je luisteren?'

Het duurt even voordat haar uitnodiging is doorgedrongen. Overrompeld, ontroerd, bang staat hij langzaam op en laat zich voor haar op zijn knieën zakken. Ze schuift naar de rand van de bank, doet haar benen van elkaar om ruimte te creëren voor zijn lijf. Ze heeft nog steeds haar hand op haar borstbeen en Alex is er zo dichtbij dat hij vage blauwe lijnen ziet die pezen kruisen en zich door de knokkels rijgen. Janet lacht en schudt haar verlegenheid van zich af – een lach als de zijdeachtige rimpeling in een paardenflank. Haar ogen vragen hoe hij verder wil. Hij recht zijn rug, zijn armen stijf langs zijn lichaam, schuift dichter naar haar toe en plaatst zijn lichaam als een cello tegen het hare. 'Is dit goed?'

'Zet je handen maar hier als je wilt', zegt Janet en ze wijst op de bank aan weerskanten van haar bovenbenen. Hij zet zijn handen naast haar benen alsof hij haar omarmt.

Het is doodstil geworden in de kamer. Bernice en Lotta hebben gezien wat er gaande is en de anderen ingelicht en nu staan ze op eerbiedige afstand toe te kijken. Alleen Carly flapt er met onderdrukte verbijstering uit: 'Wat doet hij?', waarop Lotta het zachtjes uitlegt. Bernice, wier shock niet wil verflauwen – een mengsel van shock en ongemak, dat misschien wel of misschien niet afgunst is –

ziet dat Carly zich ook onbehaaglijk voelt bij de aanblik van Alex zo dicht bij een gebied op haar moeders borst waartoe zij vroeger bijna exclusieve toegang had. Het meisje kauwt hard op het topje van haar pink en boort met de teen van de ene voet in de hiel van de andere. Bernice pakt haar hand en Carly knijpt er accepterend in, alsof het niet meer dan vanzelfsprekend is dat ze hier samen getuige van zijn.

Alex kijkt op naar Janet met een laatste verzoek om toestemming.

'Toe maar', zegt Janet.

Hij draait zijn hoofd opzij en drukt het tegen Janets borst, net binnen de open hals van haar blouse. Haar huid straalt warmte uit. Hij bevindt zich op vaste grond, recht op het borstbeen, hoewel er een zachte bolling tegen zijn wang zit, waar haar rechterborst begint. Hij voelt de naad van het litteken, een ruwe rand tegen zijn oor. Het enige geluid is een zwak, gedempt gerommel, als een verre lawine gehoord door een sneeuwstorm heen. Alex sluit zijn ogen zodat hij zich beter kan concentreren. Hij stopt zijn andere oor dicht met zijn vinger, waardoor hij zich zo goed als vasthecht aan Janets lichaam; zijn buitenwereld is nu de binnenkant van haar.

Hij wacht tot er een ritme aan het verre gerommel ontstijgt. 'Je moet je adem niet inhouden', zegt hij tegen haar.

Haar buik zet uit. Ze hield haar adem in. Hij past de hoek van zijn hoofd aan, drukt zijn oor harder tegen haar borst tot het strak verzegeld is, té strak, zijn oor zit dicht. Langzaam trekt hij zich terug en dan is het er, daar: ferm, ritmisch, tweelettergrepig. De-doem, de-doem, de-doem.

Zijn hoofd tintelt, alsof er een ijskoude vloeistof langzaam over zijn haar wordt gegoten. 'Hé daar', zegt hij.

'Hoor je het?' vraagt Janet.

'Ja.'

Het is zo stil in de kamer dat het lijkt of iedereen is weggegaan. De-doem, de-doem. Alex is ontmoedigd dat hij niets kenmerkends hoort aan het kloppen, iets wat hem zekerheid verschaft dat het Isabels hart is. Maar wat die onderscheidende eigenschap zou kunnen zijn, weet hij ook niet. In elk geval is hij niet geneigd eraan te twijfelen. Hij wil het geloven. Maar dit geloof vraagt een vergoeding, een gelijktijdig loslaten. Het kloppen klinkt van heel diep. Longen, aderen, bloedvaten, spieren en weefsel drommen eromheen, dempend en opeisend. Van ons. Het hart behoort Janet toe. Janets lichaam. Isabels lichaam is onmstotelijk verdwenen. Dat moet wel, als dit het niet is.

De-doem, de-doem, de-doem.

Was er maar een manier om die verscholen plek waar het hart woont binnen te komen, om op te lossen en opgenomen te worden in het ritme. Ermee samen te smelten, het te zijn. Om deel uit te maken van een mens, in plaats van een heel mens te zijn, wat op dit moment veel te zwaar aanvoelt.

Hij legt zijn armen om Janets middel, begraaft zijn gezicht in haar blouse en omhelst haar stevig. Zijn ademhaling gaat moeizaam en zijn longen voelen aan alsof ze volledig met helium zijn gevuld. Janet heeft haar hand op zijn hoofd gelegd. Hij is dankbaar voor de aanwezigheid van die hand, de warmte en geur van haar huid. 'Het is goed', zegt ze. 'Het komt wel goed.' Zijn schedel is heet als een meteoor die door de dampkring valt. Ze wiegt hem veilig tegen zich aan, verteerd door de bespottelijke angst dat hij zal verbranden. Ineens verschuift er iets en ze voelt dat ze haar wil tot leven zou kunnen verliezen. Ze zou er alles voor overhebben om geen obstakel te zijn, geen barrière tussen deze man en het enig overlevende deel van de vrouw die hij liefheeft. Ze hunkert ernaar de kluis te openen, het op te geven. Te verdwijnen, elke molecuul op te offeren, om volkomen te desintegreren rond haar kostbare kern.

Alex voelt een derde hand op zijn schouder. Te veel handen voor één persoon. Hij wil nog niet bovenkomen, wil nog niet gaan. Ontroostbaar en gebroken stijgt hij omhoog uit de ondoordringbare dieptes en maakt zijn oor los van Janets borst.

Dapper staat Bernice daar in haar eentje.

'Nou ben ik', zegt ze.

TWEE JAAR LATER

Epiloog

Eerder op de dag had de zon geschenen, maar na het middageten, toen ze terug naar haar werk liep vanuit de stad, waar ze afgesproken had met een vriendin van haar leesclubje, zag Bernice dat de hemel in het westen zwart was en twee uur later werd de lucht buiten zeegroen en verlichtte elke bliksemflits achter het raam van het souterrain van het kostuumatelier kortstondig de striemende regen en door de wind gegeselde bomen.

Er volgde een tornadowaarschuwing, waardoor Bernice en haar personeel – Cari, Ralf en een postdoctorale studente genaamd Eileen – moesten schuilen in de schoenenkamer, een tunnelachtige kelderverdieping onder het souterrain, waar de administratieve krachten en de technische staf van de bovenverdiepingen van het auditorium zich algauw bij hen voegden. De groep zat op de vloer met opgetrokken knieën en hun rug tegen de stapels kartonnen dozen die tegenover elkaar stonden in de smalle ruimte en die uitpuilden met Romeinse sandalen, middeleeuwse poulaines, hooggehakte damesschoenen van damast en laarzen in talloze verschillende stijlen. Als dit hun einde was, grapte Cari, zouden ze omkomen in een lawine van leer. De tornadowaarschuwing verstreek en de vluchtelingen kwamen ongeschonden tevoorschijn uit de schoenenkamer. De theaterinspanningen zouden voortgezet worden, kostuums zouden veranderd en passend gemaakt worden. De zomeropera – *Le Nozze di Figaro* – zou worden opgevoerd.

Nu is het na vijven en iedereen is weg. Bernice loopt tussen de paspoppen, naaimachines en strijkplanken door, doet lampen en ventilatoren uit, raapt stukjes gaas en draadjes van de vloer op. Ze ruimt de kniptafel op en legt patronen recht. Ze zou dit allemaal op maandag kunnen doen, of helemaal niet – hun conciërge is fantastisch – maar Bernice rekt tijd. Ze voelt zich neerslachtig en lusteloos en heeft geen haast om te vertrekken. Vrijdagsmiddags laat voelt ze zich vaak zo, onwillig om afscheid te nemen van de verplichte activiteit en sociale omgang van de werkweek. Ze voelt zich niet opgewassen tegen de dreigende leegte van zaterdag en zondag, een verlaten stuk grond waarop haar ontberingen – gebrek aan familie, de afwezigheid van een intieme partner – zullen aanzwellen en pijn doen.

Buiten is de lucht opgeklaard en de zon wint weer terrein. Het gras is nat en mals. De bomen druipen. De rivier kolkt en schuimt, versterkt door de regen, met water dat de kleur heeft van thee met melk.

Bernice steekt een brug over de rivier over en klimt de heuvel op de stad in. De universiteitsboekhandel, Franklin de opticien, Murphy's Bar, Ulla's Scandinavische Importproducten. Verweerde banken op het trottoir, bomen die uit roosters omhoog welven. Bernice is dankbaar voor de wezenlijke onveranderlijkheid van de stad. Door de jaren heen is ze gewend geraakt aan de weelde van haar vertrouwdheid ermee, en in ruil voor haar loyaliteit heeft ze het gevoel gekregen van eigendomsrecht en veiligheid dat elders jaren zou vergen om op te bouwen. Er zijn dagen dat ze zich probeert voor te stellen dat ze uit Athens weggaat, zoals Alex heeft gedaan, maar het vooruitzicht van de ontworteling en verhuizing naar een nieuwe kleine of grote stad, waar ze niemand kent, van niets weet, vervult haar met angst. Heeft ze niet al genoeg verloren?

Ze kijkt op en ziet een man die over het trottoir ongehaast op haar af komt gewaggeld, een zwaargebouwde dertiger met stekeltjeshaar, en even, voordat hij langzaam in de onbekendheid verdwijnt, denkt ze dat het Jasper is. Haar lichaam wordt licht. Ze blaast haar ingehouden adem uit. Ontmoetingen met Jasper Klass zijn, hoewel zeldzaam, net als de lange, grijze winters, de korte, vluchtige lentes en de dreiging van tornado's, een onontkoombaar nadeel van het leven hier. De laatste keer dat Bernice Jasper heeft gezien was eerder deze zomer, op het Arts Festival in het centrum van de stad. Hij speelde gitaar in een bluesband. Hij had een witte stetson op en bespeelde een witte gitaar – hij speelde goed, moest Bernice toegeven. Er had zich een groepje omheen verzameld en een paar mensen vooraan dansten op de muziek. Bernice wilde zich op het podium storten, de microfoon grijpen en iedereen laten weten dat de gitarist een psychopaat was. Ze kon maar moeilijk accepteren dat Jasper niet meer vastzat. Ze was er tot haar ontzetting achter gekomen dat je eigendommen kon beschadigen en mensen kon aanvallen als je bereid was een paar honderd dollar voor het privilege neer te tellen, en in het ergste geval zat je een paar maanden achter de tralies. Jasper had een povere drie maanden in een gevangenis in Illinois gezeten voor zijn uitbarsting in Janets ziekenhuiskamer, en de overtredingen die hij in het huis van Bernice had begaan, en die hij had bekend, hadden hem maar duizend dollar gekost.

Terwijl Bernice op het Arts Festival naar Jasper keek, die grijnzend met zijn voet tikte en zich koesterde in het applaus, kon ze alleen maar hopen dat hij ergens achter die buitenkant pijn leed.

In de openbare bibliotheek leent Bernice *A Distant Mirror: The Calamitous 14th Century* van Barbara Tuchman – de laatste tijd is ze geïnteresseerd geraakt in middeleeuwse geschiedenis – en de film *Prime Suspect*, met Helen Mirren in de hoofdrol van doorgewinterde Londense rechercheur. Ze gaat langs bij de New Prairie Co-op en fleurt op bij het zien van de kleurige groenteafdeling met de opgewekte, handgeschreven bordjes. Bij de kassa's is het zo druk als op de weg naar de tolhuisjes tijdens het spitsuur, de gekwelde caissières halen artikelen razendsnel langs de piepende scanners, de klanten voeren gesprekken in de rij, tussen de rijen en in de gangpaden, waar ze hun karretjes en mandjes vol groenten, fruit, vlees, vis, brood, kaas en wijn laden. Het is vrijdagavond en dan koopt Bernice een fles wijn voor zichzelf. Ze kiest een pinot noir en voor erbij een stokbrood, een potje mango-jalapeñochutney en camembert. Voor het avondeten heeft ze nog een vegetarische pizza in de diepvries.

Haar nieuwe buurt is een van de oudste van Athens, weggestopt in een uithoek van de stadsplattegrond, hoog op een heuvel uitkijkend over de rivier. Straten van rode baksteen, smeedijzeren tuinhekken, met zorg onderhouden bloementuinen. Statige victoriaanse huizen. Natuurlijk zou het heerlijk zijn om in een van die prachtige, oude huizen te wonen, maar Bernice heeft in een prachtig, oud huis gewoond en het was te groot voor haar geworden, te belastend, te duur, te stil. Vooral na het vertrek van Alex. De kamers mokten. De muren begroetten haar stijfjes wanneer ze binnenkwam, alsof ze hun gemopper had onderbroken. Het huis had genoeg van haar. Het huis wilde nieuwkomers, kinderen, huisdieren, drukte, lawaai – een jong, groeiend gezin. Het verdiende beter dan een tweeënzestigjarige, alleenstaande vrouw zonder naaste verwanten en een ingeslapen sociaal leven.

Jij hebt me ook niet gegeven waarop ik had gehoopt, zei ze tegen het huis.

Ze vindt het prettig in haar nieuwe koopflat, die gezellig is, degelijk gebouwd en van alle gemakken voorzien. De kamers – keuken, woonkamer, slaapkamer, badkamer – zijn bescheiden van omvang en schijnen haar met plezier, enthousiast over haar nieuwe, gestroomlijnde bestaan, te herbergen en in haar behoeftes te voorzien. Bernice zet de spullen uit de bibliotheek en de boodschappen in de keuken op het aanrecht. Ze opent de fles pinot en schenkt een glas in.

Een luide bons laat het plafond schudden. Het driejarige jongetje van boven heeft de gewoonte om met zijn driewieler tegen de muren aan te rijden. Bernice vindt het niet erg. Het gebons en gebonk van de buren is een aangename afwisseling van de mausoleumachtige stilte.

Ze slentert met haar wijn de woonkamer in. Het meubilair, waarvan het grootste deel nieuw is en gefinancierd met de opbrengst van een omvangrijke verkoop aan huis van haar spullen, is eenvoudig en sober. Op een rond tafeltje met een poot van gevlochten metaaldraad staat de buste van Mozart met de groen-witte pet van Pioneer Hi-Bred Seed op zijn hoofd. Bernice zet de pet goed, ze ziet hem graag zwierig schuin staan, en vraagt: 'Hoe was je dag, Wolfgang?'

Een belangrijke reden waarom Bernice deze flat heeft gekocht is het uitzicht vanuit de woonkamer. Vlak onder haar is een bloementuin met een klein gazon die door het bewonerscomité wordt onderhouden. Aan de overkant van de straat staat een huis in Queen Anne-stijl uit 1883, met sierhoutwerk rond de erkerramen, dakkapellen met spitse nok en in het midden een klokkentorentje waarvan de dakspanen als vissenschubben glinsteren in de ochtendzon. Aan weerskanten van het huis is voldoende ruimte voor Bernice om langs de helling naar beneden te kijken en over de boomtoppen heen de rivier te zien, de groene vlakte van het park en een hoek van het gemeentebad, blinkend als een smaragd. Hoog op de richel ertegenover staan een paar grote flats voor studentes, en verder naar links, verscholen tussen de bomen, staat het nieuwe verpleegkundegebouw – een kristalstructuur, bekleed met roestvrij staal – en het rechtengebouw met zijn koepel als van een sterrenwacht. Ook zichtbaar, achter het rechtengebouw, als twee kiezen omhoogstekend uit een verre heuvel, staan twee van de vijf paviljoenen van het Academisch Ziekenhuis.

Iedereen die Bernice en haar geschiedenis kent, zou zich kunnen voorstellen dat ze niet dagelijks uit haar woonkamerraam zou willen uitkijken op het ziekenhuis waar haar dochter drieënhalf jaar geleden is gestorven. Maar het tegenovergestelde is waar. Voor Bernice is over de rivier en de bomen uitkijken op het ziekenhuis niet veel anders dan de wacht houden bij een graf. Ze heeft dit aan niemand verteld, zelfs niet aan Alex, die het volgens haar de keren dat hij terug is geweest voor een bezoek niet eens is opgevallen dat je vanuit dit raam het ziekenhuis kunt zien. Ze is bang dat hij haar sentimenteel, obsessief of morbide zal vinden. Wat ze zou zeggen, als ze het moest uitleggen, is dat het haar bedoeling is om de rest van haar leven te slijten in de stad waar Isabel haar leven heeft gesleten, om uit dit leven te scheiden in het ziekenhuis waarin Isabel uit het leven is gescheiden, om bij Isabel te blijven, voor haar te zorgen, haar nooit te verlaten of te verloochenen – die verbintenis maakt dat Bernice zich oplettend en doelbewust, plichtsgetrouw en loyaal voelt. Misschien heeft Isabel haar niet nodig. Misschien zou Isabel haar zegen en goedkeuring geven aan elke wens die Bernice zou koesteren om uit Athens weg te gaan en een plaats te zoeken waar ze gelukkiger zou kunnen worden. Maar Bernice kan zich zo'n plaats niet voorstellen. Isabels geest is hier. Soms strijkt die stilletjes, zacht als een vlinder neer en wekt genegenheid en hunkering op; soms stoot ze als een zwaard in Bernice' onderbuik. Isabel kan teder zijn; Isabel kan wreed zijn. Hoe dan ook, Bernice blijft haar ervaren. Wat alles is wat je van de doden kunt verlangen.

Alex woont aan de noordkant van Chicago, in een zijstraat van Clark Street. Zijn flat is klein en zijn slaapkamerraam kijkt uit op een schoolplein dat in het weekend lawaaierig is door de bonkende basketballen. Maar de flat heeft hardhouten vloeren, de huur is redelijk en met de El ben je binnen vijftien minuten in het centrum.

Hij werkt in het centrum, in een kantoorgebouw op de hoek van Madison en LaSalle, voor een klein bedrijf dat de verhuur regelt van landmeetapparatuur, waarvan een deel voor archeologische doeleinden wordt gebruikt. Het is niet fascinerend of glamoureus – aan zijn vrienden in Athens beschreef hij zijn werk als 'zo nu en dan interessant' – maar hij vindt dat hij ermee heeft geboft, gezien zijn grillige arbeidsverleden. Het betaalt fatsoenlijk – beter dan tafeldienen, wat hij heeft gedaan toen hij hiernaartoe is verhuisd, afgelopen april een jaar geleden. Hij blijft de vacatures in de gaten houden, hij zou graag werk hebben dat interessanter is, dat meer op zijn vakgebied ligt en waardoor hij meer tijd buiten kan doorbrengen, maar voorlopig is hij hier tevreden mee. Hij vindt zijn baas aardig en op een paar uitzonderingen na ook de mensen met wie hij samenwerkt. De sfeer op kantoor is ontspannen en gezellig. Door een toevalstreffer heeft hij een hoekkamertje waarvan het raam uitzicht biedt op

LaSalle. Hij houdt ervan om 's ochtends met zijn koffie achter zijn bureau te zitten en zijn e-mails te bekijken. Om de *Tribune* online te lezen. Zijn database op te schonen. Hij vindt de absolute zekerheid prettig dat hem op geen enkel moment van de dag gevraagd zal worden het opstel van een brugklasser te lezen.

Wanneer hem wordt gevraagd – meestal door Bernice – of hij blij is dat hij naar Chicago is verhuisd, zegt hij ja. Hij vindt het fijn om in een stad te zijn die volslagen en volledig nieuw voor hem is, fris, boordevol afleiding en verstrooiing, dichtbevolkt, borrelend van energie en activiteit, herrie en beweging, glanzend van structuur en oppervlakte, verlichting. Oneindige mogelijkheden. Of het gevoel ervan. 'Als je dat gevoel krijgt,' zei Bernice wijsgerig, 'dan is het genoeg. Blijf maar daar.' Hij is bezig vrienden te maken. Een gast die hij tijdens zijn studie heeft leren kennen, die getrouwd is, drie katten heeft en in Wrigleyville woont. Een collega die met ironische geestigheden strooit en met wie Alex kameraadschappelijk cheeseburgers gaat eten. Een paar vrienden van de cafetaria vlak bij zijn flat. Hondenbezitters die Alex geregeld ziet op het uitlaatstrand. Hij heeft routines ingesteld, interesses ontwikkeld, ontspanning ingelast. Hij vindt het leuk om 's morgens de El naar zijn werk te nemen en de stad te zien groeien door de raampjes als de trein door de kieren tussen de gebouwen door glibbert. Als het mooi weer is, neemt hij tussen de middag de El naar het meer, zoekt een bank op om zijn lunch te eten. Op de terugweg naar huis wipt hij graag binnen bij de Perzische buurtsuper bij zijn flat om een zakje pistachenootjes te kopen en met de winkelier te kletsen. Als het op zaterdag zonnig is, gaat hij voor op het stoepje zitten met Otto, kletst met zijn buren of leest, terwijl grote, grijze straaljagers vanaf het meer, ogenschijnlijk niet meer dan een meter boven de daken, over hen heen denderen naar het vliegveld O'Hare.

Op sommige dagen, wanneer hij op het stoepje zit te kijken naar de bedrijvigheid in zijn straat, die over het algemeen rustig, kalm en dorps is met zijn oude huizen en keurige gazonnetjes, bloembedden en bomen, denkt Alex terug aan Athens. In zijn geest vormt zich een luchtfoto van de stad, een beeld dat je zou kunnen krijgen wanneer je er vanaf een afstand, vanaf de Mississippi, naartoe vliegt: wat bossen die zich aan de rivier vastklampen en als je dichterbij komt huizen, straten, parken, sportvelden, gebouwen – een grote nederzetting omringd door kilometers maïs- en sojaboonakkers, geïsoleerder dan je ooit vanaf de grond zou vermoeden. Met wat een onbewuste beschermingsstrategie kan zijn tegen het missen van een stad waar hij zoveel jaren van zijn leven heeft doorgebracht, ziet een deel van Alex' geest Athens als dood, de ruïne van een overwonnen beschaving, slechts bevolkt door geesten. Hij moet zichzelf erop wijzen dat er nog steeds mensen wonen. Dan denkt hij aan Bernice, vraagt zich af waar ze is en wat ze doet. Hij denkt aan Kelly, die hem uiteindelijk heeft vergeven voor het feit dat hij haar in de steek heeft gelaten. Maar de winter daarna zijn ze om een aantal redenen – druk met opleiding en werk, de leeftijdsverschillen van hun vrienden, uiteenlopende interesses en ambities, Alex' groeiende verlangen om de stad te verlaten – uit elkaar gegaan.

Hij denkt vaak aan Isabel, maar moet harder zijn best doen, zich beter concentreren om een beeld van haar op te roepen, om elke wazige, ijle herinnering boven te halen en die lang genoeg vast te houden om terug te brengen hoe ze eruitzag of wat ze heeft gezegd. Het is vooral moeilijk omdat hij vierhonderdvijftig kilometer ervandaan in een andere stad zit, waar zijn activiteiten niet van hem vergen dat hij zich door het slib van een vroeger leven worstelt, waar de overbekende locaties ontbreken die zo gretig het geheugen souffleren en assisteren. En dat is precies de bedoeling.

Niet dat hij er volledig aan ontsnapt. Of dat wil. Van tijd tot tijd, meestal 's nachts, meestal wanneer hij moe en neerslachtig is, weemoedig en gekweld, komen de herinneringen en omcirkelen hem alsof ze zijn zwakheid aanvoelen. Hij reageert erop door zich stil te houden, moed te verzamelen en een privéritueel uit te voeren, een godsdienstoefening, een soort totaalzuivering waarin hij zich alles herinnert wat hij kan over het leven met Isabel, alles tegelijk; hij doorstaat de hele willekeurig gemonteerde film tot die ofwel zichzelf ofwel hem heeft uitgeput, meestal het laatste, hem heeft gebroken en leeggezogen. Het is niet aangenaam. Het is nooit een vrolijke film. De beelden en scènes verschijnen in tinten van licht- en donkergrijs, alsof zijn hele leven met Isabel zich op een sombere, regenachtige dag heeft afgespeeld. Hij weet dat dit niet waar is, maar voorlopig wil zijn geest het tijdperk van licht en kleur ontkennen. Op een dag, zo hoopt Alex, wanneer zijn huidige bestaan meer licht en kleur heeft, zullen de stukken van zijn leven met Isabel die het waard zijn hun rechtmatige glans terugkrijgen en dan zal hij er met genegenheid en zonder angst bij stil kunnen staan.

Het kan zijn dat hierin de verklaring ligt waarom hij zo verwoed zijn best heeft gedaan om zijn nieuwe flat op te vrolijken en met kleur te vullen. Hij heeft de muren overgeschilderd in gebroken wit; het oorspronkelijke lichte zeegroen deed hem denken aan de bodem van een verlaten zwembad. In een tweedehandswinkel vond hij verscheidene antieke spiegels van verschillende vormen en groottes; hij poetste ze op en hing ze aan de muur van de woonkamer tegenover de ramen, waardoor de weerspiegeling het effect creëerde van een tweede buitenmuur. 's Middags, wanneer de kamer baadt in het zonlicht en de spiegels stralen weerkaatsen, is het een jacuzzi van licht. Hij heeft een paar planten gekocht: een Afrikaans viooltjes, een philodendron met hartvormige bladeren en diverse varens. Hij heeft reproducties en posters opgehangen, waaronder een grote, ingelijste kleurenfoto van Machu Picchu en een kaart van pre-Columbiaans Noord-Amerika. Isabels Turkse kelim heeft hij in de hal gehangen. Hij kon haar met verwondering horen zeggen: Kijk nou eens, meneer de schilder. Kijk nou eens, meneer groene vingers. Toen hij van het geplande bezoek van Bernice hoorde, ging hij zich te buiten aan een rotan leunstoel, zodat een van hen in de woonkamer ergens anders kon zitten dan op de bank. Hij kocht een roestkleurige juten kleed om een oude watervlek op de vloer te bedekken. De laatste keer dat Bernice op bezoek kwam, in mei, woonde hij nog in het bedompte, beschimmelde souterrain dat hij huurde sinds de lente ervoor, toen hij pas in de stad was gearriveerd. Nu hij nieuwe woonruimte heeft, wil hij dat Bernice naar huis gaat met een plezierigere, geruststellendere herinnering aan zijn omgeving.

Bernice arriveert op vrijdagmiddag. Gezeten in de nieuwe leunstoel, nippend van een biertje terwijl ze Otto aait en herstelt van de vijf uur durende autorit, kijkt ze bewonderend om zich heen. 'Mooi wat je hebt gedaan', zegt ze. 'Het is zo vrolijk. Wat een verschil met die kerker waar je eerst in zat. De spiegels vind ik heel mooi. Is dat allemaal nieuwe verf? Ik wist niet dat je het in je had.'

Alex haalt zijn schouders op. 'Ik had er de tijd voor. Ik heb niet zo'n druk sociaal leven in Chicago. Op zaterdagavond heb ik nogal eens staan verven.'

'Nou, als je sociale leven op gang komt, heb je een mooie flat om je vrienden in uit te nodigen.' Bernice drukt het bierflesje tegen haar ene wang en vervolgens tegen de andere om haar huid af te koelen of in elk geval te demonstreren dat ze het warm heeft. Ze bestudeert een plant die van de bovenkant van zijn boekenkast omlaag hangt. 'Is dat een Algerijnse klimop? Die heb ik ook ooit een gehad. Volgens mij is hij doodgegaan. Zoals de meeste van mijn planten.'

'Hoe gaat het met je philodendron? Die zag er altijd gezond uit.'

'Prima. Philodendrons zijn onverwoestbaar.'

Ze is magerder dan voorheen, nog schraler en peziger, als dat mogelijk is. Alex vermoedt dat het door het nieuwe fitnessregime komt. Hij is blij dat ze goed voor zichzelf zorgt, maar maakt zich zorgen, met een plichtsgetrouwe, beschermende ernst die hij niet heeft ten opzichte van zijn eigen ouders, of ze wel goed eet, of ze niet depressief is, of haar ziektekostenverzekering, waarvan ze hem heeft overtuigd dat die uitstekend is, dekking zal bieden in geval van ziekte of, God verhoede, een ongeluk. Ze draagt een effen wit T-shirt, waarvan de hals net laag genoeg is om haar sleutelbeenderen bloot te laten, die er broos uitzien, scherp afgetekend tegen de holtes erachter. De bobbel van een ader in haar hals. Hoe is zo'n belangrijke leiding voor bloed zo dicht aan de oppervlakte beland, waar hij zo bloot en kwetsbaar is? Het lijkt onzinnig. Je zou toch denken dat de evolutie die diep begraven zou willen hebben. Afgesloten en beschermd door spieren en botten.

Bernice kijkt nieuwsgierig en met ontzag naar Machu Picchu. Ongeveer een minuut lang hebben ze geen van beiden iets gezegd. Voor Alex betekent het iets dat ze, na alles wat ze hebben meegemaakt, na al hun onenigheid en ruzie, na die nacht in de hotelkamer twee jaar geleden, samen in een kamer kunnen zitten zwijgen zonder dat het pijnlijk is.

Halverwege de middag gaan ze een wandeling maken. Het is warm en klam, de hemel is helder, de zon schijnt fel. Alex is de aanblik gaan waarderen van Otto die vrolijk voor hen uit draaft en hij probeert het onverstoorbare optimisme van de hond te evenaren, de handige onbewustheid van de toekomst. Bernice lijkt vermoeid door de reis en minder opgewekt dan ze anders zou kunnen zijn. Terwijl hij naast haar loopt, voelt Alex het gewicht van haar smart, het vergroot en benadrukt dat van hemzelf en brengt het naar de oppervlakte. Alex twijfelt er niet aan dat ze iets dergelijks voelt. Het is de prijs die ze moeten betalen om samen te zijn. Hij is er niet zeker van of het voor een van hen beiden goed zou zijn om altijd samen te zijn. Maar deze bezoeken en hun sporadische telefoontjes en e-mails beuren meer op dan ze deprimeren, dus worden ze er allebei beter van.

Ze kopen gedroogde kersen en pistachenootjes bij de Perzische buurtsuper en lopen knabbelend uit de papieren zakjes door Clark Street. Stelletjes slenteren langs met gekoelde drankjes, praters en lezers hangen op de banken en stoepen – sjofele hippe types in strakke hemden in lagen over elkaar en een dure spijkerbroek met scheuren erin. Niet precies Alex' soort mensen, denkt Bernice. Een beetje jong, een beetje pretentieus. Maar ze vindt ook dat de buurt een eclectische, artistieke en ontspannen indruk maakt. Ze nemen Otto mee een piepklein, overvol winkeltje in, een bakker voor honden waar een verscheidenheid aan buitenissige lekkernijen, die ter plekke worden bereid, op schappen en in blikken zijn uitgestald. Bernice kiest een carobkoekje uit, dat Otto ontdekt en opschrokt voordat ze de kans heeft ervoor te betalen. Verderop in de straat zit een Zweedse bakkerij waar Bernice zich naar binnen waagt, terwijl Alex en Otto buiten wachten. Ze dwaalt door de onberispelijk schone gangpaden, lonkend naar de likeuren en de glögg, de chocolade en het snoepgoed, de koekjes en beschuiten, de marmelade en jam. Ze koopt een reep Marabou Mjölkchoklad en een pot Önos-loganbessenjam en strompelt, duizelig van de umlauten, weer naar buiten.

Die avond gaan Alex en zij uit eten in een Perzisch restaurant dat Resa heet en dat maar een paar straten van Clark Street is, waar Alex woont. De sfeer is er gezellig, met levendige gesprekken en gelach, en het eten – radijs met fetakaas, pitabrood met hummus, shishkebab op een dik bed van rijst met dille – is overheerlijk. Een paar glazen syrah, een Palestijnse wijn waarvan Bernice nog nooit heeft gehoord, maken haar spraakzaam over het kostuumatelier, over de pietluttige prima donna's van dit jaar en de tegenslagen die ze te verduren kregen bij de voorbereiding van *La Nozze di Figaro*. Een dezer dagen, zegt ze, zou ze naar Chicago willen komen en met Alex naar een opera in het Lyric Opera House gaan. 'Het is een van de beste operagebouwen van het land. Misschien zelfs van de wereld. Maria Callas heeft daar haar Amerikaanse debuut gemaakt.'

Alex kijkt verward. 'Volgens mij werk ik precies om de hoek van het operagebouw. Dat is toch in Wacker Drive, hè? Enorm geval van kalksteen? Meer zuilen dan het Parthenon?'

'Het kan wel dat het in Wacker Drive is, ik weet het niet zeker. Ik ben niet meer naar het Lyric geweest sinds...wat een schande. Sinds een eeuwigheid. Weet je...ik ben er met Ellen Frankel en Susan Delahunt naartoe gereden in Susans witte Opel in, goeie help, het moet 1961 of '62 zijn geweest. We hebben toen *Lucia di Lammermoor* gezien met Joan Sutherland en Carlo Bergonzi. Wauw. Dat waren pas tijden.'

'Ik ben in voor de opera', zegt Alex. 'Zolang we er maar niet eentje hoeven zien waarin mensen links en rechts doodgaan.'

'Ik zal zien wat ik kan doen.' Bernice heft haar glas alsof ze de afspraak wil beklinken. 'Ik zal de kaartjes kopen. We moeten wel vooraan zitten, zodat we de kostuums goed kunnen zien.'

De volgende morgen haalt Alex Bernice om zeven uur op bij het pension waar ze logeert, en nadat ze koffie hebben gedronken rijden ze naar het meer. Otto draait verwoed rond in de met handdoeken beklede laadbak van de Jeep. De hemel is grijs en bewolkt, de lucht verfrissend koel. Het meer is koud en ruw en zit vol honden. Op het uitlaatstrand plonzen Otto en een tiental andere waterliefhebbers het meer in en zwemmen krachtig achter gegooide touwspeeltjes, tennisballen en rubberen drijfringen aan, terwijl hun eigenaars, Alex en Bernice incluis, als coaches bij elkaar staan te praten, van hun koffie slobberen en apporteerstijlen en zwemvaardigheden vergelijken met een jovialiteit die niet geheel gespeend is van rivaliteit en trots.

Later, tegen het middaguur, laten ze Otto aangenaam vermoeid achter op de vloer van de woonkamer en rijden naar Pilsen, waar ze met Janet hebben afgesproken voor de lunch. Sam en Carly zullen er ook zijn. Tijdens het schooljaar wonen Sam en Carly bij hun vader in Elmhurst en zijn ze om het andere weekend in de stad bij Janet. Nu, tijdens de zomer, zijn ze vaker bij haar. In Elmhurst hebben de kinderen hun school, vriendjes, muziekles en sport, en in de stad hebben ze museums, tentoonstellingen, concerten en festivals. De parken. En de oever van het meer. Janet hoopt dat het goed voor hen zal zijn om op te groeien op twee plaatsen, blootgesteld aan zoveel verschillende dingen. Ze hoopt dat ze er betere mensen door zullen worden. Bernice, die dit allemaal van Alex hoort, is bang dat ze uiteindelijk beschadigd en bitter zullen worden, zoals dat bij veel kinderen gebeurt na een scheiding. Alex, die Carly en Sam van tijd tot tijd ziet en zelfs een keer op hen heeft gepast, is optimistischer; hij denkt dat ze veerkrachtig zijn. Hij piekert over Janet. Als hij en Bernice de 94 South verlaten, bij Halstead rechts afslaan en vervolgens links Eighteenth Street in draaien – Bernice is onder de indruk van zijn kennis van de route – legt hij uit dat er bij Janet drie weken geleden een gezwel, een geschubd celcarcinoom, van haar oor is verwijderd. Feitelijk is het een uitbraak van huidkanker waar zij, omdat ze immuungecompromitteerd is, extra gevoelig voor is. Alex waarschuwt Bernice dat Janet veel last heeft van neusbloedingen en vaak een afsluitbaar plastic zakje vol bloederige tissues bij zich heeft. 'Oké, misschien is dit stom,' zegt Bernice, 'maar hoe kan kanker op je oor je een bloedneus bezorgen?' Alex legt uit dat Janets artsen haar een medicijn tegen psoriasis geven om de kanker onder controle te krijgen, maar dat medicijn droogt haar neus, ogen en mond uit. 'Jezus', zegt Bernice en ze voelt zich onfatsoenlijk gezond.

Ze vinden een parkeerplaats in Eighteenth Street en lopen in westelijke richting. Bernice kijkt omhoog naar de Tsjechisch geïnspireerde gebouwen met hun vreemd gevormde gevels, hoort mariachi-muziek en luidruchtig Spaans uit de open deur van een *taquería* komen en ze denkt aan de Perzische buurtsuper en de Zweedse bakkerij waar ze gisteren met Alex was. Ze heeft het gevoel van een dooreen gehaspelde bastaardwereld, een mozaïek van ongelijksoortige delen waarin niets meer puur en onvermengd is.

Alex heeft zijn handen diep in zijn zakken gestopt, zijn ellebogen houdt hij strak tegen zijn lichaam en zijn schouders zijn gebogen. Zijn ogen speuren de straat voor hen af. Hij bolt zijn wangen en blaast lucht uit door zijn mond.

'Alles goed?' vraagt Bernice. Ze zou wel even bemoedigend in zijn arm willen knijpen, maar ze raakt hem niet meer zo gemakkelijk en vrijelijk aan als vroeger.

Alex lacht betrapt. Hij is het gaan waarderen dat er iemand is die hem zo goed kent als Bernice doet. 'Ik word er nog steeds zenuwachtig van.'

'Natuurlijk. Ik ook.'

'Dat is je niet aan te zien.'

'Ik kan goed toneelspelen.'

'Hé, daar heb je ze.'

Op het trottoir voor Cuernavaca, het restaurant waar ze afgesproken hebben, staat Janet in een bordeauxrode jurk met een Polynesisch bloemenmotief. Haar haar is naar achteren losjes bij elkaar gebonden. Ze ziet er elegant en sterk uit. Telkens wanneer Alex Janet ziet, denkt hij niet als eerste aan wat er in haar zit, maar in hemzelf – een trieste, tedere gewaarwording van verplaatsing, van door een gelukkig toeval gevonden verlossing. Hij is zo toevallig in deze stad terechtgekomen en leidt er nu een leven – een tamelijk goed leven – dat hij nog maar een paar jaar geleden met geen mogelijkheid had kunnen voorzien.

Janet krijgt Alex en Bernice in het oog en zwaait.

Carly hinkelt en huppelt met gebogen hoofd over het trottoir, gehoor gevend aan een of andere logica van de lijnen en barsten. Sam, die met zijn neus tegen het raam van Cuernavaca staat gedrukt in een poging naar binnen te kijken, draait zich om, neemt nota van Alex en Bernice en gaat weer verder met spioneren.

Janet omhelst Bernice, die de langste afstand heeft afgelegd, als eerste. 'Wat fijn om je weer te zien.'

'En om jou te zien', zegt Bernice. 'Wat een mooie jurk.'

Ze doet een stap naar achteren en worstelend met haar emoties kijkt ze toe hoe Alex en Janet elkaar omarmen. Dat doen ze liefdevol maar vormelijk, met welbewuste ernst. En ontzag. Bernice wacht op de beweging en die komt wanneer Janet en Alex elkaar loslaten. Zonder vorm van ceremonie, alsof het terloops is, plaatst Alex zijn rechterhand hoog op de borstkas van Janet, met de muis op haar borstbeen en met zijn vingertoppen op de blote huid onder aan haar hals. Vluchtig legt Janet haar hand op de zijne. Een tel later is het voorbij.

De eerste keer dat Bernice, tijdens een eerder bezoek, Alex Janet op deze manier zag aanraken, verstijfde ze en kreeg bijna een paniekaanval. Waren Alex en Janet minnaars geworden? Had Isabel, door een onvoorspelbare loop der gebeurtenissen, een buitengewone convergentie van vrijgevigheid en catastrofe, zichzelf vervangen?

Bernice weet nu dat het gewoon de manier is waarop ze elkaar begroeten.

Colofon

© 2011 Uitgeverij Marmer*
© 2011 voor de Nederlandse vertaling Kathleen Rutten en Uitgeverij Marmer*

Copyright © 2009 Stephen Lovely
Oorspronkelijke titel: *Irreplacable*
Oorspronkelijke uitgever: Hyperion/Voice

Redactie: Superschrift
Omslagontwerp: Riesenkind
Foto's omslag: Mohamad Itani/Trevillion Images en Itziar Olaberria/Getty Images
Zetwerk: V3-Services
Druk: Hooiberg|Haasbeek

ISBN 978 94 6068 027 4
NUR 302

Verspreiding in België via Van Halewyck, Diestsesteenweg 71a, 3010 Leuven, België.
www.vanhalewyck.be

Uitgeverij Marmer
De Botter 1
3742 GA BAARN
T: +31 649881429
I: www.uitgeverijmarmer.nl
E: info@uitgeverijmarmer.nl